JN313026

THE PSYCHOSIS-RISK SYNDROME

HANDBOOK FOR
DIAGNOSIS AND
FOLLOW-UP

Thomas H. McGlashan
Barbara C. Walsh
Scott W. Woods

サイコーシス・リスク シンドローム

精神病の早期診断実践ハンドブック

監訳　水野雅文　東邦大学医学部精神神経医学講座・教授

訳　小林啓之　ケンブリッジ大学精神医学部門・特別研究員/
慶應義塾大学医学部精神神経科学教室

医学書院

Authorized translation of the original English language edition,
"The Psychosis-Risk Syndrome: Handbook for Diagnosis and Follow-up",
by Thomas H. McGlashan, Barbara C. Walsh, Scott W. Woods.
Copyright © 2010 by Oxford University Press, Inc.
© First Japanese edition 2011 by Igaku-Shoin Ltd., Tokyo

Printed and bound in Japan

サイコーシス・リスク シンドローム
精神病の早期診断実践ハンドブック

発　行	2011年6月1日　第1版第1刷
著　者	Thomas H. McGlashan, Barbara C. Walsh, Scott W. Woods
監訳者	水野雅文（みずのまさふみ）
訳　者	小林啓之（こばやしひろゆき）
発行者	株式会社　医学書院
	代表取締役　金原　優
	〒113-8719　東京都文京区本郷 1-28-23
	電話　03-3817-5600（社内案内）
組　版	インフォルム
印刷・製本	平河工業社

本書の複製権・翻訳権・上映権・譲渡権・公衆送信権（送信可能化権を含む）
は㈱医学書院が保有します．

ISBN978-4-260-01361-1

JCOPY　〈(社)出版者著作権管理機構 委託出版物〉
本書の無断複写は著作権法上での例外を除き禁じられています．
複写される場合は，そのつど事前に，㈱出版者著作権管理機構
（電話 03-3513-6969, FAX 03-3513-6979, info@jcopy.or.jp）の
許諾を得てください．

本書を 1997 年から 2005 年まで
PRIME Research Clinic の臨床部長を務めた
Tandy J. Miller 博士
の愛しい記憶に捧げる．
同僚として，友人として，指導者として，
また教育者としての彼女の賢明さと気高い精神は，
我々の心の中に，あるいは日々の仕事の中に，
また本書のあらゆるページの中に生き続けている．

監訳者の序

　本書はThomas H. McGlashan, Barbara C. Walsh, Scott W. Woodsによる"The Psychosis-Risk Syndrome: Handbook for Diagnosis and Follow-up"（Oxford University Press, 2010）の邦訳である．

　精神疾患の早期発見や早期治療の重要性は，わが国においても急速に認識が高まり，学会，行政，学校教育現場などから様々な関心が向けられている．特に，統合失調症をはじめとする思春期以降に好発するこころの病に対する早期治療の意義は，若者のその後の人生を考えれば非常に大きな意味を持つ．精神科医や精神保健に関わる専門家であれば誰もがその可能性に期待し，発展を強く待ち望んでいる．これは当事者やご家族にとっても同じ思いであろう．

　読者の中にも，抑うつ状態や不安状態として加療していた患者さんが，数年後に明らかな精神病水準の症状を呈していたり，治療継続中に眼前にて精神病症状を発症していく場面に立ち会い，忸怩たる思いを経験された人も多いことだろう．何よりも実際の臨床場面において，紛れもなく存在する統合失調症発症以前の精神症状に対して，我々臨床家の技量は更に一段と磨かれなければならないが，それには新しい臨床概念の出来を待つ必要があったのかもしれない．

　2013年5月に予定されている米国精神医学会の診断マニュアル（DSM）の改訂に際して，Attenuated Psychosis Syndromeという新たな概念が提案され検討されている．本書で紹介されるリスクシンドロームはいわばその原型であり，なぜこうした概念が姿を現したかが明確に記載されている．欧米ではすでにリスクシンドロームに関する概略についての説明は随所でなされ，様々な学会で活発な議論がなされているところである．

　早期介入の目指すところは，統合失調症や精神病の予防だけではない．広くあらゆる精神障害の早期治療や精神保健の向上は，学校や地域，職域の保健医療従事者が連携して初めて実現されるものである．

著者のひとり McGlashan 教授は，これまで postpsychotic depression やチェストナット・ロッジ病院での長期予後研究でわが国でもよく知られている臨床研究者である．リスクシンドロームへの問題意識は，精神科専門病院での長年にわたる幅広い臨床経験の蓄積の上に創られたものであるから，本物であり信頼に足るものと思う．訳者の小林啓之君も，同様に精神科病院での経験豊富な気鋭の精神科医である．慢性期の症例をじっくりと診つつ，早期発見，早期支援の重要性を語る若手の活躍を頼もしく思う．
　本書に盛り込まれた豊富な症例記述と具体的な診断方法を通じて，早期介入の概念が普及し，リスクを抱える若者への支援を進める一助となれば幸いである．

2011 年 4 月

水野雅文

日本語版に寄せて

　私が初めて精神科医としてのトレーニングを受けたのは1960年代の後半から1970年代の前半にかけてであるが，当時の精神病患者に対する治療には，精神療法に加え抗精神病薬による薬物療法がすでに含まれていた．薬物の投与が患者の不穏や幻聴，恐怖感を瞬く間に一掃することに私は驚きを禁じ得なかったが，その後にしばしば目にしたのはまるで人としてのすべてを失ったかのような，押し黙ったまま空虚に宙を見つめる患者の姿だった．後に精神病後抑うつ[1]，あるいは欠損症候群[2]として知られるようになるこうした状態が，活発な精神病状態からの本当の回復と言えるのかどうか，私は疑問を覚えるようになっていった．

　数年の後に，私は100床程度の小規模の精神科病院で働くようになった．そこでは何年も治療に反応が見られない精神病患者に対し，集中的な精神療法が専門的に行われていた．患者は週に3〜5回，1時間にわたって治療スタッフから個人的に診療を受けることができ，抱えている感情や問題についてくまなく話すように指示されていた．その目的は重い沈黙の下に隠されているはずの強い願望や感情，将来の夢などを彼らが解放し，それにじかに触れることにあった．

　私は結局15年間その病院で診療を続けたが，そのような患者を覆い尽くす壁を取り払い，日々の現実に喜びを取り戻させるのはきわめて難しいことであると気づいた．その試みはしばしば成功することもあったが，それもきわめてまれでしかなかった．私は自分の治療している患者がひょっとして例外的な対象なのではないかと疑い始め，それを確かめるためにこの施設——チェスナット・ロッジ——を退院した患者の長期フォロー研究を行うことを思いついた．私は病院長にその考えを伝え，彼もまたそれに関心を示したことで，いわゆるチェスナット・ロッジ・フォロー研究がスタートすることになった[3,4]．

　研究はその計画と実行に数年を費やし，その結果の多くは幸いいくつかの

論文の形で報告もなされた．だが私がこの研究を行った本当の理由は，ロッジにおける緻密な治療体験が，重度の精神病を持つ人々の生活に退院後も良い影響を及ぼし続けられるかどうかを見出すことにあった．しかし少なくとも私の見たところでは，その答えは究極的には「ノー」であった．クレペリンが最初に仮定したように，精神病は何らかの脳器質的な疾患であることが示されたのだ．それが意味するところはつまり，決定的な「治療」とは予防でしかあり得ないということでもあった．

　私はその後，学問的興味からチェストナット・ロッジを離れ，神経発達を研究するために再び学生に戻る機会を得た．そしてイェール大学で学ぶうちに，精神病が主として脳内の不適切な神経結合に起因しており，それが思春期の脳成熟の最終過程に生じる可能性が高いと確信するようになった．すなわちもし決定的な治療が予防であるとすれば，それがどのようなものであれ，精神病の表出する最も早期，言い換えれば精神病の原型を表す時期に，すなわちサイコーシス・リスクシンドロームに対して行われるものでなければならないのである．

　本書はそのサイコーシス・リスクシンドロームを見出すための解説と手引きであり，共著者であるスコット・ウッズ博士，バーバラ・ウォルシュ博士，故タンディ・ミラー博士らイェール大学の研究者に加え，イェール大学医学部内のコネチカット精神保健センターにあるサイコーシス・リスククリニックに所属する，多くのスタッフの臨床体験をもとに書かれたものである．我々は皆一様に，精神病の進行を阻止するためにはその最初の段階を同定することが不可欠であると固く信じている．

　あらゆる社会は精神病に対し，それがときに暴力に至る，不合理で予測しがたい行動を生み出しかねないという理由によって恐怖を抱いている．さらに精神病が個人や家族，またその周囲の人々から社会的な役割を果たしたり貢献したりする能力を奪う可能性があることも，不安を与える一因となっている．こうした状況を考えれば，もし家族や学校，職場内の誰かが精神病の発症に差し迫っている徴候や症状を示していたとしても，それに対する反応はほぼ例外なく「否認」であろう．それに加えて，精神病がある種不可逆的ともいえる社会的な'死'とみなされているとすれば，その否認の程度はさらに

強まり，声をかけられることも目を向けられることも手を差し伸べられることも全くないまま，もはや覆い隠すことができなくなるまで症状が進行していくのをただ待ち続けなくてはならないのだ．もしそのようなことになれば，文字通り不可逆的な事態を招いてしまうことになりかねない．

　早期発見や早期介入によって，一世紀以上にわたって精神病との関連が指摘されてきた機能の低下に対し，少なくともその一部を現実に予防しうることが今や明らかとなりつつある．したがって精神病に対して社会が抱く恐怖感は，治療における最大の敵であるともいえるだろう．精神病は神経発達における変調であり，主として思春期あるいは成人早期に出現する．この発達段階に見られる精神病の早期あるいは「前駆」症状を同定し治療することによって，発病に至る神経発達プロセスに変更を加えたり，あるいは実際に元通りにしたりするというエビデンスが—そのメカニズムは現時点で我々にも明らかではないが—今日までに蓄積されてきている．

　精神病への対応において最初の，かつ最も重要なステップは予防であり，そこで我々は自身の内にある否認したがる傾向と闘わなくてはいけない．かつて米国大統領のフランクリン・ルーズベルトは，大恐慌で混乱のさなかにある1930年代に国民に向かってこう述べた．「我々が恐れなくてはならないのはただ一つ，恐怖それ自体である」．同じことが精神病に対しても言えるだろう．我々が克服しなくてはならない最大の敵は，自分自身の内なる恐怖から生じる否認である．我々は今まさに，精神病をその最も早い段階から見出す可能性を手にしている．それは実際に実現可能であるばかりでなく，それがもたらす真の意義についても，我々はすでに理解しているはずなのだ．

2011年3月

トーマス・マクグラシャン

1) McGlashan TH, Carpenter WT: Postpsychotic depression in schizophrenia. Archives of General Psychiatry, 33: 231-239, 1976.
2) Fenton WS, McGlashan TH: Antecedents, symptom progression, and long-term outcome of the deficit syndrome in schizophrenia. American Journal of Psychiatry, 151: 351-356, 1994.
3) McGlashan TH: The Chestnut Lodge follow-up study: I: Follow-up methodology and study sample. Archives of General Psychiatry, 41: 573-585, 1984.
4) McGlashan TH: The Chestnut Lodge follow-up study: II: Long-term outcome of schizophrenia and the affective disorders. Archives of General Psychiatry, 41: 585-601, 1984.

緒言

　ニューヘイヴンにあるコネチカット精神保健センターでは，ソーシャルワーカー，心理士，精神科医からなる精神病外来専門チームが，担当する慢性期患者を地域生活に根づかせ，服薬の継続を促し，不法薬物から遠ざけ，ホームレスに陥る危険を回避するという，果てしない仕事と日々格闘している．その一方で多少なりとも希望が持てるのは，彼らは精神病が本来与えかねない日常的な恐怖とは比較的無縁であるということだ．いわゆる「最新の」統合失調症治療といっても，所詮はこうした現状に過ぎない．

　たしかに20世紀初頭の長期入院の実態を考えれば，統合失調症患者の日常生活は進歩したといえるだろう．だがそれはけっして大きな進歩とはいえない．人間の神経系において，たとえば麻痺の回復は容易ではない．が，こうした神経系の不可逆性は，精神病の基盤とされる中枢神経系においても同様のものとみなされている．ちょうど対麻痺の原因となる脊髄の損傷がそうであるように．だが対麻痺の患者と精神病患者には大きな違いが存在する．それは対麻痺では車椅子が必要不可欠となるがゆえに，誰の目にもその障害の存在が明らかであるという点だ．一方で精神病患者に潜在する障害は，一見して分かるものとはいえない．それは日常的に体験する「ごく普通の物事」を知覚し，整理し，まとめ上げ，伝えていくという能力の障害であるからだ．そこにおきまりの車椅子が必要となるはずもないし，それはむしろただ自由を侵害するものでしかない．結果として，慢性期の精神病患者は十分なサポートを得ることなく，公にあてがわれた無秩序なシェルターを転々とし，緊急入院を繰り返すことになるのである．

　それでは我々に何ができるであろうか？　この問いを考えるにあたり，まず我々がその確かな答えを今持っているわけではないことを確認した上で，話を始めなくてはならないだろう．一つの可能な選択肢としては，不可逆性を認識しつつ，慢性的に精神病に苛まれている患者に対し，長期的なサポートを維持できる社会資源を整備していくことである．一方でもう一つの

選択肢としては，機能低下が生じるその始まりを予防する可能性に懸けることであろう．それはまさに今世界中の精神医療に携わる者が，初回精神病の前駆段階あるいはリスク状態の探究に日々エネルギーを傾ける理由でもある．この初回精神病の「発症」に先立つ，症状を呈しつつ機能が低下していく段階を見きわめることによって，精神病の基盤にある神経生物学的な変化に対し新たな視点を得ることができる．それはさらにまた，発症の予防に際し対象を定め，治療を進めていくための，臨床上の症候群を見出すことでもある．

「サイコーシス・リスクシンドロームに対する構造化面接」(SIPS)は，この症候群を評定するために作成された，対面式の評価手法である．SIPSによって，様々な診断が下されるだけでなく，その症候がどの程度深刻なものであるかも評価される．精神病状態であったか，あるいは現在そうであるか，またもしそうでなければ近い将来精神病状態に発展するリスクがあるかを，現在広く用いられている基準に照らして判断していく．我々はこのようなリスクのある状態を，初回精神病に対する『リスクシンドローム』と名付け，他の状態からの区別をおこなっている．

精神病の原因が明確でない以上，その存在を断定しうる真に正確な検査というものは当然ながら存在しない．少なくとも現状では，精神病の診断は一見して明らかな症候，あるいは自ら述べる症状に頼らざるを得ない．したがってその症状は(精神科診断学の分野では「信頼性」として知られているように)大多数が存否を同じように見分けられるものでなくてはならない．

「公式の」精神病診断は，米国精神医学会(DSM)によるものであれ，国際疾病分類(ICD)によるものであれ，基本的には陽性症状に基づいてなされる形がとられている．同様にSIPSにおけるリスクシンドロームの臨床像も，5つの陽性症状項目，具体的には「不自然な思考内容」「猜疑心」「誇大性」「知覚の変化」「不明瞭なコミュニケーション」によって特徴づけられる．だが何故SIPSにおいても，精神病に対するDSMやICDの診断と同じように，陽性症状のみが―しかも精神病が進行していくしばしば長期に及ぶプロセスの中では，おそらく最後に出現する症状であると考えられるのに―取り上げられるのだろうか？　こうした陽性症状が，社会に対する無関心，無気力，機能の低下といった陰性症状よりも時間的に後に生じてくることは疑いのないところであろう．しかしながらこうした陰性症状はいわば「現象学的欠損」で

あって，「診断」を確定するための症状には通常なりにくい．その理由は特に精神病の原因とは関係のないところに存在している．すなわち陽性症状とは何か普通でないことが起きていることを示すのにより鋭敏な指標であるという，ごく実務的な理由に拠っているのである．

早期発見の基盤を遅れて出現してくる陽性症状に置いているというのは，いかにも逆説的だ．だが結局のところ精神病の前段階であっても，見えにくい現象学的欠損や，「サイコーシス・リスク」領域では少なからず登場する非特異的な症状(不安，抑うつ)に比べて，陽性症状の方がより見分けやすいのである．もし陽性症状を診断指標としてとり上げることに何らかの不利な点があるとするならば，それは陽性症状の出現が，実際にはすでに精神病がかなり進行してしまっていることを示している可能性があるということである．裏を返せば，もし明らかな陽性症状を見出せた場合に，リスク状態を見誤って伝えてしまう危険が少ないという利点があるということでもある．

我々筆者らは，ニューヘイヴンにあるサイコーシス・リスク専門のクリニックにおいて，SIPSをすでに10年以上使用している．さらに我々はSIPSの適用法とその有用性について，国内外問わず広く伝えてきた．そして我々は今，自分たちがこれまでサイコーシス・リスクシンドロームについて学んできたことを，また臨床研究あるいは—最終的には—予防的介入のためにそれをどのように用い，記述してきたかを，このハンドブックを通じて凝縮し，伝えていこうとしている．

精神病のリスクを診断する真に正確な道具を持たない以上，リスクシンドロームを同定するにはその進行段階における症状変化の観察に頼らざるを得ない．だが忘れてならないのは，そこにはより早期の段階も存在し，それをより正確に同定するための努力も怠ってはならないということだ．もし仮に精神病に向かう道筋において，さらにより早期のリスクシンドロームを臨床的に捉えうる別の診断手法(生物学的指標を含めて)が存在するとしたら，それに将来取って代わられることこそが，SIPSの究極の目標なのである．

コネチカット州　ニューヘイヴンにて
トーマス・マクグラシャン，バーバラ・ウォルシュ，スコット・ウッズ

目次

監訳者の序　v
日本語版に寄せて　vii
緒言　x

PART A：初発サイコーシスに対するリスクシンドローム：背景　——— 1

1. 初発サイコーシスに対するリスクシンドローム：
   概念の変遷 …………………………………………………………… 3
   「前駆」—リスクを表すためのかつての用語—　3
   サイコーシス・リスクシンドロームを取り上げる論理的根拠　3
   統合失調症の早期段階　5
   精神病進行の背景にある神経生物学的プロセス　6
   早期発見・早期介入における実行可能な予防の種類　8
   早期発見・早期介入の予防的意義に関するエビデンス　9

2. SIPS の開発 ………………………………………………………… 12
   サイコーシス・リスクシンドローム：その評価の歴史　12
   統合失調症発症前の経過と発症予測　13
   サイコーシス・リスクシンドロームに対する
   　構造化面接（SIPS）　15
   精神病の閾値　16
   SIPS/SOPS の代替あるいは補充スケール　18

3. SIPS の信頼度と妥当性 …………………………………………… 20

4. SIPS における症候分類と因子 …………………………………… 25
   症状因子　26

5. SIPS によるサイコーシス・リスクシンドロームと
   精神病の診断 ………………………………………………………… 29
   臨床上の特徴と診断基準　29
   サイコーシス・リスクシンドロームの典型例　32
   前駆状態と精神病　35
   サイコーシス・リスクと統合失調症スペクトラム
   　（失調型パーソナリティ）　36
   リスクシンドロームと DSM-IV における精神病性障害　37

6. リスクシンドロームの"他の"症候
　―陰性症状，解体症状，一般症状 …………………………………… 39
　　「他の」症候の評点　41
7. SIPS のサイコーシス・リスク症例の特徴 ……………………… 42
　　評価　42
　　人口統計学上の特徴　43
　　診断と症候学　45
　　他の併発疾患　48
　　疫学的考察　49

PART B：サイコーシス・リスクシンドローム： SIPS と SOPS による評価 ─────────── 51

8. リスクシンドローム・クリニック受診までの経路 ………… 53
　　電話によるスクリーニング　53
9. 初回面接：SIPS と SOPS に基づく評価 ……………………… 55
　　陽性症状のアセスメント　60
　　他の前駆症状評価と SIPS の完了　63
　　サイコーシス・リスクシンドロームを生じうる他の疾患に対する
　　　鑑別のためのアセスメント　64
　　最終評価　65
10. 初回面接：本人および家族へのリスク状態と
　　治療選択に関する情報提供 ……………………………………… 67
　　　サイコーシス・リスクシンドロームへのモニタリングには
　　　どのような利点があるか？　70
11. SOPS を用いた陽性症状および他の
　　サイコーシス・リスク症状の評価 ……………………………… 72
12. 実際のケースの評価：ベースライン時のアセスメント ……… 91
13. サイコーシス・リスクシンドロームの鑑別診断 …………… 135
　　精神病的特徴を伴う（あるいは伴わない）大うつ病　136
　　精神病的特徴を伴う（あるいは伴わない）躁病　136
　　不安障害　136
　　物質関連障害　137
　　失調型パーソナリティ障害　137
　　境界性パーソナリティ障害　137
　　他の精神疾患　137
　　ケースの例示　138

14. サイコーシス・リスクシンドロームの経過 ·············· 150
   リスクシンドロームクリニックにおける
     精神病発症時の対応 174
15. ベースライン評価のエクササイズ ·················· 176
   評価のまとめ 201

PART C：PRIME クリニック： サイコーシス・リスクシンドロームに対する実際の臨床 — 205

   イェール大学 PRIME クリニックにおける
     リスク陽性ケースのマネジメント 206
   インテーク評価 207
   PRIME クリニックにおける標準的な治療プロトコール 208
   精神病への移行に際して 209
   他の疾患への移行に際して（偽陽性群への対応） 210
   発症前状態に対する早期発見・早期介入のリスクと
     ベネフィット：予防と偏見 211

文献 215

付録 221

　A. サイコーシス・リスクシンドロームの電話スクリーニング 221
　B. SIPS/SOPS 5.0 225
　C. インフォームド・コンセント 298

訳者あとがき 301

索引 307

PART A
初発サイコーシスに対する リスクシンドローム:背景

　このセクションでは,初発サイコーシスに対するリスクシンドロームの概念,およびその臨床的・機能的特徴を明らかにするに至った最近までの経緯を紹介する.続いて,我々が独自に開発した評価手法であるSIPSとSOPSについて,その理論的背景,変遷の歴史,妥当性の根拠などを,主たるテーマとして取り上げていきたい.

第1章

初発サイコーシスに対するリスクシンドローム：概念の変遷

「前駆」—リスクを表すためのかつての用語—

　これまでの関連文献を眺めていくと，サイコーシス・リスクシンドロームと同様の状態を指して，「リスク状態」あるいは「前駆」といった用語が登場する．「前駆 prodrome」はギリシャ語の prodromos，すなわちある出来事の前に生じる物事を意味する言葉に由来している．精神病の文脈に置き換えれば，それは疾患の明確な出現に先立つ早期徴候，症状，機能の低下を通常指すことになる．すなわち一般的・典型的とされる思考，体験，行動からやや離れていく，前精神病的な「ずれ」を呈する段階を指している[1]．しかしこの言葉は，すでに精神病を発症し，寛解状態から再発に向かう際の早期徴候にも適用されてしまう．それに加えて，他の身体疾患（例えば肝炎など）でも発症前のリスク状態，あるいはその時期を取り上げることが，最近ではより一般的になってきているといえる．我々はこうした状況を考慮し，明解さと特異性という観点から，「前駆」という用語の代わりに（初発サイコーシスに対する）「サイコーシス・リスクシンドローム」を用いることとした．

サイコーシス・リスクシンドロームを取り上げる論理的根拠

　統合失調症はしばしば発達の早期段階で出現し，その後の人生に深いダ

メージを与えるという点で，深刻な精神疾患の1つといえる[2,3]．出現率は人口のほぼ1%にあたり，これは世界のどの地域においてもほぼ同じ数字が得られている[4]．発症のリスクは男性の方がやや高く，好発年齢のピークは男性が15～25歳であるのに対し，女性では25～35歳である[5]が，10代での発症も少なくない．1900年代早期に，すでにこのような特徴があることを初めて報告したKraepelinは，この疾患に「早発性痴呆＊dementia praecox」—思春期に生じる痴呆化—という名を与えた[6]．

統合失調症によって失われるコストは膨大である．この疾患が人生の早期に深いダメージを与え，しかもそれが長年に渡って続き，本来発揮できた生産能力が損なわれる代わりに，決して安価とはいえない治療やリハビリを受けなくてはいけないからだ[7]．治療に関して言えば，かつての長期入院という収容生活から，多くの人が地域での暮らしを享受できる程度には進歩した．しかしその一方で，統合失調症患者の大多数は，いまだ残存する症状に悩み，セルフケアや仕事能力，対人関係[3]といった側面に関する，ほとんど一生続くような機能の低下と日々闘っている．たしかに治療によって，この疾患の危険かつ滅裂な(陽性)症状の大部分(幻覚，妄想，解体した思考・発話・行動)をコントロールすることが可能となったかもしれない．しかし患者が崩壊に瀕するリスクは，いまだ常に危険なレベルにあるのだ．彼らは残遺症状によって沈黙させられてはいるが，治療コンプライアンスがいつ途切れて再燃を迎えてもおかしくないのである(しかもそのような事態はこの疾患には少しも珍しくない)．

このような現状を踏まえて，本書の著者の一人であるMcGlashanは1996年に次のように書いている[8]．

　私は自分の専門的なキャリアの中で，多くの統合失調症患者を助けることに喜びを見出してきた．しかも精神病に対する治療は日々明らかに進歩しており，それについての理解も日に日に深まっていると感じている．だから私は今なお楽観主義でいられるのだ．しかしほぼ連日のように慢性化

＊訳注：dementiaは"認知症"との訳語が一般的であるが，ここでは疾患としての認知症(dementia)を指しているのではないため，状態・病態を示す語として"痴呆"を使用した．

した．治療に反応しづらい患者たちを実際に目の前にするうちに，私の関心はコップの半分空になった側に移っていった．私はいまや自分が舞台に出てくるのが遅すぎたと確信している．患者に与えられるダメージの大半は，すでに役目を終えていたからだ．私はまた，現在の治療というものは，統合失調症が中等度から重度に向かう段階においては，所詮一時的な症状の軽快かダメージのコントロールに過ぎないと確信している．我々の努力はたしかに意味のあるものだろう．しかしその効果は，たとえ失われたものを多少なりとも回復できたとしても，ほとんど取るに足らないものだ．統合失調症に罹患する可能性の高い多くの人々にとっては，早期発見と予防的介入以外に本当に意味のある答えは見出せないのである．

最近では中枢神経系における神経生物学的なプロセスの多くが精神病の発症に関与しており，それは数か月あるいは数年の時間をかけて，発症までに不可逆的な状態に至ってしまうと考えられている[9,10]．したがって最早期の段階で精神病を同定していく努力こそが，最も重要となるのである．

精神病の早期発見や早期介入について考えていくためには，我々はまずこの疾患の早期段階がどういうものなのかについて精通しなくてはならないだろう．そしてこの段階を何がさらに先に進めていくのか，どのような予防が実際に可能であるのかといったことについても，詳しく考えていく必要がある．

統合失調症の早期段階

図1-1に統合失調症の早期段階における経過が示してある．図に示すように，早期段階とは病前期，前駆期，そして初回エピソード期を含んでいる[11]．病前期は，その後最終的に統合失調症を発症したとしても，多くの場合正常性の保たれた期間である．もしすでに問題が生じているとすれば，それは大抵出生時に明らかであるか，かなり微妙であまり変化もなく，多くは不明瞭で深刻な機能低下も来さない．次のサイコーシス・リスク期に入ると，機能の低下は明らかとなり，それはしばしば加速的に進行する．サイコーシス・リスク症状が出現し，徐々に症状の数も重症度も頻度も増していく．

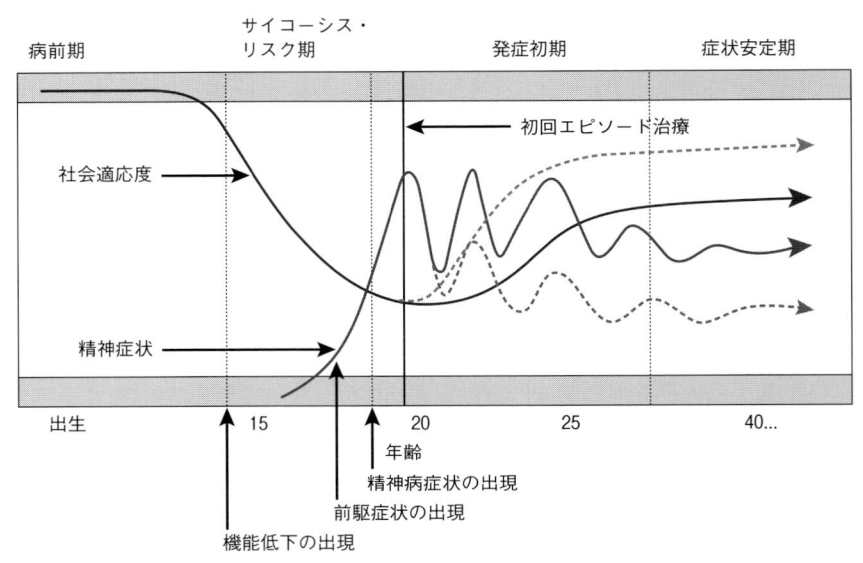

図 1-1　精神病の早期段階

　この時期は通常思春期に重なることが多く，平均2～5年間にわたって持続するとされる[12]．さらに3番目の初回エピソード期まで進むと，「リスク」症状は明らかに精神病的なレベルへと発展し，幻覚は確信を伴い，妄想は現実と化し，行動にもそれが現れてくる．病識や洞察といったものは失われ，順序立ててバランスを保ちながら物事を進めていくということがもはや不可能となってしまう．

精神病進行の背景にある神経生物学的プロセス

　精神病の進行と発症の背景にあるプロセスに関して，我々が考えるモデルの詳細については他で述べているが[13]，図 1-2 にその概要を示す．
　我々は，発達とともに減少するシナプスの密度，すなわちシナプス間の結合が決定的に失われることが，精神病の基礎をなすプロセスあるいは病態生理ではないかと考えている．図 1-2 における直線 P は，精神病に移行する閾値ラインとしてわかりやすく引いたものである．我々のモデルでは，通常

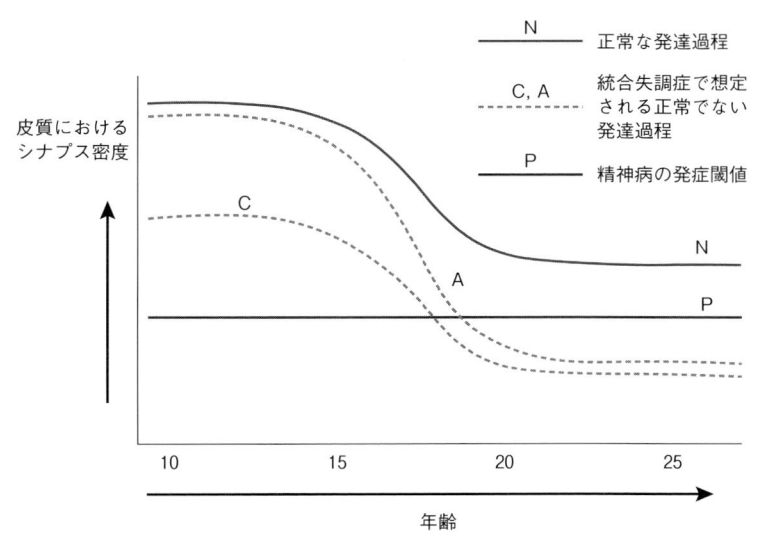

図 1-2 発達に伴うシナプス密度/結合性の低下と精神病の進行のモデル
(McGlashan TH, Hoffman RE : Schizophrenia as a disorder of developmentally reduced synaptic connectivity. Archives of General Psychiatry 57 : 637-648, 2000)

の人間の発達過程において，シナプスの連結が発達の各段階に応じて増減することを前提としている．シナプス間の結合は通常出生から5歳までの間に生成され増幅していくが，思春期までには一定量で留まる．そこでは成人の認知機能の成長を保つために，シナプス間の結合は減少し，「刈り込まれる」．この正常な発達過程を**図 1-2**では曲線Nで示している．最終的に成人の脳ではかなりのシナプスが刈り取られることになるが，一方でコンピュータ本体のように，より高い効率性を持つようになる．

　遺伝的な理由や，周産期あるいは出生時合併症などによって，幼少期のシナプス結合の増殖が通常よりも少なくなることがしばしばある(**図 1-2 の曲線C**)．その結果，小児期におけるシナプス密度は通常より低くなり，神経生物学的にはしばしば社会的な，あるいは学業面や認知機能に関する障害として現れ出てくる(いわゆる病前機能の障害)．こうしたケースでは，思春期での刈り込みがたとえ通常のレベルであっても，精神病の閾値ライン(P)を超えるのに十分な皮質シナプスの減少をもたらしてしまうのである．

精神病の発症経路に関するもう一つの仮説は，幼少期のシナプス結合の増殖は通常のレベルであるが，思春期あるいは成人早期でのシナプスの刈り込みの割合が異常に高まってしまうことで精神病の発症を誘発するというものである．これは図 1-2 の曲線 A で示されている．A の軌道は最終的には C の軌道と同じ地点に至るが，実際の経路や発症のタイミングはやや異なる．C の軌道では，機能低下は思春期の変化より前に常時存在し，しばしばそれは将来直面する困難の前駆徴候ともなっている．一方で A の軌道では，思春期早期までは（あるいはそれを越えても）全く正常であるため，そういった警告的な徴候は存在しない．将来何か問題に直面するという予兆が何もないため，実際にそれがもたらされた時には文字通り「青天の霹靂」のように感じられ，しばしば精神病を発症するまで—すなわち早期介入や治療によって得られるはずのメリットが失われる段階まで—それを無視したり否認したりすることになる．

本書で説明されている評価システムは，この A および C で表される発症経路のいずれにも対応するものである．だがその大多数は A のタイプに属している．なぜならそれが最も一般に見られるタイプであり，またその出現を見定めるのも他と見分けるのも最も難しいタイプだからである．

早期発見・早期介入における実行可能な予防の種類

多くの医療上の問題あるいは疾病に対して，通常 3 種類の予防が可能とされているが，精神病や統合失調症についてもそれは例外ではない．これらはそれぞれ，一次，二次，三次予防と呼ばれている．

一次予防の目標は，一定の人口における疾病の実際の出現率（発症率）あるいは疾病に罹患するケースを減らすことである．予防的介入のターゲットは通常その問題が生じる原因や発症要因であり，介入はその人口全体に対して適用される．すなわちここではその問題あるいは疾病の出現自体を防ぐことが目的とされる．例えば虫歯を予防するために水道水にフッ素を入れたり，交通事故による死傷を防ぐために乗車中のシートベルトを義務付けたりすることなどがそうであろう．統合失調症の一次予防は，たとえ可能であったとしても，きわめてまれである．よく知られている例として，オランダで第

2次世界大戦中にナチスによってもたらされた飢饉の間に妊娠した女性が，後に統合失調症を発症する子どもを産む割合はきわめてわずかながら統計的に有意に高かった（通常の1%に対し2%）というようなことがある[14]．したがって妊娠中の低栄養状態を回避することが，飢餓状態を要因とする統合失調症の発生に対する一次予防となりうる，と指摘することは可能であるかもしれない．

　二次予防の目的は疾病の発生そのものを防ぐことではなく，疾病の拡大や進行を，すなわち疾病が持続する期間やその活動性を，減少させることにある．発症を遅らせたり，あるいは再発を予防したり遅らせたりすることで，疾病の「存在」を小さくしていくという考え方である．二次予防は人口全体をターゲットとするものではない．むしろ，疾患を発生する可能性が高い個人を同定し，そこへ介入を行うというものである．よい例が高コレステロール血症であろう．一般人口において，コレステロールの高い群は心疾患を発生するリスクがきわめて高く，そうしたリスクを回避するために，抗コレステロール薬を用いた治療が行われる．ここでは疾患の進行を防ぐことを期待して，リスクが特定された群に対し，リスクをターゲットに介入がなされている．

　三次予防の目的は，疾病の存在や活動性よりも，重症化を防ぐことにある．すなわちそれは，深刻な病的状態や疾患の急速な進行，場合によっては死亡を回避することであり，またいわゆる二次的損失や，疾患を持つことでもたらされる不幸をより少なくすることである．それは精神病においては，妄想的な恐怖や病識の欠如のために警察から病院に連れてこられたり，自身の奇妙かつ反合理的な行動の突然の出現におびえ始めた友人たちから疎遠にされたりするといった，困難な一時によってはトラウマ的で破滅的な一体験に直面することを通常意味している．

早期発見・早期介入の予防的意義に関するエビデンス

　ここ数十年間の臨床研究は，統合失調症の現行の治療をより早期に適用することによって，疾患の予後あるいは自然経過を改善し得る可能性を示唆している．統合失調症治療の一つとして抗精神病薬の使用が導入された当初

(1950年代)から，より早く薬を投与されたほうが，その後の長期予後が良好であった[15,16]．すでに数多くの研究で，精神病の発症から最初の治療(通常は抗精神病薬の投与か初回入院)までの期間の測定が行われており，精神病未治療期間 duration of untreated psychosis(DUP)と呼ばれるこの期間が，今や重要な概念かつ指標であるとされている．その理由は，多くの研究が発症時点からのより早期の治療開始(より短い DUP)とより良好な予後との有意な相関を示したためであり，最近行われた2つのレビューでもその結果は強固に支持されている[17,18]．

ノルウェーとデンマークで行われた TIPS study は，DUP の短縮を実際に試みた最初のプロジェクトである[19,20]．TIPS とはノルウェー語で「精神病の早期介入」を意味する"Tidlig Intervention i Psychose"の頭文字を取ったものである．この研究ではある特定の一地域において，一般市民や学校，かかりつけ医を対象に初回精神病の症状や徴候，あるいは治療に関する情報を積極的に教育することによって，実際に DUP の短縮が可能であるという事実を示した．しかもこのような DUP の短いケースでは，不安定な状態が見出された時点でも，その「最初の変化」を来した後同定され治療されるまでより時間がかかってしまったケースに比べ，症状がもたらす障害はより少なく，自傷に及ぶ可能性も低く，より高い機能が維持されていた[21-27]．

サイコーシス・リスク症状を呈し治療を求めるケースに対して行われたいくつかの介入研究は，通常心理カウンセリングや抗精神病薬を用いた治療の形式をとるが，いずれも精神病の発症を遅らせる(あるいはそれを予防する)という点で好ましい結果を示している[28,29]．認知行動療法などの心理社会的治療のみを用いた研究においても，同様の効果が報告されている[30]．この分野を切り拓いたパイオニアは故 Ian Falloon である．彼は英国のある一地域で，精神病の発症リスクのあるケースを早期に発見し，家庭をベースとした家族介入を施すというサービスを確立するプロジェクトを行った．結果，サービスを立ち上げてからその後数年間で，精神病の新たな発生率がほぼゼロになったと Falloon は報告している[31]．

全体として，初回精神病あるいはサイコーシス・リスクの段階における早期の発見と介入が，三次予防(例えば自殺のリスクの減少)や二次予防(例えば発症の遅延)を達成できているというのはすでに明らかであるといえよ

う．疾患の発生自体を予防するという一次予防については，いまだ明確に示すには至っていないが，今後達成される可能性は十分残されているといえるだろう．

第 2 章

SIPS の開発

サイコーシス・リスクシンドローム：その評価の歴史

　前精神病段階における精神病のリスクを追究する最初の試みは，米国とドイツ，そしてオーストラリアで始まった．米国のウィスコンシンにおいてChapmanらは「精神病に対する脆弱性」を測る尺度を開発し，大学生にそれを施行した[32,33]．その結果「知覚の異常」や「魔術的思考」といった項目のスコアが高かった学生は，10年後その5.5%に精神病の発症が確認され，一方でスコアの低い学生における発症率は1.3%であった．この結果は統計学的には有意差が生じていたが，予測値としてはかなり低いものである．すなわち，"どういう"学生が精神病を発症するのかを言い当てることに関して，この尺度は十分なものであるとはいえない．

　ドイツのHuberらは，「基底症状」と呼ばれる思考や感情，知覚における意図的でない微妙な変化に関する記載を，1960年代から行っている[34]．彼らは後にこの基底症状を体系化し，さらにそれが精神病を予測する指標となりうるかを，大学病院を受診した精神病リスク状態が疑われる外来患者を対象に調査した[35]．その結果，約50%がその後10年間に精神病を発症したとしており，同じ期間でもChapmanの尺度に比べより正確な予測性を示していた．

　オーストラリア・メルボルンのAlison Yungらは，近い将来（1年以内）の

表 2-1　ハイリスクシンドローム

短期間の間歇的な精神病状態 Brief Intermittent Psychotic State (BIPS)
通常の精神病の診断基準には該当しない，短期間に限定される精神病症状の最近の出現

微弱な陽性症状 Attenuated Positive Symptom State (APS)
非精神病性で妄想には至らない程度の奇異な思考，幻覚には至らない程度の知覚の異常，思考障害と呼ぶには十分ではない程度のまとまりのない発話

遺伝的リスクと機能の低下 Genetic Risk and Deterioration State (GRD)
精神病の遺伝的リスク（第一親等家族に統合失調症スペクトラム障害を認めるか，本人に失調型パーソナリティ障害を認める場合）と社会的・職業的能力の最近の低下（最近1年間にGAFスコアが30%以上低下し，その状態が少なくとも1か月間持続している場合）の併存

精神病発症を予測するサイコーシス・リスクの基準を具体的に示した[36,37]．この基準では，ハイリスク症状と機能の低下をもとに3つの状態が定められており，**表 2-1** はその概要である．最近の機能低下に遺伝リスクが伴う場合，あるいは閾値下の精神病症状の最近の出現，または短期間で消失し，持続期間としては精神病性障害の基準を満たすまでに至らない精神病症状の最近の出現の3つの状態を組み合わせたものを，ハイリスクシンドロームと定義している．これらの基準によって同定された外来患者(N=49)のうち41%が，その後の1年間に精神病に移行したとされる[38]．

統合失調症発症前の経過と発症予測

第1章で示したように，統合失調症の早期段階は病前期，前駆あるいはリスク状態，発症初期を包含している（p6の**図 1-1** を参照）．病前期は基本的に無症候状態を指すが，一部の少数例では，運動機能，社会機能，知的機能における微細で持続的な「神経発達上の」低下を認める．このような機能低下はしばしば正常例にも見受けられるものであり，精神病発症の脆弱性としては，通常後方視的にしか指摘されない．だがたとえ前方視的に見出されたとしても，このような病前期の「リスクマーカー」はあまりに微細であるがゆえに，精神病の発症予測性 positive predictive value (PPV) —リスクマーカーの基準を満たしたサンプル内で，実際に精神病に発症する人の割合—も，ほとんど見出せない[39]．

第1章で詳細を述べたように，発達上の何らかの変異—特に思春期における変化—が，逸脱した神経生物学的なプロセス（例えば皮質におけるシナプスの刈り込みなど）を誘導あるいは加速させ，心理学的な表出として精神・社会機能の低下やある種の不器用さといった，いわゆる精神病のリスク状態を生じると考えられている．そのほとんどのケースは，第1章の図1-2（p7）の曲線Aで示したような発達の偏った軌跡をたどる．これは臨床的には，本来の思考，感情，行動が予期せぬ形で変化し始めることで見出されるであろう．もし心理学的な，あるいは適応上の問題がすでに存在していたとしたら（曲線C），それはもっと明らかな悪化を示すようになる．いずれのケースでも目印になるのは「最近の変化」であり，そのような変化が存在するかどうかが，サイコーシス・リスクの評価では最も重要である．

　疾患の最初のサインは，症候上明らかというよりも通常機能上のものであり，新たに出現した，あるいは新たに加速した社会的・知的な機能低下，または職業上の能力低下などである．こうした変化は，たとえ最初はわずかなものであっても，精神病に対するPPVは比較的高いとされる．例えば，16〜17歳のイスラエル新人兵士においてこのようなマーカーが陽性だったケースでは，実に42%以上が最終的に精神病を発症したという[40]．遺伝的ハイリスク群や病前期の児童を対象としたコホート研究で，学校教師が報告する行動・認知機能マーカーのPPVがわずか5%程度であった[41]ことと比較すれば，これは発症予測における大いなる進歩といえよう．

　サイコーシス・リスク「症状」は最終的には機能の低下に伴って出現する．症状は精神病発症に先立つこと約6か月から3年の間に，80〜90%のケースで生じるとされる．まず非特異的な症状や陰性症状が通常先に出現し，微弱な陽性症状がそれに続いて現れる．発症前の1年間，特に最後の4〜6か月の間は，症状は数のうえでも強度の点でも増大する．現実検討においては疑念や懐疑，不信といった要素を保ちながらも，一方で特徴的で統合失調症的な現象（たとえば被害念慮や妄想的な思考，普通でない侵入思考，説明のつかない幻視や幻聴など）はより明白なものとなっていく．こうした病識を構成する要素が十分に損なわれてしまうと，結果的に精神病状態が生じてくる[42]．

サイコーシス・リスクシンドロームに対する構造化面接（SIPS）

　1997年に，McGlashanらは，サイコーシス・リスク症状を評価するアセスメントツールとして，前駆症状評価スケール the Scale of Prodromal Symptoms（SOPS）を開発した[43,44]．SOPS—2009年にサイコーシス・リスク症状評価スケール the Scale of Psychosis-Risk Symptoms に名称を変更—は，5つの微弱な陽性症状，6つの陰性症状，4つの解体症状，および4つの一般症状を同定し評点するスケールから成っている（表2-2）．すべての症状は0（認められない）から3（中等度），5（重度だが精神病的ではない），6（重度かつ精神病的）に至る，重症度評価のためのアンカーポイントを用いて評価される〔詳細についてはMillerら（1999）[43]を参照〕．これらのスケールは閾値下あるいは微弱なレベルにおける重症度の変動を定義するものであり，簡易精神症状評価スケール Brief Psychiatric Rating Scale（BPRS）[45]や陽性症状・陰性症状評価尺度 Positive and Negative Syndrome Scale（PANSS）[46]，現症と病歴に関する包括的アセスメント Comprehensive Assessment of Symptoms and History（CASH）[47]などの既存のスケールが主として精神病レベルの重症度を扱っている点でSOPSとは異なっている．SOPSは「サイコーシス・リスクシンドロームに対する構造化面接」the Structured Interview for Psychosis-Risk Syndromes（SIPS）の中に含まれており，SIPSは第1章に示した基準にしたがってリスクシンドロームを診断し，SOPSにしたがってリスク症状の重症度を評価することを目的として作成されている．SIPSおよびSOPSを用いたリスクシンドロームの操作的診断基準の詳細については，PART Bで後述する．

　SOPSとSIPSは以下の3つの課題の達成を目標としている．①Yungらが示した3つのサイコーシス・リスク状態（表2-1）のうち，1つ以上が存在するか否かを同定する．②リスク症状の重症度を横断的かつ縦断的に評価する．③精神病が存在するか否かを同定する．端的にいえば，SOPSとSIPSはリスク状態を診断し，リスク症状の重症度変化を評価し，リスクが進行するあるいは精神病に「転換」する時点を判断するものである．

　DSM-IVの精神病の定義に一致させるために，SIPSとSOPSでは精神病と3つのリスク状態のうち2つを，陽性症状を用いて定義している．第3の

リスク状態は陽性症状ではなく精神病の家族歴に基づいており，失調型パーソナリティ障害の評価と機能の全体的評定尺度 Global Assessment of Functioning (GAF) を用いた機能の評価によってなされる．これらの項目についても，SOPSと同様，SIPSの面接内容に組み込まれている．

精神病の閾値

DSM-IV[48]で定義される統合失調症／精神病は，幻覚，妄想，まとまりのない思考，奇異な行動の"A"症状のうち，少なくとも1つの存在を必要とする．DSM-IVとの整合性のために，SOPSとSIPSでも精神病および3つのリスクシンドロームのうちの2つについては，**表2-2**の陽性症状を用いて定義している．この5つの陽性症状項目は，強度が精神病レベルであれば，それぞれ妄想，パラノイア，誇大性，幻覚，まとまりのない発話となる．それに対応する微弱なあるいはリスクシンドロームレベルの陽性症状項目は，それぞれ普通でない内容の思考，猜疑心，気分の発揚，知覚の異常，および知性は保たれているものの理解が困難なとりとめのない発話，となる．

SIPSにおける精神病の基準は，精神病症状の存在 the Presence of Psychotic Symptoms (POPS) と名付けられており，そこでは，DSM-IVと同様に，精神病は「十分な」期間持続する精神病的強度を備えた陽性症状が，少なくとも1つ存在する状態と定義される．だがこの「十分な」の意味が，DSM-IVでは明白でない．DSM-IVにおける統合失調症で「十分」という用語は，「1か月間に一定の割合」の意とされているが，何をもって「一定の割合」とするかは結局具体的に明示されないままである．統合失調症様障害に至っては，「十分な」とは少なくとも1か月間続く6か月間以内の単回エピソードを指し，そこには前駆期も急性期も残遺期もすべて含まれる．急性期症状の持続期間の範囲さえ，そこでは具体的に言及されない．短期精神病性障害では，十分な持続期間とは「少なくとも1日間持続し1か月を越えず，終了後は病前のレベルまで回復すること」である．期間への言及がある点はまだよいとしても，回復についての判断は後方視的にしかなされない．特定されない精神病性障害でも，急性精神病症状の持続期間は明らかにされていない．要約すると，DSM-IVでは精神病の存在および出現に関する，明白

表2-2 サイコーシス・リスク症状の評価スケール(SOPS)

SOPS 陽性症状項目(1〜5)	1. 不自然な内容の思考
	2. 猜疑心
	3. 誇大性
	4. 知覚の異常
	5. 概念の統合不全
SOPS 陰性症状項目(6〜11)	6. 社会的孤立と引きこもり
	7. 意欲低下
	8. 感情表出の低下
	9. 情動体験の低下
	10. 思考の貧困化
	11. 社会機能の低下
SOPS 解体症状項目(12〜15)	12. 奇異な外見と行動
	13. 奇異な思考
	14. 注意・集中の低下
	15. 衛生観念の低下
SOPS 一般症状項目(16〜19)	16. 睡眠障害
	17. 気分不快
	18. 運動障害
	19. ストレス耐性の低下

かつ定まった基準が示されていないということである．したがって，われわれはPOPSで定める精神病の基準を，十分な頻度と期間，および緊急性を備えた，精神病レベルの5つの陽性症状のうち少なくとも1つが存在することと定義した．頻度・期間に関しては，1日の間に少なくとも1時間，週に平均4日間の頻度で1か月以上持続するものとし，月の半分以上出現することを条件とし，緊急性に関しては，期間によらず「まとまりのなさが深刻であるか，危険なレベルにある」陽性症状を対象とした．

BPRS[45]やPANSS[46]のような精神病症状を次元的に評価する他のスケールでは，すでに固定された明らかな精神病症状の重症度を広く評定している．SOPSはそうではなく，精神病レベルの閾値に達しない精神病症状のみを評価するものである．研究プロトコールが精神病症状とあらゆる前駆症状を広く捉えることを求めている場合には，PANSSあるいはBPRSのような精神病評価スケールとSOPSとの両方を用いる必要がある．

SIPS/SOPS の代替あるいは補充スケール

　もう1つのサイコーシス・リスク状態を評価するスケールであるアットリスク状態に対する包括的アセスメント Comprehensive Assessment of At Risk Mental States(CAARMS)も臨床および研究に使用することを目的として，世界中で広く用いられている．CAARMS はオーストラリアのメルボルンにあるリスクシンドロームを対象とした PACE クリニックで，Alison Yung らによって開発された[36]．

　前に述べたサイコーシス・リスクシンドロームの3つのタイプ(微弱な陽性症状群，短期間で間歇的な精神病症状群，および遺伝リスクに機能低下が加わった群)を最初に提示したのがこの PACE クリニックであり，CAARMS はそこでアセスメントを受けたケースがどのタイプにあてはまるかを同定するために開発されたものである．したがって CAARMS は本来，診断を目的としたツールとして作成されたと考えられる．

　SIPS/SOPS もまた同じように，PACE クリニックの定めたリスクシンドロームを診断するために用いられるが，それに加えてこれらのリスクシンドロームの修正型―サイコーシス・リスクシンドロームの診断基準 Criteria of Psychosis-risk Syndromes(COPS)―を定義し，診断を行うものでもある．COPS の定めるシンドロームは，症状の出現する時期に関する点を除けば，実質的には CAARMS の基準とほぼ変わらない．COPS ではサイコーシス・リスク症状はごく最近に出現あるいは悪化していることを条件としている．すなわち，微弱な陽性症状群 Attenuated Positive Symptom State(APS)と遺伝リスクに機能低下が加わった群 Genetic Risk and Deterioration Syndrome(GRDS)では過去1年以内に，短期間で間歇的な精神病症状群 Brief Intermittent Psychotic Syndrome(BIPS)は過去3か月以内の出現あるいは悪化が必要である．CAARMS では，微弱な陽性症状は過去5年間のうちのいつ出現してもかまわないが，過去1年以内のどこかでそれが認められなくてはならない[49]．したがって，過去1年以内で特に悪化していることは必要とされない．CAARMS と COPS の詳細な比較については Miller ら(2003)による論文[50]の p705，表1に掲載しているため，ここでは改めて提示しない．

　繰り返しになるが，CAARMS は本来診断のためのツールとして作成され

たものである．一方でSIPSはリスクシンドロームを診断するだけではなく，精神病の存在および移行を判断するものでもあり，リスク症状の重症度を縦断的に評価する，すなわち経過と治療に伴う変化を評価することを目的として作成されたものである．

第 3 章

SIPS の信頼性と妥当性

　精神医学における診断および症状を評価するスケールは，単に臨床上の諸現象を記述する以上のものでなくてはならない．そこで記述される症状や診断は，信頼性と妥当性が保たれるように異なる症候単位で構成される必要がある．信頼性とは端的に言えば，2人の評価者が同じ患者に同じ評価スケールを用いて別々に評価する際に（つまり他の評価者がどのような評価をしているかは知らされずに），偶然で考えられる以上に明らかに評価が一致することである．良好な信頼性は，いかなる臨床評価スケールにおいても―それが診断目的であれ，症状の重症度評価を目的とするものであれ―達成すべき最も重要な「心理評定上のパラメーター」であるといえよう．それがなければ科学的な集計も，比較も，仮説検討も，すべて実現不可能になってしまうからである．一方でリスクシンドロームにおける臨床科学上の妥当性とは，一定の信頼性をもって現象学的に（すなわち症候学的に）異なると評価された患者群が，現象学以外の手法―例えば年齢分布や性比，家族歴，疾患の重症度，長期的な機能レベルなど―でもたしかに異なっていることを，証明してみせることである．

　SIPS の妥当性と信頼性に関する最初の検討は 1998 年に行われたが，それはこうした重要な心理評定上のパラメーターがどのようにして生まれるかという点で示唆に富んだものであった．この研究の対象は自ら援助を求めた―リスクシンドロームが疑われて我々のサイコーシス・リスククリニックを受

診した—81例の連続例であり，インフォームド・コンセントのもと，1998年の1月23日から2000年の6月5日までSIPSによる面接評価が行われた．

　信頼性の検討を目的とする研究のために，81例中18例に面接をビデオに記録する同意を得て，信頼性評価研究における患者群と定義した．対象の平均年齢は$19.6±7.8$歳であり，11例(61%)が男性であった．信頼性を検討するための評価は，データが揃っている18例中16例に対して1回の面接で行った．他の評価については，すべてビデオテープの記録をもとに行った．

　面接者には一定の訓練を積んだSIPSの十分な経験者を用い，各々の面接者は事前にSIPSの開発者の一人とともに4～5人のケースを一緒に評価し，単独での面接が可能なレベルであるかどうかの判断を下された．1名の精神科医，1名の心理士，3人の心理学博士課程修了の研究者，および1名の十分な臨床経験を持つ研究助手からなる計6名の面接者が，最終的にこの信頼性評価の研究に参加した(各々のイニシャルはT.H.M., T.J.M., J.L.R., L.S., K.S.,およびP.J.M.)．

　各ケースについて，面接者は紹介の理由を除いて他の評価の結果についてはすべて知らされずに面接を行った．一例あたり平均3.2回，全部で58回の評価を行い，70組に及ぶ評価結果のペアを作成した．これらのペアを用いて，信頼性指標であるカッパ係数を算出した．

　信頼性評価の研究に参加した18例中，7例が面接者のアセスメントによってリスク状態にあると分類され，11例がリスク状態にないと判断された．この11例中，2例はすでに統合失調症を発症したケースであると診断され，残りの9例はリスク状態にも精神病状態にもあてはまらなかった．評価者間の一致率は，対象ケースがリスク状態にあるか否かの判断について—すなわち診断の信頼性について—93%であった(カッパ係数$=0.81$，95%信頼区間$=0.55-0.93$)．

　一方，妥当性評価の研究に際して，81例中35例が対象外と判断された(29例が無作為臨床試験に参加しており，4例は精神病の診断基準を満たし，2例については基礎データが不十分であった)ため，残りの46例中29例(63%)がフォローの対象となり，妥当性評価研究に参加する形となった．対象の平均年齢は$17.8±6.1$歳であり，19例(66%)が男性であった．この29例中13例がベースライン時にサイコーシス・リスクシンドロームの基準を

満たしており，16例は精神病とリスクシンドロームのどちらの基準も満たしていなかった．妥当性評価研究に参加しなかった17例のうち，9例については参加への同意が得られず，7例は追跡不能な状態にあり，残り1例は死亡例であった．これら17例の平均年齢は19.1±6.3歳であり，12例（71％）が男性で，5例（29％）がサイコーシス・リスクシンドロームの基準に該当したが，参加群と非参加群とで有意な群間差は認められなかった．

　経過を追跡するため，ベースラインの6か月後と12か月後にSIPSを再度施行し，薬剤の投与状況について再度評価を行った．大部分の面接は対面式で行われたが，4例に対しては電話によるインタビューがなされた．ベースライン時にリスク状態にあると分類されたケースは，フォロー終了時点でもし精神病に移行しておらず，あるいは症状が寛解していなければ，そのままリスク状態にあると診断された．症状の寛解基準の1つとして，フォロー終了時にSOPSでリスク陽性の範囲にある陽性症状が全く存在しないこととした．表3-1に示したように，ベースライン時にリスク状態にあるとされた13例中6例（46％）が6か月以内に統合失調症を発症しており，さらに12か月後には発症率は54％に上った．経過中2例でリスク症状の寛解が認められた．ベースライン時にリスク状態にないとされたケースでは，全例で精神病への移行は認められなかったが，12か月後時点で2例がリスクシンドロームの基準を満たしていた．これらの結果により，SIPSのサイコーシス・リスクシンドロームの基準を満たした場合に，近い将来精神病に移行するリスクが十分に高いことが明らかとなった．

　より最近，かつさらに対象を広げた形で，SIPSの妥当性に関する共同研究が，北米全土にまたがる8つの臨床研究センター（エモリー大学，ハーバード大学医学部，UCLA，UCSD，ノースカロライナ大学，トロント大学，イェール大学，Zucker Hillside病院）によって行われた[51]．自らケアを求めており，かつリスクシンドロームに該当すると同じ構造化面接であるSIPSによって判断された若者が，各センターで続々と募集された．各センターにおける評価者の大部分は，SIPSの開発者らによって，その使用に際し信頼性を保つためのトレーニングをすでに受けていた．したがって，各々のセンターは母集団を最大限にまで増やしながら，面接後2.5年間における精神病の新たな発症に対し，SIPSが妥当な予測指標となるかどうかに関して，質の高い情

表 3-1 サイコーシス・リスク症状を呈した 29 例の 6・12 か月後転帰（SIPS を用いたベースライン時の診断に基づく分類）

ベースライン時の診断	例数					
	6 か月後転帰 [a,b]			12 か月後転帰 [a,c]		
	精神病状態	リスク状態	どちらでもない	精神病状態	リスク状態	どちらでもない
リスク状態	6	5	2	7	4	2
精神病状態でもリスク状態でもない	0	0	16	0	2	14

a：転帰における精神病状態は，統合失調症と同義と考えてよい．ベースライン時の診断と 6・12 か月後の転帰には有意な相関が見られる（2×3 フィッシャーの正確検定，両者ともに p＜0.0001）．
b：精神病状態とリスク状態/どちらでもないとの二者間で比較した場合も（p＜0.004），精神病状態/リスク状態とそのどちらでもないとの二者間で比較した場合も（p＜0.0001），ベースライン時の診断と転帰の間には有意な相関が見られる（2×2 フィッシャーの正確検定）．
c：精神病状態とリスク状態/どちらでもないとの 2 者間で比較した場合も（p＜0.002），精神病状態/リスク状態とそのどちらでもないとの二者間で比較した場合も（p＜0.0002），ベースライン時の診断と転帰の間には有意な相関が見られる（2×2 フィッシャーの正確検定）．

報を提供することが可能となった．

　リスク状態と判断されてこの共同研究に参加した 370 例中，291 例（78.6％）が少なくとも 1 回の追跡調査を完了した．291 例中，82 例が 2.5 年の間に精神病に移行した．リスクシンドロームの基準を満たした場合にこの期間内に精神病に移行する割合は，生存曲線を用いた分析によって，35％と算出された[51]．同期間内に一般人口で精神病が発生する率と比較すると，これは 405 倍の相対危険度を持つことを表している．

　この北米の研究で用いたリスク状態のグループと，いくつかの対照グループ（健常群 190 例，リスク状態にない援助希求群 198 例，遺伝的ハイリスク群 40 例，および失調型パーソナリティ障害群 49 例）とを比較することによって，SIPS で同定されるリスク状態のグループは，臨床的にハイリスクであるだけでなく特殊な精神疾患の一群であることがより明確になった．比較は人口統計学的因子，症状のプロフィール，社会的機能，合併症の有無，精神疾患の家族歴の有無，その後の経過予後について各々行われた〔詳細について

は文献50)を参照されたい〕．結論としては，サイコーシス・リスク状態にあるケースのほうが，失調型パーソナリティを除くすべてのグループよりも症状が多く，2.5年間の精神病発症リスクについても他のすべてのグループより高いというものであった．これらの結果は，初回エピソード精神病に対するリスクシンドロームの診断妥当性を強く支持するものであるといえよう．

第4章

SIPSにおける症候分類と因子

　一般に医学では，症状はその原因も表現型も，例えば発熱や発赤，痛み，麻痺などの主として「身体に」直接内在するものである．一方で精神医学では，症状はその原因も表現型も，主として心理的なものであり，それは行動に影響を及ぼす．幻覚や妄想などは精神病症状の例として挙げられるが，精神病にしばしば見受けられる行動の例には，社会的孤立や衛生観念の低下などが含まれる．こうした行動変化は，知覚の障害（見えないはずのものが見える）や判断の障害（そこにあるはずのない危険を感じる），現実検討能力の障害（火星人が埋め込み型の通信機を通して自分の行動を操っていると信じ込む），コミュニケーションの障害（わかりやすく伝えることができない）などといった症状そのものとはしばしば区別する形で，症候的行動などと呼称される．

　精神病のリスクシンドロームは，精神病自体と同様，症状と症候的行動から成り立っている．第2章の**表2-2**(p17)にこれらのリストを示したが，一見してわかるように，陽性，陰性，解体，一般の4つの症候分類から成っている．陽性症状には，現実検討の障害（妄想的思考，追跡念慮，誇大性），知覚の障害（幻覚）およびコミュニケーションの障害（まとまりのない思考や発話）が含まれている．これらの症状がなぜ「陽性」かといえば，それは「正常」とは全く別の，明らかにかけ離れたものとして，すなわちそれが全く「普通でない」思考や感情やコミュニケーションであるという点で突出しているからである．一方で陰性症状は，その形容詞から推測されるように，通常の「プ

ロセス」が損なわれたり失われたりすることを意味している．そこには意欲や自発性，情緒反応，豊富なアイデアなどの感情的・心理的プロセスが含まれるが，一方セルフケアや社会的活動，あるいは仕事などといった行動面のプロセスも含まれる．陽性症状も陰性症状もしばしば孤立を生じさせるという点では変わらない．すなわちそうした症状によって，人は友人やコミュニティ，ひいては家族からも遠ざけられる．解体症状には，そうした周囲やコミュニティにうまく「適合」できないような外見や行動が含まれる．例えばそれは奇妙なアイデア，奇抜な服装（たとえ若者ではあっても），とりとめのない話しぶり，他者への共感の乏しさ，だらしない身なりなどである．

一般症状は，多くの他の精神疾患—例えばうつ病や不安障害などの非精神病性の疾患—によく見られる症状である．それは「疾患」や「障害」の非特異的な表現型とみなすこともできるかもしれない．例えば，睡眠の障害，不安や恐怖・抑うつなどの気分不快，「普段の」生活でもそのストレスに耐えられなくなる（ちょうど熱が出て横にならずにいられない状態に近い）などの症状が挙げられる．

症状因子

表2-2に列挙した症状が4つの下位分類に分けられているのは，上記のように記述現象学上の類似に基づいている．一方で実際に罹患したケースでどの程度同時に出現するかに基づいて症状を「分類」する方法もある．これは因子分析と呼ばれる手法であり，同時に出現する症状のグループからなる症候単位を因子と呼んでいる．

SIPSに対しても，そのリスクシンドロームの基準に該当する94例に対して，因子分析が行われた[52]．表2-2に示した症状の有無と重症度について，SOPSを用いた評価を行い，得られた評点を因子分析した結果，3つの因子が抽出された．表4-1はSOPSのすべての項目がどのように各因子に分類されたかを示している．抽出された3つの因子は，SOPSのリスク症状について事前に分類した4つの下位分類（表2-2）とほぼ似通った形になっている．

SOPSにおける陰性症状は，「奇妙な行動と外見」（SOPSでは解体症状に分類）や「概念の統合不全」（SOPSでは陽性症状に分類）とともに，すべて因

表 4-1 標準化されたサンプル(N=94)に基づく SOPS 項目の因子分析結果

症状項目		因子		
		1	2	3
D1.	奇異な行動と外見	0.74		
N3.	感情表出の低下	0.71		
N2.	意欲低下	0.62		
N1.	社会的孤立と引きこもり	0.57		
N5.	思考の貧困化	0.53		
P5.	概念の統合不全	0.53		
N4.	自己と情動の認識の低下	0.52		
N6.	社会機能の低下	0.48	0.38	
D4.	衛生観念および社会的関心の低下	0.38		
G2.	気分不快		0.74	
G1.	睡眠障害		0.63	0.47
G4.	ストレス耐性の低下		0.60	
G3.	運動障害		0.39	
D3.	注意・集中の低下		0.60	
P1.	不自然な内容の思考/妄想			0.78
P4.	知覚の異常/幻覚			0.60
P3.	誇大性		−0.41	0.58
D2.	奇異な思考	0.40		0.56
P2.	猜疑心/被害念慮			0.42

因子の抽出法：Varimax 回転による主因子分析．
各因子への寄与が 0.35 を下回っている場合は表記を省略した．各項目の主たる寄与は**太文字**で表される．

子1に分類されている．「衛生観念や社会的関心の低下」もこの因子に緩やかに寄与しており，他の因子との関連は低い．この因子に分類された症状は，主として本来は陰性症状のグループであると考えてよいであろう．

　SOPSにおける4つの一般症状は，すべて因子2に分類されており，4つのうち3つの症状(睡眠障害，気分不快，ストレス耐性の低下)で，他の1つの症状(運動障害)に比べ特に寄与が大きい．解体症状の1つである「注意と集中の低下」もこの因子に強く関与しており，陰性症状の1つである「役割機能の低下」も因子1に次いで緩やかに寄与している．これらの症状は一般にやや非特異的とされるものであり，おそらくは思いがけない能力の低下に直面したことへの反応などといった，心理的な不安や混乱を反映していると考えられる．

因子3は，SOPSの5つの陽性症状のうち「概念の統合不全」（因子1）を除く4つの症状が含まれているのが特徴的である．「奇妙な思考」（SOPSでは解体症状に分類）もこの因子に含まれており，「睡眠障害」も因子2に次いで緩やかに寄与している．総じてこの因子は，精神病に対する脆弱性を表す陽性症状群を反映していると考えられる．

　これらの症状や症候単位，すなわち症状のグループからなる因子は，リスク状態にある個々のケースであれその全体のリスク群であれ，後に移行する可能性のある精神病性障害（大部分は統合失調症）に対しても同様に見出すことができる．これらの症状や因子がリスク状態と精神病とでどのように異なるものであるかについては，次章で論じることとする．

第 5 章

SIPSによるサイコーシス・リスクシンドロームと精神病の診断

　サイコーシス・リスクシンドロームは，どちらかといえば穏やかな日常の最中に，だしぬけに現れることが多い．はじめのうちは何も不都合はなく，取るに足らないものでしかない．しかしそれが1週間あるいは1か月も続くようになると，何か「まともではない感じ」が頭をもたげ始め，今までにはなかったような苦悩と困難の続く道が目の前に現れる—それがサイコーシス・リスクシンドロームなのである．この段階を時間の経過とともに追っていく限りでは，その臨床上の特徴や病理の発展していくさまなどは，たしかに十分にはっきりと分かるものではない．だが非特異的な精神症状から始まるこの道筋に再度目を凝らせば，症状がやがてより明白な精神病様の特徴を呈するようになり，特徴的な症状と機能低下で表わされるリスクシンドロームの3つのタイプの1つに移行していくことが分かるだろう．さらに苦悩や困難，そして現実感覚の変化がより日常化していくにつれて，これらのシンドロームはその勢いを強めながら固定化し，最終的には精神病の出現あるいは移行を招くのである．

臨床上の特徴と診断基準

　リスクシンドロームの自然な経過では，通常抑うつや不安などの非特異的な早期症状に引き続いて（あるいはそれと同時に），関心の欠如や引き込もり，

注意や集中の低下などの認知機能の変化が現れる．これらの症状の後にはさらに，猜疑心や被害念慮，知覚の異常などの陽性症状が続くが，それらはしばしば最初のエピソードの前兆として出現してくる．

一般にリスクシンドロームの状態では，いくつかの特徴的な臨床所見が認められる．種々の症状は通常不快なものとしてその存在が自覚されている一方で，認知機能や社会機能の低下が併せて見られるようになる．機能の全体的評定尺度 Global Assessment of Functioning(GAF) scale[53]では，1から100までの評点内で50を切ることもしばしばあり，これは深刻な機能低下を意味しているといえる[50]．こうしたケースでは，すでに以前に精神科治療を求めて受診していることも多く，中には抗精神病薬などの向精神薬を投与されていることもある[54]．

本書における SIPS/SOPS の使用目的は，リスクシンドロームを診断し，経過に伴うリスク症状の変化を系統的に評価し，精神病の存在を同定することにある．3つのリスクシンドロームの基準，および精神病の基準について，**表5-1**に詳細を示した．DSM-IV-TR との齟齬をなくすために，SIPS/SOPS でも精神病と3つのリスクシンドロームのうち2つを，陽性症状によって定義している．陽性症状項目は5つに分かれており，それぞれ妄想，パラノイア，誇大性，幻覚，まとまりのない会話，となる．これに呼応するリスク症状は，普通でない内容の思考，猜疑心，気分の発揚，知覚の異常，および知性は保たれているものの理解が困難なとりとめのない発話，となる．SIPS の面接によって，さらに家族歴の聴取や失調型パーソナリティ障害の評価，および GAF スコアの評点が行われる．

表5-1に掲げたように，サイコーシス・リスクシンドロームの診断基準は，それぞれ微弱な陽性症状群，短期間欠的な精神病症状群，遺伝リスクと機能低下群からなっている．筆者らの経験からいえば，最も頻度の高いリスクシンドロームは微弱な陽性症状群であり，微弱な陽性症状を伴わない遺伝リスク＋機能低下群は少なく，短期間欠的な精神病症状群はまれにしか存在しない．

表 5-1 サイコーシス・リスクシンドロームおよび精神病の診断基準

	診断の基準
微弱な陽性症状を呈す群 Attenuated Positive Symptoms Syndrome（APS）	1. 明らかな精神病の閾値を超えない，奇異で不自然な内容の思考，猜疑心，まとまりのない発話のいずれかの症状を認める かつ 2. これらの症状は最近1年以内に出現あるいは悪化している かつ 3. これらの症状は最近1か月間で少なくとも週に1回の割合で出現する かつ 4. 精神病状態の基準を満たさない
短期間の間歇的な精神病症状を呈す群 Brief Intermittent Psychosis Syndrome（BIPS）	1. 明らかな精神病の閾値を超えた，奇異で不自然な内容の思考，猜疑心，誇大性，知覚の異常，まとまりのない発話のいずれかの症状を認める かつ 2. これらの症状は最近3か月以内に出現している かつ 3. これらの症状は1か月間に少なくとも1回，1日に少なくとも数分間出現する かつ 4. 精神病状態の基準を満たさない
遺伝的リスクと機能低下を示す群 Genetic Risk and Deterioration Syndrome（GRDS）	1. 精神病性障害の罹患歴を持つ第一親等家族が存在する あるいは 2. 本人が失調型パーソナリティ障害の基準を満たす かつ 3. 最近1年間にGAFにおける明らかな機能低下を認める かつ 4. 精神病状態の基準を満たさない
精神病状態 Psychosis	1. 明らかな精神病の閾値を超えた，奇異で不自然な内容の思考，猜疑心，誇大性，知覚の異常，まとまりのない発話のいずれかの症状を認める かつ 2. 症状は滅裂であり，危険である あるいは 3. これらの症状は最近1か月間に週に4回以上，1日に平均1時間以上出現する

サイコーシス・リスクシンドロームの典型例

　以下に示すのは，PRIME研究クリニックにおいて上記3つのサイコーシス・リスクシンドロームの1つに該当するケースをもとに作成した典型的な例である．3つのうち1つといっても，同時に2つ以上にまたがるケースも現実的には十分あり得る．

ケース1：微弱な陽性症状群

　アンガスはカレッジに通う22歳，未婚の白人男性である．家族に精神疾患の罹患歴はない．8か月ほど前から徐々に，自宅のバスルームで顔を洗ったりシャワーを浴びたりしていると必ず，自分の近くに誰かがいるような気配に悩まされるようになった．その気配はあいまいな女性の影のようでもあり，水を流し始めると決まって現れた．彼はその影におびえるようになり，きっと何か「恨み」を持った女性が，自分がバスルームで転んで死ぬのを望んでいるのではないかと思うようになった．アンガスはそんなことは現実的にあり得ないと頭では分かっていたが，不安は消えなかった．実際には彼はその影だけでなく，子どもの頃から様々な気配を感じていた．だがその女性の影はバスルームに入るたびにほぼ毎回現れるため，シャワーを浴びるのも嫌になり，顔も半分しか洗わなくなった．こうした幻影を取り除いてもらおうと，彼は治療を希望したのだった．

　診察時の面接で，アンガスは自分が演奏する音楽に隠されたモラルメッセージや，チェスのゲームに潜む特別な意味だとか，あるいは文明の衰退のようなテーマに日頃没頭していることで，友人たちからは「変な奴だ」と思われていると明かした．彼は良好な成績を維持してはいたが，一方でやる気を失っており，宿題を片付けるのも一苦労で，日常生活でもやるべきことを先延ばしにするようになっていた．朝起きるのも授業に出るのも，ルームメイトの助けを借りなければならなくなっていた．月に一度か二度は，話の途中で何をしゃべっているのか分からなくなって混乱することがあり，それは友人からも指摘されていた．事実，

恋人は彼の言うことがころころ変わることに対して，しばしば不満を言っていた．

　アンガスは他の学生たちが友人グループから自分を遠ざけようとしていることに悩み，髪型や服装に自分でも説明できないような変化をつけることで，それを乗り切ろうとしたりしていた．こうした不安は大体2週に1回ぐらいやって来たが，内心ではそれが自分の想像にすぎないと考えたりもしていた．それ以上に彼は，自分が意欲のかけらもなく，それも昔とは何か感じが違うことに悩んでいた．

　面接の結果，アンガスは微弱な陽性症状群の診断基準に該当すると判断された．微弱な陽性症状として知覚の異常（室内での幻影）および猜疑心（周囲から遠ざけられ悪口を言われている）を認めたが，アンガスがこれらの体験をストレスに感じながらも現実ではないと考えているという理由で，精神病レベルには至っていないと考えられた．

ケース2：短期間歇的な精神病症状群

　ブライアンは16歳の高校2年生，アフリカ系米国人で両親，姉と同居している．家族に精神疾患の罹患歴はない．以前7年生（中学1年生）のときにブライアンは抑うつ的となり，家に引きこもって集中できない，寝られないと訴えたことがあった．当時両親はおそらく中学校にまだ適応できていないせいだろうと考えていたが，この高校2年生になって再び同様の症状が現れたのだった．

　最初の面接の間，ブライアンは警戒心を解かず，感情もほとんど表に出さなかった．彼は学校で皆から嫌われており，理由はよく分からないが周囲は自分が傷つくのを喜んでいるのだと述べた．より詳しく尋ねると，ブライアンは2人の級友が自分のことを「ホモ」と呼んでいるのを耳にしたような気がして，以来彼らを避けるようになったと認めた．その時は彼らに殴られでもするのではないかと脅えていたが，今から考えると「ホモ」と呼ばれることも，彼らから攻撃されることも，おそらくあり得ない話だったとも認めた．だが彼は他の級友からも過去3か月の間に4,5回にわたって―数分で収まる程度であり，それほど気にするもので

もなかったが—同様の体験があったと述べた．ブライアンはまた，いささか思考のまとまりが悪いという点で概念の統合不全を軽度認めたが，他の普通でない思考や誇大性などは見られなかった．成績はほぼオールAに近かったのが，ほぼオールCにまで下がっていた．両親はもしこの成績が続くようなら，2年生をもう一度やり直さなくてはならなくなると心配していた．

　面接の結果，ブライアンは短期間歇的な精神病症状群に該当すると判断された．彼は妄想と呼びうるレベルのパラノイアを呈していた時期もあったが，それは重症度や危険性の点からも持続期間の点からも，精神病の基準を満たしているとはいえないものであった．

ケース3：遺伝的リスクと機能低下を呈する群

　コリンは19歳の白人女性で，ファーストフード店で働きながら，美容師の専門学校に通っている．彼女は3人姉妹の真ん中で，姉妹のうち一人が統合失調症で入院していたことがある．コリンは受診する前に少なくとも年に1回の割合で抑うつを呈することがあり，ADHDに対する精神刺激薬と抗うつ薬とを併せ飲むことがしばしばあったが，ほとんど改善はしなかった．彼女はしばしば注意を欠くことがあり，お金もろくにないのに，時に散財しては多額の請求書が送られてきてしまい，母親とはよく喧嘩になり，彼女はあとでそれを後悔した．受診する1か月前にコリンは自分の名前を繰り返し呼ぶ声を聞き，スイッチが切れているのにCDプレーヤーが鳴っているように聞こえたことが一度だけあった．

　コリンは恋人と過ごすとき以外はほとんど何もする気にならず，ただ自分の部屋でひとり音楽を聴くことが多かった．彼女は食べた残りを部屋のあちこちに散らかすようになり，欠勤続きのせいで仕事は解雇寸前となり，美容師の専門学校も休みがちになった．彼女は最近，本来感じるべき感情を感じなくなっていると訴えた．両親はかつて姉が同じような症状で精神病を発症したのを思い出し，心配になって彼女を受診に連れてきた．

コリンは診察にはあまり気が乗らない様子だったが，それでも抑うつと無関心の存在は認めることができた．彼女は両親の心配を認め，「明日から」もっと頑張って色々始めるとは約束したが，家族にはそんな明日はやってこないように思えた．彼女は自分の名前が繰り返し呼ばれたりスイッチの切れた CD プレーヤーが鳴ったりしているのを聞いたことが，現実の出来事ではないと思うと認めた．彼女は「すべて私の頭の中で」起きていると述べた．

　コリンの示す陰性症状の数も強度も，また職場や学校，生活における機能低下も，いずれも無視できるレベルではなかった．彼女の GAF スコアは去年に比べて少なくとも 40 点は下がっていると判断された．こうした機能低下に一親等家族における統合失調症の罹患歴を併せ，遺伝的リスクと機能低下を呈する群に該当すると考えられた．彼女の示す陽性症状は，APS や BIPS，また精神病の基準を満たすには持続期間もレベルも十分といえるものではなかった．

前駆状態と精神病

　微弱とされる症状がいわば前駆的であり，まだ精神病的なレベルには至っていないと判断する材料の 1 つに，ある特定の体験が実は症状なのかもしれないとうすうす気づきつつも，その症状が「実際のところ」どういうものかについては，いくら事実があっても確信が持てないということがある．例えば猜疑心に悩まされるある高校生は，自分の学校の新入生全員が自分をのけものにして監視していると感じている一方で，仲間の視線を見ればそれがすぐにあり得ないことだとわかるとも述べている．別の若い女性は，街中のアパートの 3 階に住んでいて誰も直接窓から覗きこむことなどできないと分かっているのに，しばしば誰かが見張っているような気がして，夜に服を着替えることができないという．誇大的な特徴のある，ある若い男性は，同僚が自分とすれ違うと幸運を得られるという「奇妙な」考えにとりつかれていたが，それがあり得ないことだとすぐに考え直すこともまた可能であった．

　微弱な範囲にとどまる知覚の異常も，同様に症状のレベルとしては低くないものの，客観的に状況を見直すことができるという点で，精神病のレベル

までには至らない．こうした症状には，例えば奇妙な音（ドンドン，カチカチ，リンリンなど）が聞こえてきたり，周りに動物がいないのに犬の鳴き声がしたり，周りに誰もいないのに名前を呼ばれたような気がしたりするというのも含まれる．聞こえてくるのがはっきりしない声や音だとか，誰かがぶつぶつ言っているといったようなあいまいなものであれば，症状のレベルとしてはより高いといえるが，やはりまだ微弱なレベルにとどまる．同じように，色が違って見えたり，閃光や幾何学的図形などが見えたりするなどといった，微妙な視覚上の変化もしばしば認められる．時には視界の外に影が見えたり，幽霊のようなものが見えたりするといったことも珍しくない．

　まとまりのない思考については，外からは評価の難しい主観的体験でもあるため，SIPSでは会話のまとまりのなさから判断することとしている．実際の臨床では，会話の中で奇妙な単語や普通でない言いまわしを使い出したり，相手に言いたいことを通じさせるのが困難になってきたり，話しぶりが妙に形式張ったり脱線が増えたりするといったことが評価のサインとなる．ここでいう形式張るとは，一応話の筋は何とか保たれてはいるものの，結局は最初の話題に戻ってしまうような話し方であり，一方で脱線が多いというのは，あちこちさまよった挙句，最初にも戻れないような状態を指している．

サイコーシス・リスクと統合失調症スペクトラム（失調型パーソナリティ）

　3つのシンドロームが示すように，サイコーシス・リスクの状態とは，症状がほぼ見当たらない病前段階から明瞭に統合失調症の症状が出現する時点までの，症状や機能低下のレベルが徐々に進行していく段階であると考えられる[54]．リスクシンドロームの概念には，統合失調症関連の他の疾患やいわゆるスペクトラムと同様の根拠が見出せるところもあるが，厳密には両者は明らかに異なるものである．基本的に疾患としての経過や転帰は，区別すべき特徴と考えられる．リスクシンドロームは失調型パーソナリティや失調性形質 schizotaxia などと，統合失調症そのものよりも症状レベルが低いという点では似通っているが，症状の出現が最近でしかも固定し持続するというよりも徐々に悪化しているという点でまた区別しうる．またリスクシンド

ロームと遺伝的ハイリスクでは，将来統合失調症に進行するリスクが高いという点では共通しているが，リスクシンドロームでは症状が前景に出ており，統合失調症の家族歴が必ずしも必要ではないという点で異なっている．

リスクシンドロームとDSM-IVにおける精神病性障害

　リスクシンドロームはまた，精神病症状の持続期間がDSM-IVにおける失調症や失調感情障害の基準を満たさないような精神病性障害に対しても，区別しうるものである（図5-1）．これらの精神病性障害はDSM-IVでは，分類不能な精神病性障害 Psychotic Disorder Not Otherwise Specified (NOS)，

期間	日単位	週単位	月単位
SIPS	SIPSにおける統合失調症性の精神病 ＝最近1か月間に週に平均4日以上 あるいは ＝症状が十分に滅裂で危険であれば期間を問わない		
	SIPSにおけるBIPS ＜週に平均4日，＜3か月間 十分に滅裂あるいは危険ではない		
DSM-IV	短期精神病性障害 ＝1日以上1か月未満 分類不能な精神病性障害 ＝1日以上だがまだ1か月経過していない	統合失調型障害 ＝1か月以上，＜6か月	統合失調症および失調感情障害 ＜6か月（前駆期も含めて）
CAARMS	CAARMSにおけるBIPS ＜1週間	CAARMSにおける精神病 ＞1週間	

図5-1　3つの診断システムにおける，明らかな精神病症状の持続期間と精神病性障害の診断基準との関係

脚注：BIPS＝短期間の間歇的な精神病状態，CAARMS＝発症リスク状態に対する包括的アセスメント Comprehensive Assessment of At Risk Mental States，SIPS＝サイコーシス・リスクシンドロームに対する構造化面接 Structured Interview for Psychosis-Risk Syndromes.

短期精神病性障害 Brief Psychotic Disorder，統合失調症様障害 Schizophreniform Disorder に分類される．これらの疾患概念は，リスクシンドロームの3つのタイプ，すなわち微弱な陽性症状群(APS)，短期間歇的精神病症状群(BPS)，遺伝的ハイリスク＋機能低下群(GRD)のどれとも重複することはない．統合失調症様障害は，SIPS でも CAARMS でも，大部分は精神病の操作的診断基準に含まれる．しかしながら，図 5-1 に示したように，SIPS で BIPS に定義されたケースでも経過の後半にさしかかってくると，統合失調症様障害早期の基準を同時に満たすことがある．すなわち短期間で間歇的な精神病症状が 1〜3 か月の間持続し，それが同時に DSM-IV における統合失調症様障害の基準である「ある一定期間」の症状の持続に該当するとみなされる場合である．また同様に，DSM-IV で定められる分類不能の精神病や短期精神病性障害の基準を満たすような短期間精神病体験が持続しているケースでも，BIPS の基準に該当するか，あるいは SIPS や CAARMS における精神病の基準にあてはまる場合もある．このようなケースがリスクシンドロームに該当するのか，あるいは精神病の基準を満たすのかについては，SIPS であれば精神病症状の持続期間と重症度の両方で評価すればよいが，CAARMS では持続期間のみで判断しなくてはならない．

第 6 章

リスクシンドロームの"他の"症候―陰性症状，解体症状，一般症状

　第2章でも触れたように，リスクシンドロームに現れる陽性症状は，しばしば遅れて最後に出現する．それらは大概の場合（遡って見れば），リスクシンドロームのいわゆる「他の」症候，陰性症状，解体症状，一般症状の後かあるいは同時に生じるものである．陰性「症状」は能力や機能の喪失にほぼ同義であり，本来存在すべきものが失われた状態を意味する．一般症状は不安や抑うつ，不眠，ストレス耐性の低下など，いわば精神的ストレスを反映した非特異的な徴候を表している．それは広く認められる症状であるため，当然ながらリスクシンドロームに限らず，うつ病や不安障害，心的外傷後ストレス障害（PTSD）などの前兆としても現れる．奇異な外見，奇妙な思考，注意散漫，衛生観念の欠如などで表される解体症状は，しばしば精神病の残遺あるいは慢性期に見受けられる症状である．だが実際にはリスクシンドロームが始まるかなり前から，風変わりでまとまりに欠け，社会性に乏しいなどの特徴として，こうした症状がすでに現れていることも多い．
　精神病が進行する際の神経生物学的に異常なプロセスにおいて―少なくとも理論的には―最初に現れる現象であるという理由から，陰性症状にはしばしば特別な関心が向けられる．一般に陰性症状は早期に進行し，一方陽性症状は遅れて出現してくる．臨床上の病型としては，第4章の**表 4-1**（p27）の因子1に示した症状，すなわち感情表出の低下，無関心，社会的な興味の欠如，孤立あるいは引きこもり，思考の貧困化，感情の自覚あるいは自己感覚

の低下などに代表される．

　陰性症状はおそらく精神病のリスクを早期に予見するサインの1つであるが，その症状自体が微妙なものであるがゆえに，残念ながらしばしば見過ごされ，何事もなく片付けられてしまうことが多い．症状は通常，まず興味や関心の低下が静かに進行し，徐々に能力の低下が目立つようになる．周囲への関心が失われることによる社会的な孤立は，きわめて多くのケースで認められ，一人で過ごすようになる反面，次第に何もしなくなっていく．こうした態度や振舞いは，親や友人からはごくありふれた，思春期特有のわがままな反抗のようにしか見てもらえないことも多い．奇異さや無能力があからさまになってからようやく（例えば寝室で文字通り"何も"しないで何時間も過ごすなど），警告を示すサインとして，すなわち意志ではどうにもならない何かが起きていることを示す症状として，それは捉えられるようになる．

　陰性症状が実際にその姿を現す頃には（そしてその全体像が捉えられる頃には），精神病が出現する下地となるプロセスは，陽性症状が顔をのぞかせるのに十分な程度に熟成している．陽性症状は何か普通でないことが生じているのを示すサインとしてはずっと明瞭だが，当人にとっても新奇で説明しがたいものであるだけに，残念ながら心の深奥にひた隠されてしまうことも多い．SIPSによる診断面接をして初めて，そうした症状が浮かび上がることも少なくない．

　陽性症状によって認知には変化が生じ，ゆがんだ理由づけから判断力は次第に失われていく．陽性症状は徐々に病像の前景に，そして中心に居座るようになる．その奇妙で理性を失った，しばしば恐怖を与える振る舞いはとても無視したり否定したり目をそむけたりするわけにはいかないものとなり，家族や周囲の誰の目にとってもそれはもはや「明らかな」サインとなる．

　こうした明らかなサインとしての価値があるゆえに，陽性症状は統合失調症における診断の主柱をなしており，それはリスクシンドロームにおいても全く同様である．しかし常に頭に留めておかなくてはいけないのは，こうしたサインが知らぬ間に作り上げられていく疾患プロセスの"ごく後半に"出現するものでしかない，ということだ．そういう意味では陰性症状の評価は重要である．それは陽性症状の裏に隠された疾患がどの程度活発で進行しているか，また不可逆性や機能低下の面でどの程度深刻であるかを教えてくれる

有効な鍵となる．

　統合失調症を引き起こす精神病発生のプロセスは，究極的には，まず陰性症状を生み出し，その後陽性症状を発生させるプロセスであるといえるかもしれない．したがって予防を目的とした早期診断・治療を実現していくためには，陰性症状のサインをより正確に見出すことに，今後力を注いでいく必要があるだろう．

「他の」症候の評点

　陰性症状，解体症状，一般症状は SOPS によって 6 段階の評点を与えられるという点では陽性症状と変わりないが，1 つだけ重要な違いがある．陽性症状におけるレベル 5 は「深刻ではあるが精神病的でない」，レベル 6 は「深刻かつ精神病的」な状態を指しているが，「他の」症候ではレベル 5 は「深刻」，レベル 6 は「際立った」状態を表す，という点だ．これらの症状に対しては，精神病状態が存在するか否かについては特に考慮されない．現実検討能力の低下を評価するほうがより分かりやすくかつ信頼性が高いという理由から，その判断は陽性症状に対してのみなされる．

第 7 章

SIPS のサイコーシス・リスク症例の特徴

　かつて抗精神病薬が精神病の発症を遅らせる，あるいは防ぎうるかという無作為対照化試験を行うために，ケアを求めて受診したケースの中で SIPS のサイコーシス・リスクの診断基準に該当する対象を広く募集した[29]．対象は北米の4施設(イェール大学，トロント大学，カルガリー大学，ノースカロライナ大学)で3年半にわたって集められ，総数は60例に上った．このサンプルによって初めて，SIPS のサイコーシス・リスクシンドロームが臨床的にあるいは人口統計学的にどのような特徴を持っているかが実際に明らかとなった．こうした特徴は今後のさらなる研究や対象の同定法によってまた書き換えられたり書き加えられたりするものであるが，以下に少し詳細を述べてみたいと思う．

　ここでは，この一群が人口統計学的にあるいは診断学的に（徴候や症状として）どのような特徴を持っているかに加え，リスクシンドロームが他の精神疾患とどの点が類似していてどの点が（診断の上で）異なるのか，また，一般にどの程度の割合で出現するのかという疫学的な考察を行ってみたい．

評価

　ここで用いられた評価ツールは以下の通りである．
　臨床的なサイコーシス・リスク状態の評価は SOPS[43,44] を用いて行い，他

の症候の評価については，陽性症状・陰性症状評価尺度(PANSS)[46]のほか，臨床全般印象尺度-重症度スケール Clinical Global Impression-Severity of Illness Scale[55]，モンゴメリー・アズバーグうつ病評価尺度 Mania and Depression Rating Scale[56]，ヤング躁病評価尺度 Young Mania Rating Scale[57]が用いられた．心理社会的機能の評価については，GAF[53]およびクオリティ・オブ・ライフ評価尺度 Quality of Life Scale[58]が用いられ，病前機能については病前機能評価スケール Cannon-Spoor Premorbid Adjustment Scale[59]で評価が行われた．精神疾患の家族歴の有無についても，家族歴研究のための修正基準 Modified Family History Research Diagnostic Criteria[60]を用いて確認が行われた．

人口統計学上の特徴

対象の人口統計学上の詳細については，**表7-1**に示した．大まかに，思春期の未婚男性が多くを占めていると言える．人種の混在については，4施設における実際の人種の多様性を反映しているものと考えられる．一親等家族に一人以上，精神病性障害あるいは感情障害の罹患歴があるケースは，全体の44％，26例に上った．その罹患歴の内訳は(表には示していないが)，統合失調症スペクトラムの精神病性障害が55％と最も多く，次いで大うつ病(精神病性も非精神病性も両方含む)が45％，双極性障害は7％であった(人口統計学的なデータにはケース間での重複があるため，結果的に合計が100％よりも大きくなる)．

対象となったケースの大多数は，この臨床試験に参加する前に，何らかの形で精神科医への受診を行っていた．**表7-1**にはそうしたケースで以前にどのような精神科薬が用いられていたかが示してある．最も処方されていたのは抗うつ薬で，全体の40％を占めていた．

施設ごとの内訳では，イェール大学が最も多く(39例，全体の65％)次いでトロント大学が9例(15％)，ノースカロライナ大学とカルガリー大学がともに6例ずつ(各10％)であった．もう1つ別の施設がケースを一人挙げていたが，後に参加を取りやめ，別の研究に参加する形でカルガリー大学のサンプルに組み込まれた．ケースの募集期間は42か月間(1998年1月〜2001

表 7-1 北米におけるサイコーシス・リスクシンドロームを対象とした臨床試験

サンプルの特性（N＝60）		
年齢		
平均値	17.8 ± 4.8	
中間値	16	
範囲	12〜36	
	N	％
性別		
男性	39	65
女性	21	35
人種		
白人	40	67
ヒスパニック系	9	15
アフリカ系	6	10
アジア系/混血	5	8
婚姻状況		
独身	55	92
既婚	2	3
同棲中	3	5
家族歴		
精神病・気分障害の罹患歴を持つ一親等家族の存在	26	44
薬剤使用歴		
抗精神病薬	7	12
抗うつ薬	24	40
抗不安薬	5	8
抗てんかん薬	2	3

年7月）であるから，月に平均約1.4例のケースが集められたことになり，そこには相応の努力が払われていた．例えばイェール大学のPRIMEクリニックでは，この42か月の間476件の電話によるスクリーニングが行われ，その内162件が面接評価に適応のあるケースと判断された．面接を行った162例中，106例が実際の評価に参加し，その64％にあたる61例が，リスクシンドロームの3つの基準の内1つ以上に該当する形で，COPSを満たしていると診断された．最終的に49例から同意が得られ，39例が無作為対照化試験に参加した．

診断と症候学

　対象全60例中，圧倒的多数の57例（95％）が「微弱な陽性症状群」（APS）の基準を満たすケースであった．「遺伝的リスクと機能低下を示す群」（GRD）を満たしていたのは13例あり，うち10例が同時にAPSの基準を満たしていた．「短期間で間歇的な精神病症状群」（BIPS）を満たすケースは一例もなかった．

　ベースライン時におけるリスク症状の出現頻度を**表7-2**に示した．SIPSに詳細を示したように，陽性症状はSOPSで3（中等度）〜5（重度だが精神病的でない）と評価された場合にリスクありと定義される．6と評価された場合は，微弱なレベルではなく，精神病的な重症度であると判断される．最も出現頻度の高い陽性症状は「猜疑心」（60％）であり，「誇大性」が最も頻度が低かった（17％）．

　第6章でも触れたように，陰性症状，解体症状，一般症状のSOPSスコアは，サイコーシス・リスクシンドロームの診断には必要ではないが，ケースの重症度を示す材料になる．したがって，これらの症状における6というスコアは「重度かつ精神病的」ではなく「ごく重度」と表現される．**表7-2**には，3（中等度）〜6（ごく重度）の範囲にあるとされたこれらの症状の出現頻度を示してある．最も高頻度であったのは「社会的孤立」（78％）であり，次いで「役割機能の低下」（77％），「意欲欠如」（67％），「注意・集中困難」（65％），「気分不快」（58％）の順であった．物質使用や依存に関しても一部認めたが，頻度は高くなかった．例えばマリファナは対象の93％が不使用であり，アルコールも98％が常飲しておらず，鎮静薬，精神刺激薬，コカイン，PCP，オピオイド系合成麻薬についても全例で使用を認めなかった．

　ベースライン時における他の症状評価についても**表7-3**にまとめた．表中の「PANSS陽性症状項目」は7つの陽性症状項目の平均合計スコアを示している．平均合計スコアを症状項目数で割れば，その項目の重症度のおおまかな平均レベルが示される．表下部にも示したが，平均レベルが2であるというのはPANSSでは「最小限」であることを意味している．したがって，この対象におけるPANSSの重症度レベルは「最小限」から「中等度」の間に位置するということになる．同様に抑うつ症状の重症度はMADRSにおいて「疑

表7-2 北米におけるサイコーシス・リスクシンドロームを対象とした臨床試験

SOPSによる評価の結果（N=60）

	N	%
陽性症状項目[a]		
不自然な内容の思考	29	48
猜疑心	36	60
誇大性	10	17
知覚の異常	30	50
まとまりのない発話	29	48
陰性症状項目[b]		
社会的孤立	47	78
意欲低下	40	67
感情表出の低下	25	42
情緒の認識の低下	24	40
思考の貧困化	17	28
社会機能低下	46	77
解体症状項目[b]		
奇異な外見	18	30
奇異な思考	19	32
注意・集中の低下	39	65
衛生観念の低下	10	17
一般症状項目[b]		
睡眠障害	22	37
気分不快	35	58
運動障害	8	13
ストレス耐性の低下	28	47

a：スコアが3（中等度）〜5（重度だが精神病的でない）の範囲に該当するケースの例数と割合を示す
b：スコアが3（中等度）〜6（ごく重度）の範囲に該当するケースの例数と割合を示す

わしい」から「中等度」のレベルにあり，躁症状の重症度はYMRSにおいて「存在しない」から「中等度」の間に位置する．CGIによって評価される全体的な臨床症状の重症度としても，「軽度」から「中等度」のレベルにある．

このようにSOPS以外での精神症状評価は概ね「ごく軽度」から「中等度」レベルにあるが，驚くべきことにGAFスコアで表される機能の低下は顕著といわざるを得ない．同様に注目すべきなのは受診前の1年間に実に15ポイントもGAFが低下しているということだ（1年前におけるGAFの最高レベルと現在のレベルの差）．すなわちこの対象は，症状表出としてはそれほど

表7-3 北米におけるサイコーシス・リスクシンドロームを対象とした臨床試験

	ベースライン時における精神病理学的評価の結果(N=60)			
	例数	平均値	標準偏差	重症度の平均レベル
PANSS 陽性症状尺度	60	14.3	4.1	2.0
PANSS 陰性症状尺度	60	17.4	5.9	2.5
PANSS 総合病理尺度	60	65.0	16.9	2.2
MADRS 全体	60	13.3	8.7	1.3
YMS 全体	60	4.5	4.1	0.4
CGI	60	3.7	0.9	
GAF－過去最高レベル	60	57.3	12.8	
GAF－現在のレベル	60	41.9	10.2	

PANSS：2＝ごく軽度，3＝軽度
MADRS：1＝存在が疑われる，2＝軽度
YMS：0＝存在しない，1＝軽度
CGI：3＝軽度，4＝中等度
GAF：57＝症状は中等度のレベルにあり，対人関係や学校，仕事上のいずれかで中等度レベルの機能低下が見られる
GAF：42＝症状のいくつかは深刻なレベルにあり，明らかな機能低下が見られる

目立たなくても，明らかに機能が低下している群ということになる．

　PASで評価される病前機能は，4相からなる発達段階における，いくつかの機能の程度を表している．**表7-4**には各段階における各機能項目のスコアが示されている．この対象の病前機能として特徴的なのは，各発達段階を通じて軽度から中等度の経時的な適応度の低下が見られることである．たとえば小児期から思春期にかけては，社会的引きこもりが増加し，対人関係は希薄となり，学業成績は落ち込み，学校生活への適応度は軒並み低下する．陰性症状に関する先の議論でも触れたように，精神病前駆状態において陽性症状の前触れとなるのは，思春期や成年早期における通常の発達過程が徐々にうまく越えられなくなっていくことである．早期に出現するのは陰性症状に加え，こうした「成長」における挫折でもある．それはしばしば苦痛や心配の種となる一方で，ほとんど常に「大人になるための」一時的な副産物として片付けられてしまう．多くの場合，陽性症状が出現して初めて，このような早期の挫折の精神病理学的な意味が理解されるのである．

表 7-4 北米におけるサイコーシス・リスクシンドロームを対象とした臨床試験：病前の機能

適応評価項目	病前機能スケール											
	発達レベル											
	幼少期 (0〜11歳)			思春期前期 (12〜15歳)			思春期後期 (16〜18歳)			成年早期 (19歳以上)		
	例数	平均値	標準偏差	例数	平均値	標準偏差	例数	平均値	標準偏差	例数	平均値	標準偏差
社交性と回避　0＝社交性は保たれている；2＝軽度の回避；4＝中等度の回避；5＝社交性が見られない	54	1.8	1.7	55	2.3	1.6	33	2.8	1.8	17	2.7	1.7
他者との関係性　0＝友人は多い；2＝友人は限られている；4＝家族としか接触がない；6＝孤立している	54	1.8	1.5	55	2.3	1.5	33	2.5	1.5	17	2.9	1.6
学業成績　0＝きわめて良好；2＝良好；4＝普通；6＝不良	54	2.2	1.6	55	3.7	1.6	33	3.8	2.0	−	−	−
学校への適応度　0＝良好，楽しめる；2＝普通；4＝良好でない，楽しめない；6＝不登校	34	1.3	1.2	55	2.2	1.6	33	2.8	1.8	−	−	−

他の併発疾患

　統合失調症においてしばしば併発疾患の診断基準が同時に満たされることはよく知られる一方で，その疾患形成の過程でどのような併発疾患・症状が見られるかはあまりよく知られていない．しかしながら，いくつかの研究がこの問題を扱い始めている．ある文献によれば，援助を求めるサイコーシス・リスクシンドロームのケースでは，統合失調症を発症するリスクが発見されるずっと以前から，何度も精神科サービスにアクセスしているとされる[61]．他の研究でも精神病を発症するハイリスク群における精神科既往

歴[62]やベースラインでの併発疾患[38,63]，物質使用の合併[64]，および最終的に併発する精神疾患[65]などが調べられている．

Rosenらはリスクシンドロームを対象とするクリニックに受診する援助希求群の併発疾患・症状を明らかにしている[65]．すべての対象のうち，その半数(29例)はリスクシンドロームの基準に該当し，残りの半数(29例)はその基準を満たさなかった．この研究の対象は，現在あるいは過去のDSM-IVにおけるⅠ軸およびⅡ軸の精神疾患の有無を，DSM-IVのための構造化臨床面接患者版 the Structured Clinical Interview for DSM-IV-Patient Edition(SCID-I/P)[66]，およびパーソナリティ障害のための診断面接 the Diagnostic Interview for Personality Disorders(DIPD-IV)[67]で評価されている．初回時の精神病理学的評価では，29例のリスク陽性者のうち14例(48％)が，その時点で1つ以上のⅠ軸疾患の基準を満たしていた(表7-5)．最も頻度の高いⅠ軸疾患は，物質使用および大うつ病性障害であり，次いでアルコール依存症の頻度が高かった．リスク陽性者の28％(8例)は，その時点における気分障害を1つ以上呈しており，24％(7例)では1つ以上の物質使用性障害を，同じく24％(7例)で不安障害の基準を1つ以上満たしていた．

この研究結果によって，前方視的にリスク陽性と判断されたケースでも，現在および過去の精神疾患の合併頻度は高いことが示唆される．同時に精神疾患の合併の有無で，援助を求めるケース全体からリスク陽性例を区別しうるわけではないことがいえるだろう(すなわち臨床像としては重複する点がかなりあるということになる)．

疫学的考察

統合失調症の年間発生率は1万人あたりほぼ1人とされ，その有病率は世界全体で人口の約1％である．性別の割合では，男性がわずかばかり高い．好発年齢は男性では20代前半，女性では20代後半である．サイコーシス・リスクシンドロームに関する詳細な疫学データはまだ得られていないが，発生率は統合失調症のそれを反映した形となる一方で，年齢は1〜2歳若くなることが予想される．これまでの研究参加への呼び掛けに応じたケースの年齢が全体に若いのも，発症年齢のより若い男性がリスク陽性群においてもよ

表7-5 受診群に併存するⅠ軸診断のリスク有無による比較

併存するⅠ軸診断	リスクあり (N=29)	リスクなし (N=29)
1つ以上の気分障害が併存するケース	8*(28%)	7*(24%)
特定不能のうつ病性障害	2(7%)	3(10%)
気分変調性障害	1(4%)	2(7%)
大うつ病性障害	5(17%)	3(10%)
1つ以上の不安障害が併存するケース	7*(24%)	6*(21%)
広場恐怖	1(4%)	1(4%)
特定不能の不安障害	0	1(4%)
全般性不安障害	2(7%)	2(7%)
強迫性障害	1(4%)	0
パニック障害	1(4%)	2(7%)
心的外傷後ストレス障害	1(4%)	0
社交恐怖	2(4%)	3(10%)
1つ以上の物質関連障害が併存するケース	7*(24%)	4*(14%)
アルコール乱用	2(7%)	0
アルコール依存	4(14%)	2(7%)
大麻乱用	0	1(4%)
大麻依存	5(17%)	0
コカイン乱用	1(4%)	0
コカイン依存	2(7%)	0
幻覚剤依存	2(7%)	0
他の物質乱用	1(4%)	0
多物質依存	0	2(7%)
鎮静薬/睡眠薬/抗不安薬依存	1(4%)	0
適応障害が併存するケース	0*	1*(4%)

大麻依存(p=0.052)を除いて,リスク有無による差はすべて有意ではなかった.
＊:ケースによっては1つ以上の診断があてはまるため,各項目は相互に独立ではない.

り多数を占める傾向があるためと考えられる.最後に,現行のリスクシンドロームの基準が偽陽性例を同定あるいは排除できない以上,サイコーシス・リスクシンドロームを呈するケースがすべて統合失調症を発症するわけではないということを言い添えておこう.診断基準がより正確なものとなるまでは,リスクシンドロームは最終的には統合失調症以外の別の疾患に移行するケースや,あるいはいかなる精神疾患も発症しないケースを含むことになる.

PART B
サイコーシス・リスクシンドローム：SIPS と SOPS による評価

　このセクションでは，サイコーシス・リスクシンドロームの診断において SIPS をどのように用いるか，また症状評価において SOPS をどのように使用するかに話題を移していきたい．これらの質問紙は，臨床医あるいは臨床研究者となるべく訓練を受けた，少なくとも大学卒業程度の学歴を持った人々の使用を前提としている．理想的には，SCID や PANSS などの構造化された精神科面接を使用した経験のあることが望ましい．ここに挙げられている例は，コネチカット州ニューヘイヴンにあるイェール大学の PRIME クリニックにおける我々の経験に基づいている．PRIME クリニックの PRIME とはサイコーシス(Psychosis)・リスク(Risk)の発見(Identification)，マネジメント(Management)，教育(Education)の頭文字を取ったものであり，このクリニックは 1996 年に開設された．すべての症例において，個人が特定できるような具体的な事例は，匿名性の保護を目的に適宜改変を行った．

第 8 章
リスクシンドローム・クリニック受診までの経路

　PRIME クリニックを訪れる人はすべて，何らかのケアを自ら求めている人々である．彼らは様々な紹介元から SIPS/SOPS による評価を受けるように勧められて来ている．開設後の 12 年間にわたって PRIME クリニックが受けた紹介元は，順に地域の非医師による診療所(33%)，家族(22%)，かかりつけ医(20%)，学校関係職員(13%)，本人(10%)，その他(2%)となっている．

　照会の動機には様々な理由や不安が存在し，どれも一様ではない．両親の不安は主として，子どもが言うことを聞かない，指示に従わない，学校で上手くやっていけない，周囲に関心がないなどの(大抵は今まで見たこともないような)客観的行動である．一方で臨床家は，患者が報告する主観的体験のほうに関心を持ちやすい．例えばある臨床家は数か月診ていた患者について，アドバイスを求めてきた．彼はそれまで患者を不安障害と診断していたが，最近になって周囲への不信感をあらわにしたり，普通でない考えにとらわれ始めるなど，これまでに見られなかった変化が症状に現れてきたという．紹介されるすべてのケースに共通していえることは，診断の変更を迫るような厄介な変化を，過去 1 年以内に体験し始めるということである．

電話によるスクリーニング(付録 A)

　紹介されたケースへの最初の接触は，主に電話によってなされることが多

い(p221〜224,付録 A のサイコーシス・リスクシンドロームの電話スクリーニングを参照).一度実際のスクリーニングを参照のうえ,再度本文を読み進まれるのがよいであろう.

　スクリーニングの目的は,SIPS による対面式の面接が必要かどうかを判断することである.SIPS/SOPS は,後に精神病を発症するリスクが高いケースを臨床的に同定するように作成されている.したがって,症状の出現や悪化を最近認めているかどうか,また,すでに精神病性障害と診断されていたり,紹介の動機となっている症状を生む可能性のある別の精神／身体疾患や物質関連障害と診断されたり,その治療を受けたりしていないかどうかを確認することが,スクリーニングでは重要であるといえる.

第 9 章

初回面接：SIPS と SOPS に基づく評価

　これから実際のケースを見ていくにあたり，まずは SIPS の使い方について概説していくこととしよう（付録 B, p225～300）．SIPS の p228 に面接の目的と，精神病状態を除外あるいは包含するための基準である POPS の詳細が述べられている．p229～231 には，面接によって明らかにされるサイコーシス・リスクシンドロームの 3 つの基準（COPS）について詳細が記されている．p232～235 は，リスク症状の評価スケール（SOPS）を使用する際のマニュアルである．本章ではこれらのマニュアルや細則を詳細に論じていくこととする．

　面接はまず全体像を把握するための「概観」の項に始まり，p235 にその大枠となる質問事項を記す．回答を記録するための空白部分（p236）の後に，家族歴作成表（p237），リスク症状評価スケール（SOPS, p238～287），機能の全体的評定尺度（GAF, p288～291），さらに失調型パーソナリティ障害診断チェックリスト（p292～293）が続いている．

　初回面接時に対象が未成年者である場合には，面接者が面接過程について説明する際，通常同伴している親か保護者が同席していることが望ましい．対象が 18 歳以上であれば，同伴者は親でなくても，親戚や友人であってもかまわない．

　説明の際に注意しなくてはならないのは，面接の目的が深刻な精神疾患に移行するリスクを判断するためだけでなく，何か別の問題が生じていないか

どうかを判断するためでもある．ときちんと伝えることである．さらに面接者は面接が半構造化されていることを説明し，すべての質問を行う必要がある．したがって，被面接者には自分に関係のある質問と関係のない質問がなされることになるが，あらゆる質問につつみ隠さず正直に答えることが正確な評価につながり，時宜を得た対応が可能になると伝えておくことも重要である．

　背景情報と家族歴の欄を埋めた後に，その後の面接が対象者のみに対して行われることを説明する．その面接の後に，面接者は実際に評価されたリスクについて家族を再び同席させてフィードバックを行うことになる．したがって全体を終えるまでに1時間半から3時間程度かかることを，前もって伝えておく必要があるだろう．

　SIPSにおける「概観」項目の目的は，面接の動機や理由だけでなく，最近の社会機能，教育歴，発育状況，既往歴，精神科受診歴，職歴，社会活動歴などに関する情報を得ることにある．概観項目には，電話スクリーニングから得られた行動変化や症状，すなわち最近の変化を含む職歴あるいは学歴，特殊学級履修の有無，トラウマの有無，発達の経過，処方を含む受診歴，社会活動への参加など，最近生じたあらゆる変化とともに，物質使用の有無に関する情報も含まれる．対象者が未成年である場合は，親が同席している際には学校での成績や友人の多寡に関する情報を，本人のみであれば物質使用歴に関する情報を得ることが重要である．

　過去の精神病罹患歴が電話スクリーニングからだけでは除外できない場合，面接時に過去の精神症状や精神科的問題の有無，特に入院歴や抗精神病薬を用いた治療の有無に関する情報を新たに得て，それをもとに評価を行う．

　現在の精神病状態は，精神病状態の診断基準 Presence of Psychotic Symptoms（POPS）Criteria（付録B，SIPSのp228を参照）を用いて除外する．一定のレベルで深刻かつ精神病的な陽性症状が十分長期間にわたって存在する場合に，現在精神病状態にあると定義される．現在の精神病状態を除外するためには，評価リストにある5つの陽性症状項目（普通でない思考内容／妄想，猜疑心，誇大性，知覚の異常／幻覚，まとまりのない発話）に関して，質問と評価を行う必要がある．POPSの操作的基準にしたがって，①陽性症状がSOPSの6点に相当し，症状はまとまりを欠き危険であるか，②SOPS

の6点に相当する陽性症状がこの1か月間に，1日に少なくとも1時間，週に平均4回以上の割合で出現する場合に，現在精神病状態にあると判断される．SOPSの6点のレベルとは，たとえば知覚の異常であれば，「悪魔に自分を痛めつけると脅されている」と訴えてくるようなケースである．そうしたケースでは，脅しは実在するものであり，それに従わなくてはいけないと思い込んでいる．このレベルでは症状が危険な状態にあるという基準をも同時に満たしており，現在の精神病状態の判断基準に明らかに合致している．

　精神疾患の家族歴を判断するためには，面接者は対象者のすべての第一親等家族（両親，兄弟姉妹，子）に関して質問を行う必要がある．一親等家族が精神病性障害だけでなく他の精神疾患があるか，またその治療歴についても記録を行わなければならない．

　本人と家族の間で情報の食い違いやずれが生じた場合には，できれば全員を同席させて詳細を確認することが重要である．多くの場合相違が生じるのは行動そのものであるよりも，行動の解釈の仕方に原因がある．だが，もし本人がその症状や体験を否定しているのであれば，たとえ家族がその存在を主張したとしても，本人の意見を優先した記録を行う．

　得られた情報には多くの場合，別の情報源も存在する．もし本人がある症状の存在を認め，家族が以前からそうした症状があったと述べた場合には，家族の情報は症状の持続期間を評価するのに用いられる．同様に病院や医師，カウンセラーからの情報は，たとえ本人が否定したとしても，有用であると考えられる．入院する前にどのような体験が生じていたかは，それが精神病エピソードを誘発した原因となっている可能性もあるため，とりわけ重要である．可能であればこうした記録のコピーは（もちろん本人や家族の同意の上で）常時入手しておく必要がある．

　ここでインテーク面接の第一段階終了時に得られる情報の一例を示そう．

　デクスターは14歳の白人の男の子で，地元の中等学校の現在8年生（中学2年生）である．彼は実の両親と15歳の姉と一緒に暮らしている．彼がかかりつけの精神科医から面接の提案を受けたのは，最近学校の仲間に対して突飛な行動が増えているだけでなく，それに伴って不安感や抑うつ感も大きくなり，普通でない考えが頭の中を占めるようになったためであった．たとえば喫茶店に入って知り合いが笑ったりしていれば，それは自分のことを笑っ

ているに違いないと思い込む，などである．しかも笑っている相手に近づいていき，興奮と怒りにまかせて自分の思い込みをぶつけることさえした．彼は4年間にわたって精神科医のもとに通院したが，入院には至らず，服薬を勧められることもなかった．だが最初は友人に対する不安や恐怖と考えられた反応が出来事についての妄想的な解釈に変わっていくのを見て，精神科医もさすがに事態を重く見るようになり，それが今回の紹介の動機となった．本人はこれまでにアルコールや薬物の使用経験は否定している．

　母親からの情報では妊娠中の経過も特に問題なく，期間内にアルコールや薬物を使用した経緯もなかった．出産も順調で，併発症などの問題もなかった．その後も発達の遅れは認めず，発育は正常であった．母親が見る限り知的にも高く，学校の成績も本来は総じて良好であった．精神科医にかかり始めたのは，学校の授業中などでも感情のコントロールができなくなり，結果的に成績が悪化してしまったためであった．4年が経過した現在も感情の制御はいまだ困難であり，それに加えて不安，抑うつ，不自然な内容の思考が増悪していた．

　母親は自身が現在うつ病と診断されており，治療中であると述べた．彼女はまた自身の姉も気分変調症と診断されていると伝えている．

　このケースでは，電話によるスクリーニングでもSIPSの概観項目の面接でも，精神病の徴候は明らかではなかった．したがってSOPSの評価に進む適応があると判断され，両親を待合室に残し，本人のプライバシーを遵守する形で面接が行われた．

　SOPSは，陽性症状，陰性症状，一般症状，解体症状の4つの項目からなっている．リスクシンドロームの診断自体は陽性症状をもとに行われる．COPSによるリスク陽性の範囲は，3～5点までのレベルである．症状が「最近出現した」か，悪化してこのレベルに達した場合に，リスク陽性の範囲に含まれる．追加項目を評価する際に得た情報から，リスク症状の特徴を記述的に整理したり，重症度を推測したりすることが可能となる．

　SOPSの19項目はすべて0～6点で評価され（SIPSのp232～235を参照），精神病状態は陽性症状項目のスコアで定義される．繰り返しになるが，陽性症状スケールでは0は症状が存在しないことを意味しており，6は深刻かつ精神病的であることを意味している．一方，陰性症状，解体症状，一般症状

スケールでは 0 は症状が存在しないことを示しており，6 は最重度を表しているが，だからといって精神病的であるというわけではない．

　各項目に設けられた質問については，すべて問うことがきわめて重要である(p238 を参照)．質問に対して肯定的な反応が得られた場合には，面接者はより詳細な情報を得るために「限定項目」を用いる必要がある．各項目における現在の重症度を評価する際の期間は過去 1 か月間であるが，質問はこれまでのあらゆる経験を対象としている．

　限定項目のリストは，これら一連の質問の後に並べられている．質問によって症状の存在が疑われた場合に，これらの限定項目を用いて，より詳しい情報を把握することができる．限定項目のボックスには，症状の出現時期，持続期間，出現頻度，ストレスの程度，生活への影響度，症状に対する意味づけ・確信のレベル，さらに最近明らかに増悪した時期が含まれる．

　各々のスケールにおけるアンカーポイントは，観察されるあらゆる症状が示す徴候の実例やガイドラインを示すために設けられている(p244 参照)．特定の評価を規定するのに，1 つのアンカーポイント内にあるすべての実例を満たす必要はない．重症度を評価するのに迷うようであれば，各スケールレベルが本来何を指し示しているか(疑わしい，軽度，中等度など)に適宜立ち返ればよい．それでもまだ評価を付けるのに困難を感じるようであれば，たとえば 1 と 2 の間であれば 1 に，2 と 3 の間であれば 2 に，3 と 4 の間であれば 4 というように，より端に近い方に評点を付けるようにする．5 点はすべて「症状は深刻なレベルだが妄想的確信は伴わない」という状態を表すため，妄想的確信の有無によって，6 点―精神病的強度を示す―との区別が可能となる．妄想的確信を確認するための質問には以下のようなものが含まれる：「この体験をどのように説明しますか？」「頭の中で起きていると感じたことはありますか？」「これが現実だと思いますか？」「これは想像上のものでもありますか？」「その声は自分の声みたいに"外に発せられる"ような感じで聞こえてきますか？」「それは誰か他の人にも聞こえるものですか？」．

　評価の理由には，本人からの情報だけでなく，客観的な行動の把握も必要である．両者を合わせても症状が否定されれば，その症状は存在しないと考えてよいだろう．もし本人と両親との間で意見の相違が生じた場合には，両者を同席の上で再度論じ合うべきである．

各重症度スケールに続いて,「評価の根拠」の項が設けられている．評価ポイントを付与した後,症状の内容についての記載を行い,その評定の理由について言及する．

　評価の根拠を記載した後に,症状の特徴を整理する4つの限定項目のボックスに,順に記入を行う．最初のボックスには症状の出現時期を記入する．現在3点以上の陽性症状に対して,そのレベルに最初に達した時点を記録する．次のボックスには,すでにリスク陽性のレベルにある症状が少なくとも1点以上悪化した,最も現在に近い時点を記録する．3番目のボックスには,症状の出現頻度のレベルを記入する(各レベルの基準の根拠については後に詳細を述べる)．最後のボックスには,その症状が精神病のリスクを反映したものか,あるいは別の精神疾患の結果なのかの判断を記入する．陰性症状,解体症状,一般症状については,症状出現時期のみを記録する簡略化されたボックスが設けられている(p262などを参照).

陽性症状のアセスメント

　不自然な内容の思考／妄想 Unusual Thought Content (UTC) は陽性症状の最初の評価項目である(p243〜244参照)．この症状は現実と想像の混同,非現実的思考,過剰な自意識によって特徴づけられる．過剰な自意識は被害念慮とは区別されるため,UTCの項目に含まれている．自分の考えが外に発せられて,周りの人にもそれが聞こえてしまうという体験もUTCであり,部屋の中に何かの気配を感じるというのもUTCとして評価される．症状がその表現の形によってしばしば重複した評価を受けることにも注意が必要である．たとえば自分の家の台所で感じる何かの気配を冷気のような感覚と述べる場合,この体験は実体感のある感覚として,知覚の異常に分類される．しかしこの体験の理由を「死んだ祖母の霊」の出現と述べた場合には,同時にUTCにも分類されることになる．

　前述のデクスターの例に戻って,彼の訴える不自然な内容の思考を検討してみよう．彼はいくつもの異なるアイデアについて思考する時間が増え,徐々にそうしたアイデアに取りつかれるようになっていったと述べた(具体的には考えに没頭する時間が過去7か月の間に15%から55%まで増えたと

いう）．彼はこれらのアイデアを書きとめて，自分だけに分かるような形に暗号化しておくことが重要だと考えた．彼はその暗号帳をつねに持ち歩いており，実際に面接者にもそれを見せて――それは彼が発明したという象形文字のような書体で書かれていた――，表題が「アイデアの本」という意味であると伝えている．一方で彼は後になってそれを読み返すと，しばしば自分の考えが書きとめる必要もないような，とるに足らないものと気づいたとも述べていた．

　このケースでデクスターは，容易に消え失せない不自然に歪められた考えに取りつかれている．それに没頭する時間が一日の大半（55％）を占めているという点から，考えが明らかに勝手に入り込んでくるものであることがわかる．これらの考えが重要なものではないと後で気づいたとしても，症状が消えるわけではない．この症状はSOPSでは中等度（3点）のレベルにあり，さらに過去1年以内に出現あるいは悪化し，この1か月間に少なくとも平均週1回の割合で出現していることから，リスクシンドロームの範囲内にあるものと診断し得る．

　次に評価する陽性症状項目は，猜疑心と被害念慮である（p245〜248）．この項目には，周囲の人々が敵意を抱いているという考えや，監視あるいは疎外されているという考え，あるいは明らかに疑いや不信に満ちた態度や行動の表出などが含まれる．敵意を伴う被害的な思考は，この猜疑心の項目で評価される．

　デクスターの例に戻れば，彼は学校の廊下を通り過ぎるたびに，自分の身に何か悪いことが起こらないようにつねに注意して歩かなくてはならなかったという．しかし彼は自分に害を及ぼすような人物をそもそも特定できていたわけではなく，それは単に落ち着かないというような漠然とした感情に過ぎなかった．その感情は学校に上がった年の初めからすでに存在し，毎週のように出現した．とくに危険の原因がはっきりあるというわけでもないのに，デクスターは自分が安全ではないと信じていたし，時には四六時中周囲に注意を払い続けていた．この状態はSOPSの重症度でいえば，軽度（2点）のレベルに相当する．症状は過去1年以内に出現したものであるが，3点以上ではないため，リスク症状とは診断できない．

　第3の陽性症状項目は誇大性である（p248〜251）．これは過大な自己評価

と非現実的な超越感を意味しており，しばしばある種の誇大妄想や高慢な態度が含まれる．「自慢したいわけじゃないんだけど，僕は物事を幅広く考える方なんだ―いろんな可能性とかあり方とか．そういうちょっと大人っぽい，現実的なところがあるかもね」とデクスターは述べている．彼は自分がコンピュータゲームにも他の人よりずば抜けた才能を持っていると語っていた．18歳の子が読むような本も難なく読みこなし，いずれはトールキンの書くような小説を書いてみたいと筆者の一人にeメールを送っている．こうした考えは最近3か月ぐらいで徐々に強くなっており，今ではほぼ毎日考えているという．異常な才能や特殊な能力が備わっていると自覚している点で，デクスターは誇大的であるといえる．この状態はSOPSの重症度でいえば，中等度（3点）のレベルに相当する．症状は過去1年以内に出現しており，かつ最近1か月間に渡って少なくとも平均週1回以上認めているため，リスクシンドロームの範囲にあるものと診断することができる．

　4つ目の陽性症状項目は知覚の異常／幻覚である（p251〜256）．この項目には，異常な知覚体験，知覚の過剰あるいは鈍化，鮮明な感覚体験，感覚の歪みや幻覚，思考伝播などが含まれており，「幽霊が見える」といった体験もこの知覚異常の項に分類される．デクスターは学校の廊下を歩いているときに，そばに誰もいないのに自分の名前を呼ぶ声が聞こえてきたと報告した．その体験は1年ぐらい前から1か月に大体3回ぐらいはあったという．彼は自分の名前が呼ばれるとしばしば振り返って誰が呼んだのかを探したり，周りもその声を聞いたかどうか確かめたりしたが，結局その正体は分からずじまいだった．

　こうした異常で不快な聴覚上の変化が続いたため，デクスターはつねに目の前の事実が現実かどうか確かめるようになったと述べている．これはSOPSの重症度では中等度（3点）のレベルに相当する．症状は過去1年以内に生じたものであるが，最近1か月で3回程度しか出現していない．したがって最近1か月で平均週に1回という頻度の基準を満たさないため，リスク症状に該当するとはいえない．ここで注意が必要なのは，現実を検討するという行為が必ずしも行動上の変化とはみなされないということである．この例でいえば，例えば，デクスターが不快な体験から逃れるために学校の廊下を歩くのを避けるようになれば，それは行動上の変化とみなされる．

陽性症状項目で最後に評価されるのはまとまりのないコミュニケーションである（p256〜259）．被面接者の発話様式が明らかに回りくどかったり，脱線が多くまとまりがない場合，また話の内容があいまいでとりとめなく混乱しているような場合にこの項目が適用される．

デクスターは周りの人からしばしば話が分かりにくいと言われたり，実際に話が堂々巡りになることがあると述べた．面接中も話が脱線しかけるため，面接者が軌道修正を行う必要がしばしばあった．彼はこれは毎日のことで，最近ひどくなっているというよりもずっと前からすでにそうだったと述べている．デクスターは面接の間，話の方向性を見失って，しばしば関係ない話題を持ち出すこともあったが，質問には比較的明確に回答し，軌道修正にも応じることができた．この状態はSOPSの重症度で中等度（3点）のレベルに相当するものの，症状は以前から存在し最近の悪化を認めないため，リスク症状とは診断できない．

デクスターの場合，自身でも話のまとまりのなさを認め，しかも面接中もそれが確認されていることから，評価の根拠としては十分であるといえる．もし本人が不十分な意思疎通を訴えていたとしても，それが面接中に確認されなければ，面接者はその症状の重症度を「存在が疑わしい」（1点）レベルに評価しなくてはならない．

陽性症状項目の評価終了時点で，デクスターがサイコーシス・リスクシンドロームの微弱な陽性症状群に該当するのは明らかである．リスクシンドロームの基準を満たすには，陽性症状項目の1つで3〜5点を示し，かつその症状が最近1年以内に出現あるいは悪化し，さらに頻度の基準を満たしていればよい．デクスターはP1とP3の項目で3点と評価され，これらの症状は両方とも最近1年以内に出現あるいは悪化を示しており，なおかつ最近の1か月間に，少なくとも週に平均1回の割合で出現していた．

他の前駆症状評価とSIPSの完了

サイコーシス・リスクシンドロームに該当するかどうかが判断できたからといって，これで面接は終了ではない．SIPSにしたがって，陰性症状，解体症状，一般症状に関し，SOPSを用いた評価を継続する（付録B，p260〜

287).ここで追加される情報はリスクシンドロームの診断には関与しないが,リスク症状の特徴や重症度を表すのに重要な判断材料を得ることができる.

　SOPSによる評価を行う際,面接者は被面接者の言語的あるいは文化的背景を把握しておくことが重要である.たとえば概念の貧困さに関する項目における慣用句などは,各々の言語や文化に適した形に直しておく必要があるだろう.標準が何であるかという問題も,それぞれの文化によって異なる場合がある.

　SOPSは最近1か月間(あるいは前回の評価以降)に生じたサイコーシス・リスク症状またはそれ以外の症状について記述し評価を行う.SOPSによって症状の重症度だけでなく,その変動についても評価が行われることになる.SOPSの最終的な評価結果はSIPSの末尾にあるサマリーシートに記録される(p296, 297).

サイコーシス・リスクシンドロームを生じうる他の疾患に対する鑑別のためのアセスメント

　SIPS/SOPS内の多くの徴候や症状は,サイコーシス・リスクシンドローム以外の他の精神科的問題や疾患の存在を示す徴候でもある.精神疾患の性質上,別の疾患でも同一の精神症状を呈すことは珍しくない.例えば,不安などは監視されていると感じ始めたとき(すなわちパラノイアのリスクが生じているとき)にも出現するが,いわゆる広場恐怖などの恐怖の表現としても発せられるものである.したがって,初回のSIPSによる面接でサイコーシス・リスクシンドロームの存在が疑われた場合には,その前景症状(あるいは診断)が他の精神疾患から生じていないことを確認するために,鑑別のための包括的なアセスメントを行う必要がある.

　この作業はいわば,評価の際に認められたリスク症状やサインを生じる可能性の高い疾患について,鑑別のためのリストを作成することである.多くの精神疾患の診断は今なお表出される精神症状や徴候に拠っているため,鑑別診断は網羅的に行う必要があり,多くの時間を要する可能性がある.我々のクリニックでは通常,DSM-IVにおけるI軸およびII軸疾患の診断のために,SCID(DSMのための構造化された精神科臨床面接)[66]などの構造化面

接を逐次行っている．

　リスク症状が別のDSM診断から生じている可能性を調べるために，現在2種類のテストが適用されている．第一に，時間的順序の検討を行う．もしリスク症状が別の診断の可能性を否定した後にも持続しているか，あるいは併存疾患の出現より前に生じているのであれば，他の併存診断の有無にかかわらずリスクシンドロームの診断を下すことができる．もしリスク症状の存在に併行して別の診断が持続的に併存している場合は，第二のテストが適用される．

　第二のテストは，微弱な陽性症状がリスクシンドロームにより特徴的といえるか，あるいは別の疾患としての特徴をより有しているかを判別する．もしその症状が他の疾患により特徴的であれば，他の疾患が診断としては優先され，リスクシンドロームの診断は保留される．

　以上の評価が終了し，何らかの精神疾患の診断が下された時点で，現状がリスク陽性と考えられるか，あるいは別の疾患を考慮すべきかについて，最終的な判断をSIPSのサマリーページに記載する．

最終評価

　すべての質問が終了したところで，本人には待合室の家族や友人の元に戻ってもらい，その間に面接者はSIPSによる面接の記録を完成させる．

　このときに面接者は，機能の全体的評定尺度（GAF, p288〜291）や，失調型パーソナリティ障害チェックリスト（p292〜293），SIPSのサマリーデータ（p296, 297），SIPSのサマリーページ（p292〜293）を完成させるのに得られた情報を用いることになる．

　DSM-IVによれば，「失調型パーソナリティ障害」は，認知あるいは知覚の歪みや奇異な行動に加え，対人関係の急速な悪化やその能力の低下によって特徴づけられる，持続する社会的あるいは対人関係上の障害であるとされる．症状の出現時期は少なくとも思春期あるいは青年早期まで遡ることができる．DSM-IVでは正確な期間の特定はしていないものの，その症状は通常「持続的で安定している」とされる．SIPSではこれをリスクシンドロームの範疇にある変化の少ない陽性症状が1年以上続く場合と定義した．すなわ

ちリスクシンドロームの範囲にある陽性症状の新たな出現は本来リスク状態下にあると判断されるが，もしその症状が1年以上その状態で持続しているのであれば，診断はリスクシンドロームではなく失調型パーソナリティに変更されるということになる．もしそれが逆の場合であれば，診断も同様に逆転する．失調型パーソナリティと診断されたケースで，「持続的で安定していた」症状が急速に悪化を認めた場合には，あらためてリスクシンドロームと診断されることになる．

　SIPSでGAFの評価を行う際には，心理的・社会的な，あるいは職業上の機能を，精神疾患の連続性仮説に基づいて検討する必要がある．身体的な問題や環境要因による機能の低下はここには含まれない．面接者はスケールの一番低いところから評価を始めて，最も機能が低下した状態を探し当てることを目的に，チェックリストとしてこれを用いるべきである．このチェックは現在の状態だけでなく，過去1年間で最も良好であった状態に対しても行われる．これは遺伝的リスクと機能の低下症候群に該当するかどうかを判断する際に重要な情報となる．

　これでSIPSによる面接は完了である．得られたスコアはSIPSの最後の2ページに再度記録され，ここで最終的な診断が下される．各項目における評点，SOPSの合計スコア，失調型パーソナリティチェックリスト，さらにGAFスコアは，被面接者の置かれている状態の臨床的なあらゆる側面を反映したものとなっている．これらを本人，さらに家族に対してフィードバックしたうえで，必要であれば，推奨される治療の提案をそのすべての情報に基づいて行う．

第10章

初回面接：本人および家族へのリスク状態と治療選択に関する情報提供

　リスクシンドロームを呈して自ら援助を求める場合，専門的な治療を行うクリニックよりも自分から情報を得て研究センターを受診するというケースが増えている．したがってすでにインフォームド・コンセントの時点で，すなわち同意書の説明を行う最初の時点で，現在呈している症状が精神病のリスクマーカーであることを理解することになる．このようなインフォームド・コンセントの一例として，コネチカット州ニューヘイヴンの PRIME クリニックにおけるオランザピンの臨床治験で用いた同意書の抜粋を付録 C (p298〜300) に示した．これは研究に参加することのリスクベネフィットだけでなく，精神病とは何かという問題にも言及したものとなっている．

　精神病のリスクはすでに現実として存在するため，PRIME クリニックではそのことはありのままに伝えられる．精神病についても，なるべく理解しやすい言葉を用いて説明がなされる．事態の深刻さは適度に認めつつも，将来必ずしも精神病性の疾患に移行しない可能性が少なからずあることや，常時適切な治療環境が考慮され，万一精神病に移行した場合も可及的速やかに対応が行われるという事実を伝えていくことが重要である．クリニックがリスクに関する情報をどのように扱うべきかについて以前 Schizophrenia Bulletin に寄稿した内容を，参考のためにここに再掲する[68]．

　我々が行っている「前駆症状」のための評価は，現在の症状を対象としてい

るだけでなく，将来より深刻な状態（精神病）に移行するリスクを測るものである．だがその評価が正しく将来の危険を予測しているかどうかによらず，リスクに関する情報は与えられる側にしばしば不安を与えるものであり，そもそもそれを望んでいない場合もある．注意すべきなのはこのような情報を与えることによって生じるリスクであり，それはしばしば不安や抑うつ，混乱やパニック，あるいは引きこもりや孤立などの逃避的な行動の形をとって現れる．

　実際のところ，ここでは我々のクリニックでのやり方を示すことが有用だろう．我々はリスクの評価を行った後，何らかの問題を認めれば本人（あるいは家族）にそれを伝えていく．もし問題を認めたとしてもそれがリスクとは関係していないと判断すれば，それを伝えたうえで，希望に応じてより適切な評価や治療が可能な機関に紹介を行う．もしリスクが存在すると判断されれば，その理由を説明しながら，リスクとはあくまで可能性を意味するものであり，不可避なものではないことを強調する．我々は精神病が意味するところを明確に説明しながら，そのリスクをより正確に評価するために頻回の面接を行うことを前もって告げておく．そしてもしリスクが明らかとなり，さらに精神病の徴候が明白となれば，すみやかに治療に移ることも伝えておく．加えてもし何らかの研究的な試験に参加している場合には，地域でフォローされるよりもより早期に治療が受けられることも言い添える．またもし精神病を発症するリスクが否定され，代わりに他の精神疾患に移行した場合には，その診断に応じた適切な紹介や治療を受けるように促している．他の精神疾患への移行などを認めない場合でも，リスク評価のあり方を再度見直すことによって，「前駆」症状の成因に対する我々の理解がより深まることになる．

　こうした情報に対する本人や家族の反応は安堵感から懐疑に満ちた否認まで様々であるが，通常はそれがすべて入り混じった状態として現れる．ストレスの表出はしばしば明白であり，表出の大きさはその情報の重さにほぼ比例する．ストレスの表出が見られない場合は，大体において否認が存在する（だが完全な否認はまれである）．少なくともこれまでに，対応困難なほどの極度のストレス反応や，情報提供を中止して治療を優先せざるを得ない状況

を，我々は経験したことはない．

　リスクの現実を知らせることは，その人が知りたいと望み，自ら判断する情報を伝えるという点で重要であると我々は考える．またリスクについて知らされる際に，本人（あるいは家族）はこれから何をすべきかを知りたいと考えている．彼らはこれまで自身に起きた変化を辿ることで，ある種の心の準備や洞察，自制といったものをすでに備えていることが，その後の面接からしばしば明らかになる．一方でこのような対処機能や洞察を持ち合わせていない者も中にはいる．彼らはリスクの現実や深刻さを否認したり，インフォームド・コンセントを拒否または放棄したりするか，あるいは当面の間リスクの現実を無視しながらも，安心のために研究に参加したりする場合もある．リスクに関する情報に直面したあらゆるケースで，その対処の仕方にはいくつかの形式が認められる．

　もう1つ重要な懸念として，リスク状態とラベリングされることによって生じる偏見の問題が挙げられる．これは精神病とラベリングされることで，それが引き金となり，より明らかな精神病状態を呈し始めるというのと同様の懸念である．しかし我々が長年リスク状態を対象に研究を進めてきた中で，こうした懸念を現実として経験することはなかった．実際，リスクの現実を伝えずに隠しておくことは，いずれ入院が必要となるような，自制を失った活発な精神病的行動を招くことになって，社会的にはより大きな偏見―しかも発症前に唯一考えられる最大の偏見―を結果的に生み出す可能性があると考えられる．リスクに関する情報を差し控えるのは，否認を医療者側が容認することになり，悲惨な結果を招くかもしれない危険に，真のリスクシンドロームの患者を追い込むことにもなる．それはまた患者の持つ市民的自由や知る権利を侵害するものでもあると我々は考える．

　リスクを知らされることによって生じる不安も，それが現実への感度を高めるという点において意味があるといえるかもしれない．この見解が強調するのは，患者の臨床的な状態をより緊密にモニタリングすることによる効果であり，さらに警戒心が十分に備わっていて，かつ注意の対象が明確であれば，その効果は最大限に強化される．注意のレベルがより高ければ，発症時

＊訳注：米国の詩人．作家(1878-1967)

における精神病状態の出現を同定することも困難ではなくなり，結果的に遅滞なく治療を開始することができる．精神病はしばしばCarl Sandburg*が描くかえるのように，足音も立てずにゆっくりと近づいてくる．喪失や変化の早さもそれほどではないため，それは容易に無視され，忘れられ，見過ごされる．強制的な介入が必要となるような危機的状況がもたらされて初めて，繰り返し生じている事態への注意や関心がようやく向けられるようになる．精神病の発症は人生における大きな危機であるが，先行する不安は発症による衝撃を和らげ，破滅的な混沌に陥る可能性を減じる効果があるといえる．

サイコーシス・リスクシンドロームへのモニタリングにはどのような利点があるか？

　治療的介入を含むにせよ含まないにせよ，前駆症研究には—その可能性の点からも—いくつかの利点がある．第一に，定期的に行われるモニタリングとカウンセリングによって，本人の健康状態を（本人だけでなく家族に対しても）継続的にフィードバックすることが可能となる．もし何らかの問題が発生してもそれはすぐに同定され，たとえその後精神病状態が出現しても治療は発症と同時に開始されるため，いわゆる未治療期間が存在しない．したがって未治療時の理性を逸した行動—家族や友人，同僚などの社会的な人間関係を疎遠なものに変えてしまい，時には法を侵してしまうような行動—によってほぼ例外なく生じる二次的なダメージや偏見を，最小限に抑えることができる．ニューヘイヴンにおける臨床試験でも，後に統合失調症を発症したリスクシンドロームで入院を要したケースは皆無であり，一人を除いて全員がこれまで同様に学校や職場で日常を過ごし，家族や友人らとの人間関係も良好に維持され，服薬コンプライアンスは93％（残錠カウントによる）であった．

　研究に参加することによって，本人および家族には，研究従事者との間にある種の治療同盟や協力関係を築く機会がもたらされる．目下の事態に対して自ら決定する権限や能力が限られている場合に，研究や治療のシステムに参画することで得られる信頼関係は，たとえ精神病状態が出現したとしても容易に失われることはない．リスク状態に伴って生じる抑うつや不安，物質

依存などの問題に対して，コンサルテーションや時に治療的介入を得られるのは，もう1つの現実的な利点であるといえるだろう．加えて，リスクシンドローム研究に参加することは，発症前の観察や治療によって発症を遅らせるあるいは予防する，またはその後の障害を緩和，軽減する可能性を直接得ることでもある．最後に，多くのリスクシンドロームのケースにとって重要なメリットは，自身が早期精神病研究の科学的な発展に寄与したという実感であるかもしれない．

第11章

SOPSを用いた陽性症状および他のサイコーシス・リスク症状の評価

　サイコーシス・リスクシンドロームの診断の基礎となっている陽性症状項目は，不自然な内容の思考，猜疑心/被害念慮，誇大性，知覚の異常/幻覚，まとまりのないコミュニケーションの5つからなる．各項目については付録BのSIPS p238〜259に詳細が示されており，症状ごとにそれぞれのセクションに分けられている．各セクションの最初に，症状に特徴的とされる典型的な例が同定されるような，構造化された質問が挙げられている．例えば不自然な内容の思考であれば，特徴的な体験として，困惑や妄想気分，一級症状，誇大観念，他の妄想，過剰な自意識が含まれ，各々の体験に対して一連の質問が設けられている．これらの質問によって，その症状の持つ意味が平易な言葉で明確に例示される．一級症状（p239〜240）を例に挙げれば，これは自身の思考の拠り所や主体性に関する症状群であるということができる．

　各質問は評価面接内で使用され，それに対する反応は「はい」「わからない」「いいえ」のどれかに○をつける形で記録される．反応が「はい」であった場合は，さらに症状に関する情報を収集し，それがいつ始まり，その期間や頻度はどのくらいか，またそれが与える苦痛やダメージはどの程度か，現実感はどの程度であったか，などを記録する．

　探索的な質問を終えた後，症状の詳細な内容を記録することによって，評価者はすぐ下にあるスケールで評価すべき現象を整理することができる．このスケールは，前に述べたように，0（存在しない）〜6（重度かつ精神病的）の

範囲で評価を行う．サイコーシス・リスクシンドロームに該当するのは3～5の範囲であり，6は精神病の存在を示唆している．

　スケール上の各々のレベルは，軽度／中等度／やや重度／重度を見分けるための典型的な症状形式を表す断片的な文章によって示される．スケールの上には重症度を表すこれらの形容詞が見出しとして記されており，症状がスケール内に示された具体例にあてはまらない場合には，これらの見出しにしたがって分類を行う．

　評価を下した後に，その評価の理由をスケールのすぐ下の空白に記録する．もし症状がリスクレベルの重症度(3～5点)に評価された場合には，下のボックスの左端に症状がいつ出現したかを記録する．もし症状の出現から現在までに少なくとも1点以上の悪化を認めた場合には，その悪化を認めた日時を下のボックスの左から2番目に記録する．

　陽性症状がリスクレベルにあると判断されるには，過去1年以内に症状が出現したか，あるいはもし1年以上前から症状が持続しているのであれば，過去1年以内に症状の悪化(例えば3点から4点になるなど，少なくとも1点以上の悪化)を認めなければならない．その陽性症状がリスクレベル(少なくとも3点以上)に達した日時，あるいは以前から存在していたリスクレベルの症状が(例えば3点から4点，4点から5点など少なくとも1点以上)悪化した日時を記録する必要があるのは，これを評価するためである．最終的に，リスクレベルにある陽性症状が実際にリスク症状であると判断されるには，十分な頻度で—具体的には最近1か月にわたって少なくとも週に1回以上—症状が出現していることが必要となる．

　ここでSOPSの陽性症状スケールの使い方だけでなくサイコーシス・リスクシンドロームの精神病理学的特徴を示すために，実際のケース(適宜改変した)における陽性症状に対して，これらのスケールをどのように適用するかを例示したいと思う．

　表11-1は，イェール大学のサイコーシス・リスクを対象としたクリニックでの実際のケースについて，5つの陽性症状の特徴を具体的に示したものである．各症状例の右側に，それに対応するSOPS評価の簡単な要約と，スケール上のスコア，さらにその症状がリスクを表しているといえるかどうかについて説明を付記した．各ケースの氏名や特徴は匿名性の保持を理由に適

宜改変しているが，精神病理学的な記述はほぼ正確に引用されている．

表11-2はSOPSの「他の」症状項目，すなわち陰性症状，解体症状，一般症状の各項目について，同様に実際の例の詳細を示したものである．

表11-1　陽性症状項目の評価トレーニングのための実例

陽性症状項目1：不自然な内容の思考／妄想	
症例	解釈
エライジャはバスケットボールの試合に臨む際，自分のチームが勝つように，迷信的な行為を行う．たとえばスニーカーを履くときに，左から履いて，右から紐を結ぶ，などである．この行為は今シーズンの初めから現れ，毎試合続いているという．	・迷信への傾倒が一般の平均と考えられるレベルを超えている ・症状体験はアマチュアスポーツの場に限られている ・症状は最近1年以内に発生している（過去1年間に出現あるいは悪化するという基準を満たす） ・症状は平均週1回出現している（最近の1か月間に平均週1回出現するという基準を満たす） ・P1＝2 ・暫定診断：リスク陽性とも精神病とも診断されない
デクスター（第9章のp57参照）はいくつもの異なるアイデアについて思考する時間が増え，徐々にそうしたアイデアに取りつかれるようになっていった．考えに没頭する時間は日増しに増え，この7か月の間に1日の半分以上を占めるようになった．彼はこれらのアイデアを書きとめて，自分だけに分かるような形で暗号化しておくことが重要だと考えた．彼はその暗号帳をつねに持ち歩いており，実際に面接者にもそれを見せて—それは彼が発明したという象形文字のような書体で書かれていた—，表題が「アイデアの本」という意味であると伝えている．	・普通でない価値観に支配されている ・症状は容易には消失していない ・症状は最近1年間で悪化している（過去1年間に出現あるいは悪化するという基準を満たす） ・症状は毎日出現している（最近の1か月間に平均週1回出現するという基準を満たす） ・P1＝3 ・暫定診断：リスク陽性

（次頁に続く）

表 11-1　続き

陽性症状項目 1：不自然な内容の思考 / 妄想	
症例	解釈
フランシーの母親によれば，彼女は「現実的にありえないような考えにこだわり続けていた」．それはここ最近の 2 か月間で明らかに目立ってきており，少なくとも週に 1 回は認めていた．例えば，彼女は母親に「自分がレイプをされた夢を見た」と告白した．彼女は腹痛のたびに自分が妊娠しているのかもしれないと思い込み，夢で妊娠するなんてことはあり得ないと母親に言われても，聞く耳を持たなかった．フランシーは面接時にこの体験の存在を認め，妊娠しているという感覚を消し去ることは難しかったと述べている．頭ではそんなことはあり得ないと思ってはいたが，実際に考えを否定することがうまくできず，少なくとも 2 週間程度それに悩まされたという．彼女はこの悩みによって，学校の授業に集中することもできなくなっていた．	・考えや想いが現実かもしれないと考えている ・体験は自分の外から生じていると感じている ・症状は最近 1 年間で悪化している（過去 1 年間に出現あるいは悪化するという基準を満たす） ・症状はこの数週間は少なくとも週に 1 回出現している（最近の 1 か月間に平均週 1 回出現するという基準を満たす） ・懐疑的に自己洞察を試みたり，現実検討を行う能力は維持されている ・集中力の低下を認める ・P1＝4 ・暫定診断：リスク陽性
ジョージアは 3 か月前から，ラジオの電波に乗せた特殊な音楽メッセージが自分に向けられていると信じている．彼女はときどき，その男性アーティストが自分にしかわからないようなことを歌に書けるのは，自分が今考えていることを頭の中でのぞき見ることができるからに違いないと考える．それも想像にすぎないのかもしれないと思えばそう考えられないこともないが，その感覚はとても強烈なものなので，しばしば現実と信じ込んでしまうのだという．この体験はほぼ毎日出現している．	・錯覚を起こすような出来事が現実に存在すると信じている ・その信念はコントロールの利かないものであり，頭から離れない ・他人から向けられた疑念によって修正をかけることは可能である ・症状は過去 1 年の間に生じている（過去 1 年間に出現あるいは悪化するという基準を満たす） ・症状はこの 3 か月間連日出現している（最近の 1 か月間に平均週 1 回出現するという基準を満たす） ・P1＝5 ・暫定診断：リスク陽性

（次頁に続く）

表 11-1　陽性症状項目の評価トレーニングのための実例（続き）

陽性症状項目 1：不自然な内容の思考 / 妄想	
症例	解釈
ヘンリーは 2 週間前から，同級生たちに自分の考えが読み取られていると感じている．例えば，先生の質問に対する答えが頭の中で浮かんだときに，他の誰かがその答えを言ってしまうというようなことが週に何度かある．彼はこれを彼らに自分の考えが伝わってしまっているためだと考えており，そういうことが現実に起こっていると信じている．一方で面接者が，同級生も同じように答えを思いついただけでとくに考えが伝わったというわけではないのではないかと言うと，それには同意してみせたりもする．彼は最近同級生を避けるようになってきてしまっている．	・錯覚や超現実的な考えを引き起こす出来事が実際に存在すると信じており，その考えを否定することができない ・他人の意見によって疑いを持つことはできる ・症状は過去 1 年間に生じている ・症状は 1 週間に数回出現している ・症状は対人関係にも影響を及ぼしている ・P1＝5 ・暫定診断：リスク陽性
アイザックはテレビを見ているとき，その番組に出てくる人物たちが今部屋の中に一緒にいて，彼に話しかけてくるように思えた．それは面接の数日前の出来事であり，最近 6 週間で週に 5 回ぐらい同様のことがあったという．彼はそれは間違いなく現実にあったと信じており，番組が映し出されている間中ずっと続いていたと述べた．どうしてそのようなことが起きたのか彼にはうまく説明がつかなかったが，それでもたしかに彼らが部屋にやってきて会話していたと今でも考えている．彼はそれが単なる空想上のことだとはどうしても考えることができない．	・妄想的確信を伴った不自然な内容の思考 ・他人が疑いをさしはさんだとしても，現実検討能力は十分に回復しない ・症状は 1 か月間以上週に平均して最低でも 4 日の頻度で，1 日に少なくとも 1 時間以上出現している ・P1＝6 ・暫定診断：精神病状態と診断され，リスク陽性とはいえない

（次頁に続く）

表 11-1 続き

陽性症状項目 2：猜疑心 / 被害念慮	
症例	解釈
ジョーダンは学校の廊下を歩くときに，自分の身に何も危険が及ばないように警戒し続けなければならないと感じることがある．とくに危険を及ぼすような特定の人や物が存在するわけではなく，あくまでその感覚は不安定であいまいなものに過ぎない．この感覚は 8 か月前から出現している．	・安全への脅威をしばしば感じている ・危険が生じる原因が明らかでないにもかかわらず，過敏な状態が続いている ・症状は最近 1 年以内に出現している ・P2＝2 ・暫定診断：精神病状態でもリスク陽性でもない
カールは 6 か月前から少なくとも週に 2 回，周囲の人々が自分を悪く思っていると考えるようになった．それは周りの人々が自分の顔を見てすぐに目をそむける仕草ですぐにわかるという．彼はまた自分が周りからつねに見られているような感覚を漠然と持っていると述べた．だがそうした感覚が現実ではないと思えるとも言う．	・他人が自分を嫌っているという思いが繰り返し出現する ・明確な根拠のない，過剰な自意識 ・症状は最近 1 年以内に出現している ・症状の出現は不定期である ・たとえ現実ではないとわかっていても，落ち着かない ・P2＝3 ・暫定診断：リスク陽性
ライルはこの 4 か月間，週に数回にわたって，周りの人が自分の悪口を言っていると繰り返し考えるようになり，ときに人々が本当に自分を傷つけようとしていると不安を覚えることもあった．彼は「そんな考えは無視したほうがいい」と自分に言い聞かせていたが，周囲への猜疑心は晴れることがなく，ほとんどいつも不安を感じていた．彼は思い切って周りの人に自分の感じていることが正しいかどうかを尋ねたが，彼らは悪口を言っているなどという事実は否定したという．	・疎外されているという思いが明確にある ・他人が自分を傷つけようとしているという感覚の存在 ・自ら事実を省みて疑いを持つこともできる ・症状は規則的に出現する ・症状は最近 1 年以内に出現している ・P2＝4 ・暫定診断：リスク陽性

（次頁に続く）

表11-1 陽性症状項目の評価トレーニングのための実例（続き）

陽性症状項目2：猜疑心／被害念慮	
症例	解釈
マイクは人々が自分を悪く思っていて，彼が今まで犯した過ちを告白させようとたくらんでいると感じていた．彼はまた職場の同僚たちが，自分が何も知らないでいることをあざけ笑っているように感じていた．彼は最近，同僚の何人かが覆面刑事かもしれないと考えて仕事中落ち着かなくなった．上司は彼があまりに落ち着きを失っているため，早めに家に帰したほどだった．彼らが刑事と本当に信じていたのかと聞かれると，彼は実際にはありえないと思いながらも，その感覚があまりに現実的だったので混乱してしまったのだと述べた．この感覚は数か月前から出現し，週に数回にわたって認めていた．	・「陰謀」に対する懸念 ・行動面にも影響が生じている ・症状は週に数回出現している ・症状は最近1年以内に出現している ・周囲からの働きかけ次第では現実を振り返ることもできる ・P2＝5 ・暫定診断：リスク陽性
ナサニエルは6か月前に友人が自分のコンピュータに侵入して，IDとパスワードを盗んだと信じている．彼は友人たちがウェブカメラを使って彼が裸で池に飛び込む写真を撮り，その写真をフェイスブックに載せて楽しんでいると思っている．最初それは単なる悪ふざけに過ぎなかったが，今やそれは―たとえ彼らが否定したとしても―悪意に満ちた明らかな裏切り行為でしかないと彼は言う．彼によれば，コンピュータへの侵入行為は明白な事実であり，友人たちが自分に関するメッセージや写真を公開していることも間違いないという．その確信は彼がコンピュータに向かうたびに湧き上がってくるものである．今や彼は友人たちを避け，家でひとりで過ごすようになってしまっている．	・周囲の陰謀に対する確信 ・症状は持続的であり，広範囲にわたっている ・社会的な行動面にも影響が生じている ・症状は最近1年以内に出現している ・P2＝6 ・暫定診断：リスク陽性ではなく，精神病状態と診断される

（次頁に続く）

表 11-1　続き

陽性症状項目 3：誇大性	
症例	解釈
オーパルは自分には才能があると思っていたが，確信はなかった．彼女は脚本家になることが夢で，実際すでに 1 本のシナリオを書き上げ，現在 2 作目に取り組んでいるところだった．2 か月前に中古バスの売り出し広告を見て，これがあれば国中を旅して自分のシナリオを上演できると思い，それが無性に欲しくなった．だがその願望はあくまで衝動的なもので，すぐに消えてなくなった．	・成功への関心，空想 ・症状は自身の空想にのみ限局されている ・症状は持続せず，容易に消失する ・P3＝2 ・暫定診断：リスク陽性とも精神病状態とも診断されない
デクスター（第 9 章の p57 参照）は 14 歳の 8 年生（中学 2 年生）である．「自慢したいわけじゃないんだけど，僕は物事を幅広く考える方なんだ―いろんな可能性とかあり方とか．そういうちょっと大人っぽい，現実的なところがあるかもね」と彼は言う．彼は自分がコンピュータゲームにも他の人よりずば抜けた才能を持っていると語っている．また 18 歳の子が読むような本も難なく読みこなし，いずれはトールキンの書くような小説を書くつもりだと言う．このようなことを思いついたのは 9 か月前ほどだが，今ではほぼ毎日考えるようになった．	・自身に対する過大評価が見られる ・特殊な能力や才能が備わっているという誇大観念 ・症状は最近 1 か月に渡って週に少なくとも 1 回出現している ・症状は最近 1 年間に出現し，悪化を認めている ・P3＝3 ・暫定診断：リスク陽性
クウェントンは自分が『遊戯王』というカードゲームに並外れた才能を持っていると確信している．彼によれば，才能を発揮し始めたのは昨年のクリスマス頃からで，日に日にその能力が高まっているという．彼はカードから得られる特殊なメッセージによって，他人の考えが手にとるように分かると述べている．彼以外にはメッセージを受け取ることができないのかと問われると，自分以外の人はそういう能力がないので，カードからメッセージを受け取ることはできないだろうと言う．だがカードゲームにより長い時間をかけてより深く研究すれば，自分以外でもこのレベルの技術を身に着けるのは不可能ではないと語っている．	・特殊な能力や才能が備わっているという漠然とした誇大妄想 ・もし努力すれば自分以外でも同じことができると自ら言えている ・症状は最近 1 年以内に出現している ・症状は最近 1 か月に渡って週に少なくとも 1 回出現している ・P3＝4 ・暫定診断：リスク陽性

（次頁に続く）

表 11-1　陽性症状項目の評価トレーニングのための実例（続き）

陽性症状項目 3：誇大性	
症例	解釈
リアドンは，自分が車に追いつけるほど走るのが速く，一瞥しただけで炎を動かすことができ，金属のドアを破壊するほどのパンチを持っていると述べている．ただ彼はそれを100％信じ込んでいるわけではないとも言っている．もし誰かから自分の走る速さが普通だと言われれば，あるいは炎の動きもただの自然な揺らぎだと言われれば，実は誰でもそのドアをへこませることができると言われれば，それを信じることもできると言う．このような考えが生じたのは約 4 か月前からである．	・複数の特殊な能力を持っていると信じている ・考えは現実にそぐわず，一般的な常識のレベルを超えている ・症状の出現は頻回である ・他人の意見にしたがって疑いを持つこともできる ・P3＝5 ・暫定診断：リスク陽性
サラはけがや病気を治す能力が備わっていると確信している．たとえば何か傷を負ったときに，そこに精神を集中させることによって，瞬く間にその傷が治るのだという．彼女はその能力は他人には有効ではなく，もっぱら自身を治癒するためのものだと述べている．彼女はそれを100％信じ込んでおり，自分にその力がある以上けがを負ったりすることに何の不安も感じないと語っている．この能力に気づき始めたのは約 6 か月前であるが，今はその存在を確信しているという．	・治癒能力を持っているという妄想 ・確信は完全であり，妄想といえる ・P3＝6 ・暫定診断：リスク陽性ではなく，精神病状態と診断される

（次頁に続く）

表 11-1 続き

陽性症状項目 4：知覚の異常／幻覚

症例	解釈
テレーゼは 1 か月に 1 回ぐらい，声のようなノイズが頭の中に生じることがあると述べている．それは不明瞭な雑音で，たとえ声であったとしても，何を言っているかは聞き取れない．この体験が出現するのは，かなり疲れているときやストレスを感じているときであることが多い．	・頭の中のノイズ ・体験は明確ではない ・症状はストレスや疲労に関連して出現する ・P4＝2 ・暫定診断：リスク陽性でも，精神病状態でもない
ウルスラは 1 年ほど前から，1 か月に 3 回，自分の名前が呼ばれるのを耳にするという．なぜそのようなことが起きているのかはいまだに見当がつかず，彼女は名前が呼ばれると後ろを振り返ったり，周りの誰かに同じように声が聞こえたか確かめたりする．	・持続する聴覚性の異常 ・体験は普通でなくやや不快でもあるため，現実かどうかの確認をしている ・症状は最近 1 年以内に出現している ・症状は 1 か月に 3 回出現している ・P4＝3 ・暫定診断：1 週間に平均最低 1 回という頻度の基準を満たさないため，リスク陽性には該当しない
ヴィンスはときどき隣室からの物音を耳にする．それはガレージの中で動く人の物音であったり，ガレージのドアが開く音であったり，人が自分の名前を呼ぶ声であったりする．だが隣室に確かめに行っても，そこには誰もいないのだという．こうしたことが大体週に 1 回程度ある．彼はまたドアがわずかに開いたり，誰かが廊下を駆け抜けたりするのを見たり，近くに立つ人影のシルエットを見たりするとも述べている．このような幻視体験は 4 か月前から，1 週間に約 3 回程度出現している．彼はこうした体験を光と影が偶然作り出す錯覚と考えている．	・繰り返し出現する錯覚，あるいは一時的な幻覚 ・現実に起きているわけではないと認識している ・しばしばその体験に振り回される ・症状は最近 1 年以内に出現している ・症状は少なくとも週に 1 回出現している ・P4＝4 ・暫定診断：リスク陽性

（次頁に続く）

表 11-1　陽性症状項目の評価トレーニングのための実例（続き）

陽性症状項目 4：知覚の異常/幻覚

症例	解釈
ウォルトンは週に 2 回ある美術の授業に出るたびに，壁に掲げられたヒョウや鳥の絵が，突然「3D になって動き始める」という．絵はまず額縁の中で動き始め，そのうち額を飛び出して教室中を飛び回り，それは他の物とは違って，幽霊のようにぼんやりとしか見えない．この体験は今学期の初めから続いており，現実としか思えない感覚があるものの，現実ではないと分かってはいると彼は面接時に述べている．その体験が何によって生じているかは，彼には理解できていない．	・繰り返し出現する一時的な幻覚 ・現実ではないと認識しているものの，その体験に振り回される ・体験の原因は把握できていない ・症状は最近 1 年以内に出現している ・症状は少なくとも週に 1 回出現している ・P4＝5 ・暫定診断：リスク陽性
ザヴィアーは週に何回か，自分のいる場所によらず，名前を呼ぶ声を聞き，さらにそれが話しかけ始めるのを耳にしている．その声は面接者の声と同じくらい明確なものだという．周りを見渡しても誰もいないので，彼はそれに怒りを覚えている．声が話すのは彼を嘲弄するような内容であり，彼はそれをコントロールできず，目の前の物事に集中することができなくなってしまう．この体験は 4 か月前から続いており，今ではほぼ連日出現している．それは明らかに彼の集中力を損なっている．彼はたとえその声の主が分からなくても，その声自体は実在すると信じている．	・持続的で明白な，外部から生じる声 ・体験には疑いがない ・症状はほぼ連日生じている ・集中力の低下を認める ・暫定診断：リスク陽性ではなく，精神病状態と診断される

（次頁に続く）

表 11-1 続き

陽性症状項目 5：まとまりのないコミュニケーション	
症例	解釈
イヴェットは友人と会話するときに，場違いなコメントを発してしまうことがあるなど，ときどきコミュニケーションが困難になるのを自覚している．面接時にも意味が理解できないと訴えて，何度か質問を繰り返させることがあった．だが全体として彼女の応答は十分にまとまっており，理解も良好であった．	・しばしば自覚される不適切な応答 ・本人の自覚のみで，面接時には見られない ・P5＝2 ・暫定診断：リスク陽性でも精神病状態でもない
ゼニアは周りの人からしばしば話が分かりにくいと言われており，実際に話が堂々巡りになることがあると自覚している．面接中も話が脱線しかけるため，面接者が軌道修正を行う必要がしばしばあった．彼女はこれは毎日のことで，最近ひどくなっているというよりも，ずっと前からすでにそうだったと述べている．	・話の筋道を見失う ・しばしば場違いな話題を持ち出す ・意味の明確な質問には正しく反応できる ・症状は持続しており，変化は乏しい ・P5＝3 ・暫定診断：症状は最近出現したものではなく，リスク陽性とは診断されない
アントワーヌは友人と会話するときに，いくら説明しても分かってもらえないことがあるという．面接の際にも，彼は要点を捉えるのに時間がかかったが，最終的には何とかやり遂げることができた．単純なあるいは構造化された質問に対しては正しく答えることが可能であった．彼によればこれは感謝祭の日から始まったことで，以後ほぼ毎日続いており，ストレスも非常に溜まっているという．	・話し方が形式ばっている ・会話のゴールに向けて進んでいくことができない ・構造化された質問によって軌道修正することは可能である ・症状は最近 1 年以内に出現している ・症状は連日出現している ・P5＝4 ・暫定診断：リスク陽性
ビフは面接時も応答はきわめて遅く，言いたいことを文章にするのに明らかに困難を感じていた．彼は以前からコミュニケーションの困難さを自覚しており，したがって言うべきことは何度か心の中で反芻してからそれを口にするようにしていたが，しばしば何を言うべきか忘れてしまうこともあったという．面接の間も何度か話題が横道にそれ，その理由を聞かれると，質問を忘れてしまったからだと答えた．そうした状況に陥ったとき，彼は見るからにストレスを感じているようであった．ただし構造化された質問であれば，それによってすぐに軌道修正することもできた．	・関心が横道にそれる ・コミュニケーションにおけるストレスを自覚している ・軌道を維持するのに繰り返し指示を行う必要がある ・P5＝5 ・暫定診断：リスク陽性

（次頁に続く）

表11-1 陽性症状項目の評価トレーニングのための実例(続き)

陽性症状項目5：まとまりのないコミュニケーション	
症例	解釈
クレアは面接時，構造化された質問に対しても正しく応答ができなかった．面接の間もずっと的外れな話題に関する話を繰り返し，しばしば連合弛緩も認めていた．彼女は指示によっても軌道修正ができず，きわめて単純な質問さえ理解することができていなかった．	・連合弛緩が見られる ・質問によっても軌道修正されない ・P5＝6 ・暫定診断：リスク陽性ではなく，精神病状態と診断される

表11-2 他の症状項目の評価トレーニングのための実例

陰性症状項目1：社会的関心の喪失	
症例	解釈
テレーゼ（表11-1の陽性症状項目4参照）は一人でいるのを好み，集団での行動は苦手だった．彼女は誰かが話しかけてくるのを待つのが常だったが，ひとたびその場に入れば周囲とうまく付き合うこともできた．	・受動的な対人関係 ・社会参加への抵抗感 ・いったん参加すれば順応することもできる ・N1＝2
コリン（第5章のp34参照）は仕事以外ではめったに人と会わない．実際，周囲の人々は彼女を集まりに誘おうとしなくなっていたし，彼女もそれを何とも思わなくなっていた．数か月前は彼女にも3，4人の友人がおり，週に数回会っていたことを考えると，これは何らかの変化が生じたものと考えられる．	・友人がほとんどいない ・社会への関心がない ・社会参加が最小限であるのは，無関心によるものであり，羞恥心や社会不安によるものではない ・N1＝4
デミアンは孤独を好み，友人は全くいない．学校の外で友人と何かをするなどということも決してなく，学校でもほとんど誰とも付き合わない．彼はたとえそうする機会が与えられたとしても，特に人付き合いをしたいとは思わないと述べている．	・閉じこもりがちである ・友人は全くいない ・自ら孤独を選択している ・N1＝6

（次頁に続く）

表 11-2 続き

陰性症状項目 2：無気力	
症例	解釈
ユーニスとその両親は，彼女が課題をこなしたり，指示に従って何かをやり遂げたりすることが，最近何となく難しくなってきていると感じている．彼女自身，動機づけに問題があると述べている．	・発動性の低下が見られる ・症状の出現は最近であり，おそらく一時的 ・N2＝1
デクスター（第9章の p57 参照）は今学期が始まってからほとんど毎日，何をするにもやる気が起きないでいる．エネルギー自体はあるものの，日常のありふれた活動に興味が持てない．自分でも何とかやってみようとはしているが，物事を始めるにもやり遂げるにも，母親や教師からの促しがしばしば必要となる．	・モチベーションのレベルは低いものの，エネルギー自体は低くない ・物事を始めるのに努力を要する ・物事をやり終えるのにも苦労している ・しばしば促しが必要となる ・N2＝3
フレッドはコンピュータゲーム以外，何をするにもやる気が起きず，物事の意味が見出せないでいる．友人や家族からの促しにもほとんど反応することができない．	・生産的な努力に対して関心がない ・他人の要望や要求に応じることができない ・N2＝6

陰性症状項目 3：感情表出の低下	
症例	解釈
ギャビーは無口でよそよそしかったが，そのうち涙が頬を伝って流れ始めた．	・感情変化はまだ認められる ・内気で遠慮がちである ・N3＝1
ハロルドは質問にはきちんと答え，自分からもいくつか質問を行ったが，大体において言葉少なで堅苦しい印象を与えた．彼は退屈しているようにも見えた．	・ぎこちない応対 ・よそよそしい対人様式 ・N3＝3
イネズは面接中，ほとんど生気がなかった．面接者が最初の質問を投げかけると，彼女は一言答えるのがやっとであった．彼女は面接中微笑すらせず，表情を変えることもなく，手を使ったジェスチャーを交えることもなかった．	・限られた感情表現 ・平板な，最低限の反応 ・ジェスチャー，表現スキルの欠如 ・N3＝5

（次頁に続く）

表 11-2 他の症状項目の評価トレーニングのための実例（続き）

陰性症状項目 4：自己と情動の認識

症例	解釈
ジュリアナは最近友人たちと一緒にいても楽しむことができなくなっていると感じている．まるで熱にうなされたときみたいに，ベッドに横になりたくなってしまうのだという．	・興味の低下が見られる ・生じている変化は自ら望んだものではない ・症状はおそらく一時的と考えられる ・N4＝1
ケスは自分がいつもの自分ではなく，まるで自分の一部が失われてしまったようだと述べた．彼は一切の物事と関わりを失ってしまったように感じ，自分に向けられた周囲の関心も奇妙なものでしかなくなった．感情は平坦なものとなり，しばしば自分が何を感じているのかも分からなくなった．	・自己感覚の喪失 ・内的にも外的にもつながりを欠いている ・平板な，不明瞭な感情 ・N4＝5

陰性症状項目 5：思考の貧困化

症例	解釈
ルイーザはときどき周りの人が自分には理解できない言い回しをしているように感じて，会話についていくのが難しいと感じるときがあった．	・会話での居心地の悪さや話題に「なじめない」感覚 ・N5＝2
ヘンリー（表 11-1 の陽性症状項目 1 参照）は面接時ごく単純な質問でも理解が困難な場合があった．彼は 2 者の類似について回答することができず，慣用句の解釈も具体的で限られたものであった．	・慣用句の解釈が限局的でしかない ・会話のニュアンスが理解できない ・要点を把握することができない ・N5＝4
マーカスは面接の質問を理解することができなかった．彼は「はい」か「いいえ」を答える質問には肯いて示すことができたが，それ以上何も付け加えられなかった．彼は何を聞かれているのかを理解していないように見えた．面接者は情報を収集するためにいくつかの方法を試みたが，結果的には何も得られなかった．	・精神的，感情的な疎通が成立しない ・N5＝6

（次頁に続く）

表 11-2 続き

陰性症状項目 6：社会的機能

症例	解釈
ノアは現在も学校の成績は良好で，評点はAかBの範囲であったが，この3か月間は成績を維持するのにより努力が必要になってきていると感じている．特に勉強の内容が難しくなっているというよりも，それをこなすのに困難を感じているだけだと彼は述べている．	・一般的な機能レベルは保たれている ・レベル維持のために通常よりも努力を必要としている ・機能上の変化は最近数か月間に起きている ・N6＝1
オジーは最近以前よりも仕事をこなすのに時間がかかるようになり，仕事上の評価も平均的に低下していた．日々の家でのありきたりの雑事についても同様で，物事をやり遂げるのに総じて困難を感じるようになった．	・仕事の効率，生産性の低下 ・評価やパフォーマンス上で明らかな変化を生じている ・N6＝3
ページは現在3つの教科で落第の可能性があるといわれている．彼女は最近勉強に何となく身が入らず，結果いくつかの授業を落とす可能性が出てきてしまった．彼女は今何が起きているのかは理解しているようだが，事態を好転させる方法を理解していないように見える．	・複数の科目での落第 ・症状は最近出現しており，これまでに経験されていない ・N6＝5

解体症状項目 1：奇異な行動や外見

症例	解釈
クェヴィアは50年代のスカートを履いて面接に現れた．彼女はそれを母親から借りたと述べた．彼女は落ち着きがなく，自分を若い婦人に見せたいようであった．	・やや場違いな服装 ・一見して分かる奇異な特徴とその不自然な根拠 ・D1＝2
ロジャーは全身真っ黒のパンクファッションに身を包み，自分が秘儀の僧侶か錬金術師であるなどと何度か独り言をつぶやいていた．	・奇妙な外見および態度 ・反文化的だけでなく，やや宗教的な意味合いも含まれる ・D1＝4
サマンサは子供じみた春物のドレスを身にまとい，アルミホイルで完璧に縁取られた麦わら帽子をかぶって面接にやって来た．靴と両手にはラップを巻いており，両耳からは丸めた脱脂綿の塊がはみ出していた．	・明らかに奇妙な服装 ・常識や文化的規範から大きく外れている ・D1＝6

（次頁に続く）

表 11-2 他の症状項目の評価トレーニングのための実例（続き）

解体症状項目 2：奇異な思考	
症例	解釈
ヘンリー（表 11-1 の陽性症状項目 1 参照）は，イエローストーン国立公園などの変動しやすい生態系における天候や地震活動に，テレパシーが深く影響していると考えていた．彼はそれについて問われると，さらに詳しくその作用を説明してみせた．	・普通でない考えが持続している ・その信念は風変わりで常識を欠いている ・D2＝4
トラヴィスは面接で，「昨晩テレビでジェイ・レノを見ていたら，急に自分の脳がレノの脳に切り替えられて，今自分は自分ではなくて，レノが考えるようにしか考えられなくなっている」と述べた．	・思考は明らかに常識から外れており，自然の法則を無視している ・D2＝6

解体症状項目 3：注意・集中の低下	
症例	解釈
ウーレは容易に注意が散漫になり，ときどき空想が邪魔をして作業や会話に集中できなくなることがある．それは学校に上がって以来，ずっと続いているという．	・注意散漫が頻回に見られる ・空想にふけることで注意がそれる ・症状は学校が始まって以来，断続的に出現している ・D3＝3
ヴァレリーは面接中ほとんどの質問に答えることができなかった．会話をしていてもすぐに流れをたどれなくなるため，再び注意を向けさせるには単刀直入な質問がその都度必要となった．	・会話の筋道を見失う ・再度注意を向けさせるのに働きかけが必要である ・D3＝5

（次頁に続く）

表 11-2　続き

解体症状項目 4：衛生観念の低下	
症例	解釈
ワンダは以前ほど外見や服装に興味がなくなっている．化粧をしたり髪型を整えたりすることも前ほど重要なことではなくなっているが，シャワーは毎日浴びるようにしている．	・外見をつくろうことへの興味を失っている ・化粧をしたり髪型を整えるなどの通常の慣習に対して関心が低い ・衛生観念は保たれている ・D4＝2
ザンダーは髪もぼさぼさで全体にだらしなく，シャワーは週に1回しか浴びていないと述べた．明らかな異臭は認めなかった．	・衛生観念は持続的に低下しているが，全く軽視されているわけではない ・D4＝4
ヨーギは髪も乱れ，全体に汚れていた．彼の服にはしみが目立ち，明らかに異臭を放っていた．髪は洗われておらず，くしも入れられていなかった．セルフケアについて問われると，彼は肩をすくめ話題を変えた．	・外見や服装に全く関心がない ・周囲の意見や促しにも全く反応しない ・D4＝6

一般症状項目 2：気分不快	
症例	解釈
ザカリーは最近自分が以前の自分でないように感じている．彼は明らかな理由もないのに悲しみを感じることがあるという．すぐに涙が出てくるようになり，漠然とした不安も抱き続けている．このような感情は彼には初めての経験であったが，まるで「憂鬱が根を下ろしたようだ」と述べている．	・悲哀感，落ち込み，不安感 ・初めての経験であるが，容易に消失しない ・G2＝3
アナベルは悲哀感や不快感，不安，いらいらなどをほとんどいつも感じていた．これらの感情に対峙するのは容易ではなく，それを避けるために彼女はかなりの時間を寝て過ごすようになった．	・否定的な感情が混在している ・睡眠に回避しようと試みている ・G2＝5

（次頁に続く）

表 11-2 他の症状項目の評価トレーニングのための実例（続き）

一般症状項目 4：日常的なストレスに対する耐性の低下

症例	解釈
ブレイデンはそれほど悩みがあるわけでもないのに，普段と変わらない一日の終わりにかなりの疲労を自覚していた．	・普段より疲れやすい ・不安の原因が見当たらない ・G4＝1
カルロスは一日中自分の身に降りかかってくる予期せぬ物事に混乱させられていた．彼は学校での課題に圧倒されるような感覚を覚え，不安感が募り，思考は悲観的になった．彼によれば，これは学校に上がってからずっと日常的に続いているという．	・かつては成り行きに任せていたような状況をもストレスに感じ，それに圧倒されるようになる ・不安感はパニック発作を引き起こすほどではない ・症状は最近 1 年以内に出現している ・G4＝5

第12章

実際のケースの評価：
ベースライン時のアセスメント

　この章ではサイコーシス・リスクシンドロームを対象とするクリニックを訪れた13例について，ベースライン時のアセスメントの実例を紹介する．この13例は一定のスクリーニングとSIPS，SCID，必要に応じてKSADS[69]，Ⅱ軸診断のための構造化面接などを終え，把握された病歴や客観的行動，症状などを参考に，リスクシンドロームに該当するケースなのか，あるいはすでに精神病を発症しているか，または他の精神疾患に罹患している援助を求めるケースであるかの判断がすでに下されている．

　ここに示すケースの実例の記述は，かなりの量の情報を要約したものであるが，これは我々のクリニックの研究チームに対して提示されたものと同じ内容である．これらは実在する例であるが，所々周到に改変されている．個人が特定される可能性の高い情報（年齢や性別，人種）については，匿名性の保持のため適宜変更した．

　これらのケースはいくつかの例から選択されたものであり，教育的見地からSIPSによる診断結果を付記している．ここで我々が強調したいのは，たとえば最初の評価時に（すなわちベースライン時に）中等度のリスクがあると判断されたケースがどのような特徴を備えているか，またその特徴は軽度あるいはやや重度のレベルとはどのように異なるか，またすでに精神病を発症したケースとはどのように異なるかという点である．

　繰り返すが，ここに示すのは実在するベースライン時のケース実例である．

第14章ではサイコーシス・リスクシンドロームが経過とともにどのように変化するかについて，いくつかの典型的なパターンを示している．第15章では別のベースライン時のケース実例を，SOPSのスコアを伏せた状態で多数示している．ここでは実際にSOPSのスコアを評定し，評価チームが採点したスコアとの相違を確認する．評価チームによるスコアは第15章の末尾にあるが，自身によるスコアが定まるまでは伏せたままにしたほうがよい．

ケースに関する記述は，概ね以下の順に並べられている：対象の属性，主訴，紹介の理由，既往歴と精神科治療歴，家族歴（とくに精神病性障害について），物質使用／依存歴，出生時合併症，明らかな発達の遅れ，現在までの機能レベルと知的能力，さらに他の構造化診断面接によるⅠ軸／Ⅱ軸精神疾患の有無の判断．最後に，リスク診断の中核はSOPSの陽性症状スコアであることから，これらの項目のスコアと評価の理由について記載した．他の症状項目（陰性症状，解体症状，一般症状）のスコアも―重要と考えられる場合には特に―ケースをより具体化するために詳述しているが，あくまで主たる関心は診断決定に必要な陽性症状にある．また最近に起きた機能レベルの明らかな低下についても，なるべく詳しく記載した．これは過去1年間のGAFの変化によって，通常特徴づけられるものである．

これらの情報はすべて，通常のベースライン評価で得られる種類のものであり，そのまま診断のためのカンファレンスに提出される．だがここに示したケースに，そのすべての情報を載せているわけではない．ページ数の節約と教育的配慮から，ここでは特徴的な臨床情報のみを提示している．したがってある情報が欠けていたとしても（例えば誇大性に関する情報など），それは意図されずに抜け落ちているわけではなく，質問がなされたものの結果的に診断には寄与しないと判断されたためである．

この章では，微弱な陽性症状群（3点レベル，4点レベル，5点レベル），精神病後症候群（残遺型），短期間の間歇的な精神病状態を示す群，遺伝的リスクと機能の低下を呈する群，失調型パーソナリティ障害，また何らかの症状を有しケアを求めてはいるがリスクシンドロームの基準を満たさない非リスク対照群，の診断カテゴリー順に症例を提示する．非リスク対照群における「対照」とは，リスク研究においてしばしばリスク群の比較の対象となることから便宜上名づけたものであり，健常対照群と同義ではない．

ケース 1：ドミニカ

背景情報

ドミニカは 16 歳のヒスパニック系の女性で，2 か月前からグループホームに住んでいる．彼女は高校に通い，そこで授業についていけない生徒のための補習のプログラムを受けている．一方，彼女はアルバイトを探しているところでもある．これまでの人生で，彼女の居住環境はつねに不安定だった—最初は母親と，次に父親と生活し，やがて養子に出され，10 歳のときに再び母親との生活に戻ったものの 15 歳になると文字通り「家を追い出され」，現在の短期限定アパートメントに住むようになった．

主訴

ドミニカを紹介したグループホームのスタッフは，会話の際の「混乱」（話題が次から次に飛ぶ）や宙を見つめる仕草，希死念慮が紹介の理由であると述べた．

これまでの精神科治療歴

彼女は若者を対象にしたカウンセリング機関を通じて，個人カウンセリングを受けている．1 か月前に，スタッフに希死念慮を伝えたために救急外来を受診し入院した．慢性的な機能低下を指摘されたが，危険性は乏しいと判断され，退院となっている．

家族歴

ドミニカの母親は統合失調症と診断されており，アルコールとマリファナを乱用している．他の家族に精神疾患や物質使用歴は報告されていない．

物質使用歴

マリファナをさかんに吸うようになったのは 13 歳からであるという．14 歳から 15 歳にかけては様々な物質—アルコール，マリファナ，アンフェタミン，マジックマッシュルーム，エクスタシー，それに数は少ないながらモルヒネも—を使用していた．彼女は現在も週に何度かはアルコールとマリファナを用い，しばしばエクスタシーを使用しているという．

SCID
　14歳時からの過去のマリファナ依存―早期に部分的寛解を認める．
　過去の幻覚剤依存―早期に部分的寛解を認める．
DIPD
　該当せず
GAF 現在のレベル／最近 1 年間の最高レベル
　48/50

◀ SOPS による評価 ▶
P1. 不自然な内容の思考／妄想
　ドミニカはしばしば（この 2 か月間，月に 1 回程度）過剰な自意識を漠然と自覚している．例えば，かつて行ったことのあるクラブのマッチ箱が，そのクラブから遠く離れた所に落ちているのを見たときに，「自分が誰かに見られているのかもしれない」と思ったという．だが彼女は誰が見ているのかは思い当たらなかった．
P1＝1

P2. 猜疑心／被害念慮
　猜疑心に関しては否定的で，たとえ周りが信用できないと思ったとしても，自分の身に危険が及ぶとまでは思わないという．ただ彼女はより個人的な情報を伝える際に，いくらか用心深くなっているように見える．
P2＝2

P3. 誇大性
　ドミニカは自身が「色々なこと」を器用にこなすことができると述べたが，その例として挙げることができたのは「物を積み上げること」だけだった．彼女は面接中，産科医になりたいと面接者に語っていたが，そのためには，学業成績をかなり向上させる必要があることも自覚していた．
P3＝1

P4. 知覚の異常／幻覚

　彼女はある間隔で鳴る音を聞くことがあると答えている．それは連日出現するというが，彼女はその音についてそれ以上詳しい内容を伝えることはできなかった．

P4＝1

P5. まとまりのないコミュニケーション

　質問に対する回答は時に曖昧で不明瞭であり，やや奇妙に映ることがあった．彼女はときどき「おしゃべりになる」と述べたが，面接時にそうした状態は見られなかった．

P5＝2

N1. 社会的関心の低下

N1＝0

N5. 思考の貧困化

N5＝0

◀サイコーシス・リスク診断▶

　過去に物質使用歴があり，精神病の家族歴を持つ，非リスク対照群

ケース 2：アール

背景情報

　アールは13歳のアフリカ系米国人の少年で，ミドルスクールの7年生（中学1年生）である．彼は両親そして15歳の姉と一緒に生活している．最近学校の友人に対して感情的になることが多くなり，不安や落ち込みを経験するようになったため，リスクシンドロームのクリニックに紹介された．

紹介元

　アールを紹介した精神科医はクリニックを元々よく知っており，彼の

行動上の問題やそれが不自然な思考に基づいていることを心配していた．

これまでの精神科治療歴

9歳時より情緒不安定を理由に精神科医のもとへ通院していたが，これまでに精神科入院歴はなく，最近になって心理士による心理療法も併用している．6か月前に初めて薬（アトモキセチン）の処方がなされた．

物質使用歴

本人によれば，これまでにアルコールや他の物質の使用歴はないという．

発達経過および治療歴

アールの母親によれば，妊娠中の経過は正常であり，アルコールや他の物質を使用することもなかった．出産はあらかじめ計画されていた帝王切開によって行われ，出産時の合併症もみられなかった．その後の発達経過も概ね順調で，明らかな健康上の問題を幼少期には認めなかった．

だが2歳になるまでに，アールが言語発達に遅れを来していることが明らかとなった．彼は言語療法といくつかの集団社会訓練を2歳から6歳（1年生時）まで受けた．言語発達の遅れに関する精密検査を行ったものの，診断が下されるレベルではなく，特殊学級に回されることもなかった．

自閉症圏の障害を示唆されたことはこれまでなかったが，初回アセスメント時に本人と母親は自閉症的傾向—紹介や治療を受けるレベルではないものの—を示す徴候をいくつか認めた．加えて，彼の衝動に対する制御不良は幼少期の早期から始まっていたことが明らかとなった．

彼は自分の行動や言動が他人にどう影響するかについてはうまく理解することができずにいたが，知的には全く問題がなく，学校の成績も申し分ないものだった．だが優秀な成績も，対人的な問題によって長くは続かなかった．感情の爆発は日増しに増え，不安や抑うつ，さらに6か月前からは思考の歪みが目立ち始めていた．

処方歴

6か月前からADHD治療薬であるアトモキセチンが1日40mg開始されている．

精神疾患および物質使用に関する家族歴

アールの母親はうつ病性障害と診断されており，父親は成人ADHD

を疑われ治療を継続している．彼の姉は気分変調性障害と診断されている．

合併症

DSM-IV の基準に照らし合わせれば，アールは特定不能のうつ病性障害（寛解期），ADHD（現在）の基準を満たしていた．DIPD を用いた評価では，失調型パーソナリティ障害を含む特定のパーソナリティ障害の基準には該当しなかった．

GAF 現在のレベル／最近 1 年間の最高レベル

53/61

◀ SOPS による評価▶

P1. 不自然な内容の思考／妄想

アールは中等度の不自然な内容の思考／妄想を示していた．彼はしばしば退屈しやすく，よく空想にふけっていた．彼によれば以前より飽きやすくなったのは約 8 か月前であり，想像を楽しむようになったのは 1 年前からだった．彼はいずれサルが世界を征服するだろうと信じていた―最初に宇宙を旅したのは彼らであり，すでに地球外文明と同盟を築いているはずだという理由で．それを思いついたのは大体 3 年ほど前だったが，その後も繰り返しそれについて考え，8 か月前からは特にそれを信じるようになった．だが彼はそれが現実に起こりうる可能性はきわめて高いとしながらも，妄想的に確信するまでには至らなかった．この一連の空想によって生じるストレスは，ごく軽度なものに過ぎなかった．

P1＝3

P2. 猜疑心／被害念慮

猜疑心／被害念慮に関しては軽度レベルの症状を示した．貸したゲームを返してくれないかもしれないなど，他人の行動については必ずしも信用していないと彼は述べた．彼らは機会があれば彼の大事なものを盗む可能性もあるとさえ考えていた．

P2＝2

P3. 誇大性

誇大性の症状は存在するかどうか疑わしいレベルだった．彼は自分が学校で何でもこなすことができ，特にビデオゲームと時間の管理に関しては自信があると述べた．

P3＝1

P4. 知覚の異常／幻覚

アールには中等度レベルの知覚の異常を示唆する症状が認められた．週に1回程度，ある種の幻聴体験が存在した．それは8か月前から続いており，4か月前から徐々に悪化し，それに伴うストレスも軽度認めるようになった．彼は何もない場所で電話やドアベルが鳴っているのを，また実際には誰もいない所で自分の名前が呼ばれているのを，時々耳にすることがあった．それは本当にそこにいるかのような現実のクリアな声であり，それが聞こえてくると，彼は実際に窓の外を探したり受話器を取り上げてみたりするほどであった．

P4＝3

P5. まとまりのないコミュニケーション

会話のまとまりの悪さに関しては存在が疑われるレベルであった．彼はときどき回りくどい言い方をしてしまうと述べ，実際面接中にもそれは認められていた．

P5＝1

N1. 社会的関心の低下

社会的関心の低下に関しても，存在が疑われるレベルであった．彼には10〜15人の友人がおり，彼らと楽しく過ごすこともできていたが，学校以外で会うことはせいぜい週に1回程度であり，彼はむしろ一人でいることを好んでいた．

N1＝1

◀サイコーシス・リスク診断▶

　P1およびP4における3点レベルの症状の存在と，その症状は最近1年以内に出現あるいは悪化しており，かつ1か月に平均1回以上出現していることから，アールはサイコーシス・リスクシンドロームの微弱な陽性症状群（APS）に該当すると診断される．

ケース3：フェリシティ

背景情報

　フェリシティは23歳の混血の独身女性で，2年制の小規模な短大から今通っている4年制の大学に昨年移った．彼女は大教室での授業にうまく慣れることができず，成績も下がっていった．自宅では両親とともに生活しているが，それが彼女にとっては大きなストレスの原因であった．今では両親とはただ罵り合うだけの関係になってしまっていた．

主訴

　フェリシティは地域のリスクシンドロームクリニックからEメールで情報を得ていた．彼女は最近自分があり得ないようなことを考え始めているのに不安を感じていた．

これまでの精神科治療歴

　彼女は小学校に上がった頃から抑うつと不安を自覚していた．精神科に入院した経験はないものの，外来ではいくつかの抗うつ薬―セルトラリン，ベンラファキシン，ブプロピオン，シタロプラム，そして最近はフルオキセチン―が試されていた．ミドルスクール（中学校）にいた頃に自傷行為が出現していたが，2年前からは見られていない．彼女によれば，幼少時に性的虐待も受けていたという．

既往歴

　特記すべき既往歴はない．

物質使用歴

　本人によれば，これまでに物質の使用歴はないという．

精神疾患に関する家族歴

　フェリシティによると，彼女の家族で明らかな抑うつや不安を呈して

いたのは，母親と二人の姉，母方の叔父，母方の祖母であるという．姉のうちの一人と母方の祖母にはある種の妄想癖も見られていた．

SCID

大うつ病性障害（再発を繰り返す），PTSD，強迫性障害の基準を満たす．

DIPD

境界性パーソナリティ障害に該当し，失調型パーソナリティ障害には該当しなかった．

GAF 現在のレベル / 最近 1 年間の最高レベル

60/60

◀ SOPS による評価▶

P1. 不自然な内容の思考 / 妄想

中等度レベルの不自然な内容の思考 / 妄想：フェリシティは今年の始めから，月に数回，友人が今までと別人に見えてしまうことがあったという．本当に別人だと信じていたわけではないが，その体験はあたかもすべてが姿を変え，その本来の形を失った，いわば「別世界」に紛れ込んでしまったかのように，彼女を落ち着かなくさせた．

彼女はこれまで長いこと，1 か月に数回生じるデジャヴ（既視体験）を経験しており，その 3 回に 1 回は実際に次に起こることを正確に予測することができたという．ただこれは単なる直感というレベルのものであり，しばしば不快ではあれ厄介なものではなかった．彼女はまたクモを殺すと何かひどいことが身に降りかかると長年信じており，どんな場合であれクモを殺すことはしなかった．さらに彼女は，自分の身の周りで起きることに何か特別な意味があるのではないかと以前から考えていた．たとえば電線に鳥が止まっているのを見て，同時にある友人が似たような鳥のタトゥーを入れているのを見たら，それはその人とデートをすべきであるという意味だと考えた．彼女はあらゆる物事には理由があり，運命はその物事のありようについての普遍的な手がかりを教えてくれるのだと言った．そう考えることによって，彼女の行動はしばしば影響を受けた．

最近6週間で新たに出てきたのは，虫とコミュニケーションがとれるという考えだった．今ではそれは少なくとも週に1回は出現していた．彼女は実際には何かが聞こえてくるわけではないのに，まるで何かを聞いたときのような身体感覚がもたらされると述べた．その感覚は虫に近づいたときに出現し，「私は待っている」とか「私は私自身だ」というような意味のことが伝わってくるというものだった．これは通常数秒から数分続いた．先週の土曜日も同様の体験が出現したが，今回は鹿の頭骨のように生きてさえいないものが自分の名前を彼女に伝えてきたという．それは彼女には厄介で煩わしい体験であり，自分が「おかしくなっている」のではないかと疑わせるものであった．
P1＝4

P2. 猜疑心／被害念慮
　軽度レベルの猜疑心／被害念慮：フェリシティは自分の周りに誰が，どこにいるかについて，いつも注意していると述べた．それはずっと以前からあるもので，つねに変わりがなかった．彼女は時々人が笑っているのを見ると，自分のことを笑っているのではないかと考えてしまうとも言った．それもずっと以前からあるものだった．
P2＝2

P3. 誇大性
　誇大性の症状は否定的であった．
P3＝0

P4. 知覚の異常／幻覚
　中等度レベルの知覚の異常：フェリシティは数か月に1回，自分の名前を呼ぶ声や，人々がひそひそ話す「声のような音」を聞いていた．それも以前から認められる，固定した体験だった．また月に1回程度，誰かが背中を押しているような圧力を体に感じることがあり，彼女はそれを幽霊が「ヒッチハイクしている」ためではないかと考えていた．その感覚は大体において不快であったが，時に恐怖を感じることもあった．彼女

は視界の端に時々ちらつく光や影を認めたり，誰もいないドアの下に人の動く気配を感じたりすることもあった．彼女はそれをあまりわずらわしいとは思っていなかった．それは長年にわたって見られるものだったが，最近2か月間では週に1回の割合に増えていた．
P4＝3

P5. まとまりのないコミュニケーション
軽度レベルのまとまりのないコミュニケーション：彼女はここ何か月か，会話中に時々脱線してしまうのを自覚していた．だが実際の面接中には，特に発話のまとまりの悪さは認められなかった．
P5＝2

N1. 社会的関心の低下
認めなかった．
N1＝0

N5. 思考の貧困化
認めなかった．
N5＝0

◀サイコーシス・リスク診断▶
P1およびP4における症状の存在により，フェリシティはサイコーシス・リスクシンドロームの微弱な陽性症状群（APS）に該当すると診断される．

ケース4：ガース

背景情報
ガースは18歳の白人男性で，両親，妹とともに生活している．現在ハイスクールの12年生（高校3年生）で，成績はAとBのみの優等生であり，レスリング部と弁論部にも所属している．

紹介元
ガースは地元の精神科医からクリニックを紹介された．

現在の問題
両親はガースがまるで突然壁に衝突したかのようだと述べた．彼はこれまで成績良好の優等生であり，レスリング部ではキャプテンを務め，ガールフレンドとも長く付き合っていた．それがある日を境に突然，声が聞こえると言い出したのだった．それは彼の悪口で，週に 2, 3 回聞こえてきたという．その声は徐々に大きくなり，不快感を増し，彼をおびえさせた．彼は不自然な「暗い」考えに取りつかれるようになり，それは彼を混乱させた．彼の成績は徐々に低下し，人間関係も十分に維持できなくなっていった．

これまでの精神科治療歴
本人によれば，これまで情緒不安などを自覚したこともなく，精神科的治療を受けたこともないという．

物質使用歴
これまでにいかなる物質も使用していない．

身体的既往歴
水痘以外に特記すべき既往症は認めていない．

処方歴
向精神薬を処方されたことはない．

精神疾患および物質使用に関する家族歴
本人および両親からの情報では，彼の母方の祖父は慢性期の妄想型統合失調症と診断されており，父方の叔父も精神病と診断されている．

合併症
SCID による評価では，DSM-IV の I 軸疾患にはすべて該当しなかった．DIPD を用いた評価でも，いかなる II 軸疾患の基準も満たしてはいなかった．

GAF 現在のレベル / 最近 1 年間の最高レベル
55/90

◀ SOPSによる評価 ▶

P1. 不自然な内容の思考／妄想

　ガースは重度だが精神病的ではないレベルの不自然な内容の思考を示していた．彼はしばしば頭の中で会話を繰り返してしまい，何が現実で何が空想上のものか分からなくなってしまうことがあると述べた．それは2か月前からほぼ連日生じているため，実際の会話に集中できなくなっていたり，自分の周りで起きている物事に対しても注意を向けられなくなったりしてしまっていた．あたかも空想上の会話が現実であるかのように振舞ってしまうこともあったため，人間関係も次第にぎくしゃくしてしまった．事実その結果として，彼はガールフレンドと別れることになったのだという．これは自分の人生を壊そうとする何者かの意志が働いているのではないか，と彼は考えるようになった．だが面接時の質問に対しては，それは自分の思い過ごしであり，ただ空想に翻弄されているだけなのかもしれないと振り返った．

P1＝5

P2. 猜疑心／被害念慮

　猜疑心／被害念慮に関しても，重度だが精神病的ではないレベルの症状を示した．彼は周囲の人々が自分の悪口を言っていると考えていた．人々は彼を「おとしいれ」，その人生を破滅させ幸福を奪おうとしていると彼は信じた．彼は明らかに用心深くなり，周囲に張り巡らされた危険に対してつねに身構えるようになった．その考えは容易に消失するものではなかったが，一方でガースはそれに疑いを差し挟むことも可能ではあった．この体験は2か月前から続いており，今ではほぼ連日生じていた．

P2＝5

P3. 誇大性

　誇大性の存在は認めなかった．

P3＝0

P4. 知覚の異常／幻覚

　彼は重度だが精神病的ではないレベルの知覚の異常を示していた．2か月前に彼は声のような音の幻聴を聞いていた．それは最初きわめて曖昧なものに過ぎなかったが，徐々にその強さを増していった．その声の内容は不快で下品なものであり，彼はそれにしばしばおびえるようになった．それが自分の頭の中で起きていることなのか，外から聞こえてくるものなのかは彼にはわからなかった．この体験は週に4, 5回の割合で生じ，彼を混乱させたが，それが現実に起きているのかどうかの疑念を持つことは可能であった．
P4＝5

P5. まとまりのないコミュニケーション

　会話のまとまりの悪さを示唆する徴候や症状は認められなかった．
P5＝0

◀サイコーシス・リスク診断▶

　P1, P2 および P4 における症状の存在と，すべての症状が2か月前から出現し週に1回以上生じていることから，ガースはサイコーシス・リスクシンドロームの微弱な陽性症状群（APS）に該当すると診断される．1年以内に GAF スコアが 30% 以上低下しており，かつ精神病の家族歴を認めているが，第一親等家族に精神病が見られないため，遺伝的リスクに機能低下を伴う群には該当しない．

ケース 5 : ヘレン

背景情報

　ヘレンは 22 歳のアジア系の独身女性で，最近大学を卒業した．彼女は非現実的な空想に長年とらわれている—だがこの6〜12か月の間にその頻度は増えていた—ことを理由に，自らサイコーシス・リスククリニックを受診した．彼女は昨年から抑うつや不安に対して抗うつ薬の投与とカウンセリングを受けていたが，その効果をあまり自覚できていな

かった．

精神疾患に関する家族歴

　父親は以前から軽度の妄想型パーソナリティと診断されているが，最近の機能低下や精神病症状の出現，治療上の変化などは認められていない．母親は一時期軽い妄想と幻視（光の軌跡など）を認めたことがあり，概して感情的でいらいらしやすい部分はあるが，仕事などは全うできており，精神科治療歴もない．25歳になる姉には，健康上の問題はない．

SCID

　全般性不安障害を認める．

DIPD

　該当せず

GAF 現在のレベル／最近1年間の最高レベル

　55/65

◀ SOPSによる評価▶

P1. 不自然な内容の思考／妄想

　症状の出現は2年前であるが，4か月前から悪化を認めている．

　彼女は自分に嫌なこと（物を割る，壊すなど）をさせようとしたり，腹を立てているときに元気づけてくれたりする宇宙人の存在を妄想的に確信している（確信の出現は各々15分程度）．これらの確信が両方同時に出現するのは週に数回である．また自分のボーイフレンドが現実に存在しないのではないかと思う（例えば，一緒に映画に見に来たときにトイレに入ったりすると，映画を見に来たのは自分一人ではないかと思い始める）ことが月に1回程度ある．周りの人が自分をだまそうと企んでいる，あるいは自分の知らないことを知っているなどと確信することもある．彼女はしばしば自分の考えが頭から抜き取られているように感じることもあったが，確信はなかった．また，人の着ている服をすでに夢で見たことがあったなどのデジャヴ体験も認めていた．これらの体験はすべて15分以上は続かなかった．

P1＝6

P2. 猜疑心 / 被害念慮

　症状の出現は4年前であるが，最近2か月で悪化を認めていた．
　彼女には監視されているという感覚があった．誰かが家に忍び込んで自分を待ちかまえているように感じたり，時には帰宅しても「危険がなくなった」と思えるまでしばらく車の中でじっとしていたりすることもあった．彼女に確信があったわけではないが，かといって危険を冒してまで確かめようという気にもならなかった．また彼女は人々が自分の失敗を望んでいるように感じていた．ただこれは何となく漠然とした考えであり，特に具体的でもなければ，妄想的確信というわけでもなかった．
P2＝5

P3. 誇大性

　自分ほど頭が切れるわけではないと他人を見下すことがあったが，それを口にすることはなかった．
P3＝1

P4. 知覚の異常 / 幻覚

　症状は3年前から出現しており，3か月前から悪化している．
　彼女は仕事中，誰もいない部屋で音楽や鳥のさえずりを聞くことがあった．周りに誰もいないのに，人の会話や兄の声が聞こえてくることもあった．仕事中，急に叫び声がしたのに驚いて立ち上がったが，他の誰もそれを聞いていなかったということもあった．こうした体験は週に2～5回，5～10秒間にわたって出現した．最近では家のカーテンの後ろから人が覗いているのが見えて，ボーイフレンドが帰宅するまで車で待っていたこともあった．ある時は一晩車で過ごしたことさえあった．大概は誰かがそこにいるはずなどないと自分に言い聞かせることができたが，やはり確かに誰かがそこにいる感じがして，かといってそれを確かめる気にもなれないということもしばしばあった．
P4＝5

P5. まとまりのないコミュニケーション

彼女は疲れているときやストレスを感じているときは（面接中を含めて），しばしば会話の筋道を見失い，質問を聞き返すことがあった．
P5＝2

◀サイコーシス・リスク診断▶

P1の項目でレベル6の症状を認めるものの，その持続期間は15分以内ときわめて短時間であるため，この症例はサイコーシス・リスクシンドロームに含まれる．P1の症状は頻度も持続期間も十分でないことに加え，深刻な程度に滅裂でも危険でもないことから，精神病状態の基準を満たさない．結果的に，ヘレンはサイコーシス・リスクシンドロームの短期間歇的な精神病状態を呈す群（BIPS）であると診断される．

ケース6：アイヴァン

背景情報

アイヴァンは18歳の白人男性で，祖母と母親とともに生活している．彼の母親は治療抵抗性の統合失調症であり，彼はこの10年来母親の世話をするのに多くの時間を割かなくてはならなかった．彼はまた祖母の主たる世話人でもあり，彼女は乳がんを患っていた．彼には兄弟がなく，父親は何年も前に自分の家族を捨て，今は国外で生活していた．アイヴァンはハイスクールの最初の何年かを父親と生活していたが，その生活は特に理由もなくうまくいかなかった．彼は現在ハイスクールの上級生であるが，卒業に必要な履修単位をまだ満たしていなかった．だが彼はハイスクールをきちんと卒業して，地元のコミュニティカレッジで音響エンジニアを学びたいと考えていた．彼はとくに支援ネットワークを活用することもなく，昨年には音楽活動やスポーツへの参加もやめてしまっていた．

主訴

アイヴァンを紹介した精神科医は，奇異な行動や増悪する偏執的思考，さらに複数の身体愁訴（例えば「頭の中で音がする」など）に対しての治療

を行っていた．アイヴァンの祖母によると，母親が精神病を発症したときにも，同様の行動変化—焦燥感，「ぼーっとする感じ」，周囲を避けるなど—が認められたという．一方，本人からの主たる訴えは，集中や想起，迅速な反応などが難しくなっていることであった．

これまでの精神科治療歴
アイヴァンは6か月前に，マリファナ乱用による特定不能の精神病と診断され，精神科ケアユニットに入院した．カルテ記録によれば，彼は「頭の中で音がする」など短時間ながら明瞭な幻聴の存在を示し，妄想的な思考も認められた．だが入院してまもなく落ち着きを取り戻したと述べ，症状は「一晩で良くなった」と言った．薬剤はとくに処方されず，彼は入院10日後に退院した．

既往歴
1か月前の自動車事故による，筋肉や骨の二次的な疼痛．

物質使用歴
1か月に2回ビールを2杯飲むという程度の，アルコール使用をしばしば認めた．2年前にマリファナの常用歴があるが，最近はほとんど使用せず，先月1回用いたもののそれも特に影響を生じなかったという．これまでにマリファナ使用に関連した法的な告発を受けたことがあり，今回の評価時もマリファナに関する検査結果は陽性であった．他の物質に関する使用歴は認めていない．

精神疾患に関する家族歴
彼の母親は統合失調症と診断されており，これまでに数回の入院と臨床試験への参加を認めている．彼女の治療アドヒアランスは良好とはいえず，病像は慢性的な経過をたどっている．

SCID
マリファナ乱用の基準を満たす．

DIPD
該当せず．

GAF 現在のレベル / 最近1年間の最高レベル
45/60

◀ SOPSによる評価▶

P1. 不自然な内容の思考／妄想

　存在が疑われるレベルの不自然な内容の思考：アイヴァンは長年にわたっていくつかの迷信を信じており，またラジオから聞こえてくる歌の中にしばしば特殊なメッセージを聞き取っていた．彼はそれを偶然生じるものだととらえていた．入院当初に感じた頭の中で音が鳴っているという感覚は，すでに思い出せなくなっており，うまく説明することができなかった．彼は面接中も身体的な違和感に苛まされており，しばしば立ち上がっては歩き回ったりストレッチをしたりしていた．この違和感は入院中には身体感覚異常の可能性を指摘されていたが，実際にはおそらく1か月前の事故によって生じていると考えられた．
P1＝1

P2. 猜疑心／被害念慮

　中等度レベルの猜疑心：アイヴァンは猜疑心を以前から抱いていたが，それはやむを得ず彼が身に着けたものでもあった．彼は成長するにつれて周囲の目を気にするようになり，人を信じなくなった．母親の病気のせいで，彼は家族や友人から背を向けられてしまい，結果的に彼らを信じることができなくなったのだった．アイヴァンは面接中も慎重な姿勢を崩すことはなかった．
P2＝3

P3. 誇大性

　誇大性の症状は否定的であった．
P3＝0

P4. 知覚の異常／幻覚

　軽度レベルの知覚の異常：彼は誰もタバコを吸っていないのに，その煙のにおいを嗅いだように感じることが時々あった．この体験は2, 3週ごとに出現したが，特に彼を悩ませるものではなかった．また誰かが声を張り上げたときに何かが「刺激され，増強される」感じがしたが，そ

の感覚を彼は好ましく思わなかった.
P4＝2

P5. まとまりの悪いコミュニケーション
　会話のまとまりの悪さは認められなかった.
P5＝0

◀サイコーシス・リスク診断▶
　精神病性障害の残遺期であると考えられる．この症例は過去の精神病の存在により，サイコーシス・リスクシンドロームには該当しない．前景となっている症状は，精神病による症状の残遺型であると考えられる．

ケース7：ジャスティン

背景情報
　ジャスティンは15歳のアジア系の少年で，父親と継母，2人の兄弟とともに生活している．両親は彼が7歳のときに離婚した．年に2回程度であるが，彼は定期的に母親と顔を合わせていた．彼は現在10年生（高校1年生）で，去年まではスポーツにも秀でた優等生であったが，今年になってほとんどの科目で成績が低下し始め，学校にも通わなくなってしまっていた．彼がクリニックを紹介されたのは，それが理由であった．

主訴
　彼は興味や動機づけが以前よりかなり低下していることを自覚しており，それが学校に通わなくなった原因でもあった．モチベーションは持続的に悪化しており，今では朝もまともに起きられず，一日中家で伏せていることもしばしばあるという．

これまでの精神科治療歴
　サイコーシス・リスククリニックに彼を紹介したのは，かかりつけの心理士だった．ジャスティンはこれまで薬剤を処方されたことはなかったが，現在はフルボキサミンを1日50 mg処方されている．

家族歴

彼の母親は統合失調症と診断されている．

物質使用歴

使用歴なし．

SCID

該当せず．

DIPD

該当せず．

GAF 現在のレベル / 最近 1 年間の最高レベル

50/85

◀ **SOPS による評価** ▶

P1. 不自然な内容の思考 / 妄想

　ジャスティンは5か月ほど前から「ある種の違和感」を感じるようになったと述べた．彼は特に理由もなく悲哀感を覚えたり，正気を失いそうになったりし始めたという．彼はなぜ欠席の珍しい優等生だった自分がベッドから起き上がるのもままならない状態に変わってしまったのか，その理由について頭を悩ませていた．毎晩彼は思考が空回りするのを感じていた．月に一度くらい，夢の中の出来事がそのまま現実に起きるように思えることがあった．彼は夢を見ると，その夢の理由について考え，その意味するものが現実に起きるのではないかと想像した．後にこのことについて質問されると，彼はそれが偶然の一致以外の何ものでもないと認めていた．

P1＝1

P2. 猜疑心 / 被害念慮

　猜疑心を示唆する所見は認められなかった．

P2＝0

P3. 誇大性
　誇大性を示唆する所見は認められなかった．
P3＝0

P4. 知覚の異常／幻覚
　知覚の異常に関しては，中等度レベルの症状を認めた．症状は今年の初めから出現しており，現在も月に1回程度認めていた．彼は何かが破裂するような音やクリック音などのノイズ，また自分の名前を呼ぶ声などを耳にしていた．そうした声は通常父親や兄から発せられたように思われたが，囁きのようなごく曖昧なものでしかなかったという．
P4＝3

P5. まとまりのないコミュニケーション
　会話のまとまりの悪さは示唆されなかった．
P5＝0

N1. 社会的関心の低下
　ジャスティンは最近友人と過ごす時間は減ってきたものの，週に2，3回彼らと会う程度には社交的であった．
N1＝0

N5. 思考の貧困化
　思考の貧困化を示唆する所見は認められなかった．
N5＝0

◀サイコーシス・リスク診断▶
　ジャスティンは精神病の家族歴に加え30％以上のGAFスコア低下を認めており，サイコーシス・リスクシンドロームにおける「遺伝的リスクに機能低下を伴う群」の基準を満たしている．知覚の異常(P4)に関する症状の重症度はリスクレベルに達しているものの，頻度がリスクレベル（最近1か月間に少なくとも週に平均1回の割合で認める）に達していない．

ケース8：ケヴィン

背景情報
ケヴィンは15歳の白人の少年で，継母と父親，兄と一緒に生活している．彼はハイスクールの最初の学年をちょうど終えたばかりである．

主訴
彼は猜疑心と不自然な内容の思考が疑われることを理由に，かかりつけ医から地域のメンタルヘルスクリニックに紹介された．

精神疾患に関する家族歴
家族の中に精神病の既往歴は認めていない．

これまでの精神科治療歴
ケヴィンは抑うつ症状と強迫性障害に対し，1年前からフルボキサミンとブプロピオンを投与されている．

SCID
彼は過去の大うつ病性障害と強迫性障害の基準に該当した．また以前にマリファナの使用がしばしばあったことも認めている（最近18か月間で3か月に1回程度）．

DIPD
失調型パーソナリティ障害の基準に該当した．

GAF 現在のレベル / 最近1年間の最高レベル
47/47

◀ SOPSによる評価 ▶

P1. 不自然な内容の思考／妄想
ケヴィンはこの18か月間に，しばしばデジャヴ（既視体験）―まるで台本をなぞるかのように，「自分の言うべきせりふやなすべき行動を，過去の出来事として自分が知っている」という感覚―があったことを報告した．その感覚の出現をどう説明すればよいのか分からず，彼は多くの場合それが現実にあり得ることだと信じていた．彼が唯一不思議に思ったのは誰もそうしたデジャヴの現象に言及しないことであったが，彼自身が自分の経験を疑うようなことはなかった．

彼はまた，他人に自分の考えていることが聞こえてしまっているという不安についても語っていた．この不安は4か月前から出現し，現在も続いていた．「人が自分の心を読み取っているという，この…偏執的な考えに僕はひどくこだわっているんだ」と彼は言った．この考えは今やストレスである以上に不快なものであり，特に「恥ずかしい」歌が頭の中を流れているときや「おかしなこと」を考えているときは，懸命に自分の考えを打ち消そうとする必要があった．そして自分の考えを打ち消すためには，「頭の中をテレビのノイズで満たす」という約5分程度の「遮断プロセス」に取り組まなくてはならなかった．彼はこの体験を全くの現実と信じていたわけではないものの，それに対して別の説明が可能だとは全く考えもしなかった．

さらに彼は，テレビから送られてくる特別なメッセージに特別な関心を抱いていた．彼は実際にテレビと直接コミュニケーションがとれるとまでは信じていなかったが，ディスカバリーチャンネルやヒストリーチャンネルのような多くのドキュメンタリー番組には「発見されるべきあるいは見直されるべき何かの存在」を示す暗号が隠されていると強く思い込んでいた．この考えはこの3, 4年の間に2, 3か月に1回は出現しており，彼はそのたびに「その暗号」を探すことに躍起になった．

P1＝5　持続的かつ不変

P2．猜疑心／被害念慮

ケヴィンは自分が「病的に」疑い深く，周りの人々が自分を避けたり監視したりしているように感じると述べた．同時にその感覚が真実であるかについては自信が持てなかった．彼はほとんどの人を信用していなかったが，そのように考え始めたのは2年ほど前からであった．「世の中の人々がどういう人たちかがいったん分かり始めると」，他人を疑うことは全く苦痛ではなくなった—むしろ彼はそれを好んでするようになったという．彼は自分の寝室の窓が実はマジックミラーで，その裏に監視用のカメラを両親が設置していると2年前に信じ込み，いまだにそれは消え失せてはいなかった．彼はそれを現実だと信じ切っていたわけではなかったが，万一に備えてつねにブラインドを閉ざしていた．

彼はこのような考えを裏付ける証拠が時折現れることによって，それに追い詰められるという感覚を曖昧ながら確実に持つようになったという．例えば映画館にいるときに，映写機に何かを仕組むことで周りの人が皆，自分の正気を奪おうとたくらんでいると考える，などである．
P2＝4　持続的かつ不変

P3. 誇大性
P3＝0

P4. 知覚の異常／幻覚
ケヴィンは何もない静かなところで，耳の中にベルが鳴り響くのを聞くことがあり（彼はそれを「騒々しい沈黙」と呼んだ），「本当におかしくなりそうになる」と述べている．これは年に3回程度，数分間持続し，彼が小学校にいる頃から続いているという．
P4＝2　持続的かつ不変

P5. まとまりのないコミュニケーション
彼は自分の強迫症状を語るときには，やや奇妙で比喩的な言い回しを用いた．例えば儀式的に数を数えることによって，「自分の感情がばらばらに引き裂かれるのではなく，しっかりとした完全なものになっていく」のだという．
P5＝1

◀サイコーシス・リスク診断▶
ケヴィンの示す陽性症状はかなり前から持続しており，かつ不変なものであるため，失調型パーソナリティの基準に該当する．この診断に直接関係すると考えられる他の症状についても，SIPSによる評価を以下に示す．

N1. 社会的関心の低下
ケヴィンは一人でいることを好み，ほとんどの時間をビデオゲームや

読書をしたり，ギターを弾いたりして過ごすという．彼が「親友」と呼ぶ友人が一人いるが，実際には2～4週間に1回程度しか会わない(ただ毎日電話やメールでのやりとりはしている)．この「親友」はまもなく州外に転居することになっているが，ケヴィンは特にそれを何とも思っていない．他にも友人が2人ほどいると彼は述べているが，彼らと会うことはほとんどないという．
N1＝4

N3. 感情の表出
　ケヴィンには感情の起伏というものがほとんどなく，周りからも心や情感というものが認められないと言われてきた．だがストレスを感じるような体験(例えば過去の希死念慮など)や現実にありえない空想などを話すときに，不適切に笑うことがしばしばあった．ただそれによって面接が中断されるということは特に認めなかった．
N3＝3

N4. 自己や情動の認知
　ケヴィンにとって，前向きな感情を持つことはきわめてまれだという．彼の感情は無の状態から，悲哀感や幸福感などが怒りと入り混じった状態の間を，行ったり来たりしていると自覚していた．
N4＝4

◀要約▶
　ケヴィンは以下の持続的な症状から，「失調型パーソナリティ障害」の基準に該当していると判断される．
・親友の欠如
・不適切で抑制された感情
・猜疑心
・過剰な自意識
・奇異な信念

ケース 9：リリアン

背景情報
　リリアンは 21 歳の女性で，心理学を専攻する大学 3 年生である．彼女は 3 人のルームメイトとアパートメントに同居し，アルバイトもしている．彼女は 12～19 歳まで州の保護下にあったが，現在も実の家族および養育した両親とは接触を保っている．彼女は 18 歳になってから，教会での活動に没頭するようになっていた．

主訴
　彼女は自身の混沌とした幼少期に関して未解決の問題が存在しないかどうかを確かめるために，また，精神病の家族歴がもたらす影響についてのモニタリングを受けるために，自ら治療を希望して受診した．

これまでの精神科治療歴
　彼女はこれまでの数年間に，不安症状に対する支持的精神療法とベンラファキシンの投与を受けている．

家族歴
　リリアンの両親は二人とも統合失調症と診断されており，二人の兄も同様に統合失調症の診断を受けている．彼女の母親と長兄は長期間入院を継続している．

物質使用歴
　リリアンは 14 歳のときからマリファナを常用するようになり，加えてエクスタシーやスペシャル K，コデイン，さらにコカインもしばしば使用するようになった．17 歳になって，これらの物質を使用するのをやめている．

SCID
　過去のマリファナ依存に該当したが，その後完全寛解状態が維持されている．

DIPD
　該当せず．

GAF 現在のレベル / 最近 1 年間の最高レベル
80/80

◀ SOPSによる評価▶

P1. 不自然な内容の思考／妄想
P1＝0

P2. 猜疑心／被害念慮
P2＝0

P3. 誇大性
P3＝0

P4. 知覚の異常／幻覚
P4＝0

P5. まとまりのないコミュニケーション
P5＝0

N1. 社会的関心の低下
N1＝0

N5. 思考の貧困化
N5＝0

◀サイコーシス・リスク診断▶
　リリアンは深刻な家族歴を備えているものの，非リスク対照群に分類される．

ケース10：ミッキー

背景情報
　ミッキーは12歳の白人の少年で，公立のミドルスクールに通っている．彼は二人兄弟の下で，アッパーミドルクラスの地域で両親と生活を

送っていたが，家庭はきわめて貧困だった．ミッキーの両親は低賃金の労務に長時間従事しており，彼はほとんどの時間を一人で過ごさなくてはならなかった．

紹介元

ミッキーは学校のソーシャルワーカーによってリスクシンドロームクリニックに紹介された．そのソーシャルワーカーは，以前学校で行われたクリニックスタッフによるプレゼンテーションを通じて，クリニックに関する情報を事前に得ていた．

これまでの精神科治療歴

ミッキーはすでに，学校での孤立行動やこだわりについて，心理士によるアセスメントを受けていた．だがアセスメントの結果はいずれの診断基準にも該当しないということだった．心理士は自閉症，アスペルガー症候群，広汎性発達障害，精神病をすべて除外し，さらにいかなるⅠ軸疾患にも該当しないことを確認したうえで，より詳細な評価が必要であると結論づけていた．彼は2か月前まで正規の授業を受けていたが――成績はAかBで占められていた――，情緒的な問題が目立つことを理由に，特殊教育を受けることを認められていた．彼は学校での行動上の問題に対して，6年生時にカウンセリングを3セッション受けていた．

物質使用歴

本人によれば，これまでにいかなる物質も使用していないという．

発達経過および治療歴

ミッキーは出生時に臍帯巻絡による無酸素症を認め，入院期間を1日延長して観察が必要と判断された．その後の発達は順調で，問題なく経過しているという．他に明らかな慢性疾患も認めていない．

既往歴

現在薬剤の服用などはなく，特記すべき既往症は認めていない．

精神疾患および物質使用に関する家族歴

家族に明らかな精神疾患は認めていない．

合併症

SCIDによる評価では，高所と虫に対する特定の恐怖症の基準を満たしていた．DIPDを用いた評価では，いかなるⅡ軸疾患の基準も満たし

てはいなかった．

GAF 現在のレベル／最近 1 年間の最高レベル
43/51

◀ SOPS による評価 ▶

P1. 不自然な内容の思考／妄想
　ミッキーは中等度レベルの不自然な内容の思考／妄想を示していた．彼はかなり鮮明なデジャヴを週に少なくとも 6 回程度体験していた．それは約 4 か月前から続いていたが，彼はとくにそれを辛いとは思っておらず，時々なぜそのようなことが起きるのかを不思議に思っていた．彼はそれを心のいたずらのようなものだと考えていた．一日のうち，ほとんどいかなるときでも彼は空想にふけっていたが，それは大抵ビデオゲームに関するものだった．何が現実で何が想像上のものか区別がつかなくなることはなかったが，モンスターについて考え始めると止まらなくなることがあると彼は述べた．彼はモンスターが存在すると信じているだけでなく，モンスターに関するきわめて独特な持論があり，モンスターから自分の身を守るために日頃から用心を欠かさなかった．彼は実際にモンスターを見たことはなかったが，想像ではそれは奇妙な仮面をかぶっており，身体はむき出しの筋肉でできていた．それは高音の叫び声を発する生き物であり，光によって死んでしまうのだという．彼がたとえ日中でも部屋に入るときに電気を点けたり消したりしたのは，まさにそう信じていたためであった．こうした考えは今月の初めから出現し，週に少なくとも数回認めていた．彼は頭ではモンスターが現実に存在しないと分かっていたが，不安を拭い去ることはできなかった．その説明について問われたとき，彼はそれがおそらくは単なる空想に過ぎず，自分が恐れているのは暗闇だと思うと述べた．
P1＝3

P2. 猜疑心／被害念慮
　猜疑心／被害念慮に関しては，存在が疑われるレベルの症状を示した．彼は自分が自意識過剰であり，知人と目が合うと，笑われたりからかわ

れたりするのではないかと不安になると述べた．それは以前学校で，実際にそういうことがあったからだと思うと彼は言った．
P2＝1

P4. 知覚の異常／幻覚
　彼は中等度レベルの知覚の異常を示していた．4か月ほど前ベッドで寝ているときに，彼は足元にぼんやりと幽霊のようなものが立っているのを見た．その後も，その幻影は週に少なくとも数回出現したという．彼はそれを現実とは信じなかったが，それが続けて起きたために不安になった．また，彼は耳の中で「雑音」やベルが鳴る音を聞いたりもした．それはほぼ同時に，連日生じるようになったという．その「雑音」は時に背後からの声のようにも聞こえた．彼はそれを自分の身体と心が生み出す錯覚の1つの例だと説明した．
P4＝3

P5. まとまりの悪いコミュニケーション
　会話のまとまりの悪さを示唆する徴候や症状は認められなかった．
P5＝0

N1. 社会的関心の低下
　ミッキーには存在が疑われるレベルの社会的無関心の存在を認めた．彼は親友が3人いて，彼らと学校以外で過ごす時間を楽しんでもいた．だがそれ以外の子とは学校でもうまく付き合うことができなかった．
N1＝1

N5. 思考の貧困化
　思考の貧困化に関しては，軽度レベルの症状を認めた．ミッキーはほぼ毎日のように，人が自分に伝えてくる考えをきちんと理解できなくなっていると感じていた．彼は類似性に関する質問には答えられたが，慣用句のうちの1つに関しては答えることができなかった．
N5＝2

◀サイコーシス・リスク診断▶

P1 および P4 における症状の存在と，これらの症状が最近 1 年以内に始まっており，少なくとも週に 1 回以上出現していることから，ミッキーはサイコーシス・リスクシンドロームの微弱な陽性症状群（APS）に該当すると診断される．

ケース 11：ナット

背景情報

ナットは 16 歳のアフリカ系米国人の少年で，地元のハイスクールの 10 年生（高校 1 年生）である．彼の両親は離婚しており，兄弟はいない．

家族歴

彼の母親は，彼の家族が抱えている精神的な問題がいかに広範囲であるかを語っている．彼女自身は精神病的特徴を伴う双極性障害と強迫性障害と診断され，現在も治療を続けている．また，母親の叔父は慢性期の統合失調症であり，母方の祖母も精神病的特徴を伴う双極性障害で治療を受けていたという．

これまでの治療歴

彼の母親によれば，ナットの妊娠は高いリスクを伴うものであり，6 か月時には安静を指示されていた．彼女は抑うつ症状に加え，重度の喘息を持ち，治療を受けていた．妊娠中も 1 日に 100 mg のステロイドを服用し，連日のように吸入器を利用していた．8 か月目に帝王切開を施行し，出産自体は問題なく，ナットは出生時健康な状態であった．その後彼は風邪を引きやすいところはあったものの，特に治療を受けることはなかった．

学校での経過

彼は 6 年生まで，勉強についていけないという理由で特殊教育学級に入れられていた．だがその後は普通学級に戻り，成績も A，B，C のみと概ね良好であった．彼はその後も A か B の好成績を維持していたが，ある日感情を爆発させたことで停学となり，欠席した分の補習を受けなければならなくなった．彼はかっとなって手を出してしまったことで，

20日間の停学を言い渡されたのだった．彼によれば，元々親友と呼べる友人もなく，学校では誰ともうまくやっていけなかったのだという．

物質使用歴

彼は14歳の頃からマリファナを吸い始めたという．その当時は毎週末吸っていたが，2か月前から吸わなくなっていた．彼はやめた理由を奇妙な体験(後述)が出現したためだと述べた．また，今年になってから数回，彼は学校の友人とのパーティでアルコールを飲用している．

SCID

間欠性爆発性障害の基準に該当した．

DIPD

いくつかの反社会的な特徴を有していた．

GAF 現在のレベル／最近1年間の最高レベル

50/55

◀ SOPSによる評価▶

P1. 不自然な内容の思考／妄想

ナットは特にかんしゃくを起こしたときに，自分の思考やアイデアをコントロールすることができなくなる感覚があった．前述のように，彼はこうした衝動行為によって，今学期計20日間の停学処分を受けている．だがそれはほとんど学校でしか起こらない行為だった．ナットと彼の母親は二人とも，家で感情を爆発させたのはわずか1回に過ぎなかったと報告している．彼はまた，すでに亡くなった祖父と祖母が彼に話しかけているように感じたことがあるという．それは5か月前の今学期の初めから始まり，少なくとも週に1回出現していた．彼はおそらく自分がつらい思いをしているときに元気づかせようと，心が無意識のうちに錯覚を生じさせているのだと考えて，それにおびえるようなことはなかった．彼はそれが現実にはありえないと分かっており，特に行動が左右されるようなこともなかった．

P1＝3

P2. 猜疑心／被害念慮

　ナットは自分が周囲から疎外され監視されていると信じていた．彼は自分の身の周りで起きていることにつねに注意を払い，人々が自分を傷つけるのではないかと背後を警戒していなくてはならなかった．その感覚は学校で，週に2回ほど強く出現した．彼はそれによって常に自分を見失うほど感情的になることはなかったものの，苛立ちは隠せなかった．それは5か月前から続いていたが，なぜそのような感覚が生じるかは自分でも分からず，しばしばそれが本当に現実なのかどうか確認しなくてはならなかった．
P2＝4

P3. 誇大性

　特に誇大性を示唆する症状や徴候の存在を認めなかった．
P3＝0

P4. 知覚の異常／幻覚

　ナットは頭の中で誰かが話しかけてくるのを聞くことがあった．それは父親の家にいるときに起きることが多かった．多分近くの誰かが話しかけてきたのだろうと思って振り向くと，そこには誰もいなかった．それは男の人の声のときもあれば，女の人の声の場合もあった．それは6年前に始まったが，最近は徐々に増えており，この3か月間では週に少なくとも1回は出現していた．それは死んだ祖父や祖母の声かもしれないと彼は考えていた．それは彼にとって恐怖の対象にはならなかったが，混乱を生じるという点で煩わしいものであった．彼は声を聞くとしばしば誰かいないかを確かめるために家の外に出ることもあった．また，彼は視界の端にぼんやりとした祖母の幻影を認めることもあったという．それは声とは別に，1年ほど前から週に約1回出現した．
P4＝4

P5. まとまりのないコミュニケーション

　彼は自分が友人に話をするときに，言いたいことを伝えるのに時間が

かかってしまうと述べた．だが面接中，その傾向はとくに明らかではなかった．
P5＝1

◀サイコーシス・リスク診断▶

P1およびP2，P4に関する評価結果から，ナットはサイコーシス・リスクシンドロームの微弱な陽性症状群（APS）の基準に該当するといえる．P1，P2の症状は最近1年間に始まり，少なくとも週に1回の出現を認め，一方P4は持続的であるものの，最近1年以内に悪化を認めていた．

ケース 12：オーマンド

背景情報

オーマンドは18歳の白人男性で，ハイスクールの最上級生である．彼は11歳のときから彼の保護者となっていた父方の祖母と一緒に暮らしていた（その何年も前から父親の虐待とネグレクトが続いていたためであった）．両親は州の外に住んでおり，彼と接する機会はほとんどなく，父親は彼と8年会っていなかった．学校では成績もAとBのみで，サッカーと野球をこなし，ガールフレンドとも付き合っていた．だが最近マリファナと吸入器具を所持し，武器（メリケンサック）を隠し持っていたことで停学処分を受けた．彼は精神病の疑いを指摘され，検査を受けるために精神科に入院した．その病院がセカンドオピニオン目的で，サイコーシス・リスククリニックに彼を紹介したのだった．

これまでの精神科治療歴

オーマンドは学校の教師に対する威嚇行為によって，心ならずも彼のカウンセラーから訴えられた．彼は教師を突き飛ばし，窓の外に放り投げようとしたのだった．彼は4日間精神科に入院し，SIPSの評価を受けるために紹介された．病院では特定不能のうつ病と診断され，エスシタロプラムの投薬を受けた．彼は現在も外来で治療を受けている．それまでにも地域の精神保健センターで数年来治療を受けており，そこでの

診断はうつ病，PTSD，マリファナ乱用，ADHD（メチルフェニデートの投与も含む）と様々であったが，抗精神病薬が処方されたことはこれまでにはなかった．彼の腕にはタトゥーが彫られ，11歳の頃からすでに犯罪歴（マリファナ所持，窃盗）があった．彼はこれまでに少年裁判所とかかわり合いを持ち，いくつかのソーシャルサービスに世話を受け，治療用住居で生活していたことがあった．

既往歴

1か月前に彼はガールフレンドと口論になり，自分の車を殴って手に怪我を負った．

物質使用歴

マリファナの常用は12歳の頃からで，現在は2週に1回程度使用している．彼は学校でも麻薬の売買をしていると以前から疑われていた．彼は昨年週に2回程度アルコールにも手を出しており，毎回5杯程度ビールを飲んでいた．2か月前には一度だけコカインも使用した．彼はまた喫煙者でもあった．

精神疾患に関する家族歴

父方の祖母は最近双極性障害の診断を受けたが，投薬は受けていない．父親には物質乱用歴があり，16歳時に自殺企図を行っており，自傷歴もある．母親も以前物質を乱用していた．

SCID

特定不能のうつ病性障害とマリファナ乱用の基準に該当した．

DIPD

反社会性パーソナリティ障害の基準に該当した．

GAF 現在のレベル / 最近1年間の最高レベル

50/65

◀ SOPSによる評価 ▶

P1. 不自然な内容の思考 / 妄想

オーマンドは8か月前から，この世のものとは思えない存在との交信を繰り返し経験していた．それは他人を傷つけるなどといった邪悪な行為を彼にけしかける，悪霊や悪魔のようなものだった．その体験は自宅

で生じることが多く，時に執拗につきまとうものであったが，自宅以外の場所でも彼はしばしば「悪魔のような考え」を抱くことがあった．オーマンドは夜になると時々自分が悪霊に取り囲まれ，人々を拷問にかけたり殺したりすることを考えるように仕向けられると述べた．彼はその要求を拒むために，しばしばその「悪霊」たちと会話した．彼はまた教師たちを傷つけたり，首を絞めたり，他の人々を拷問にかけたりするといった内容の鮮明な悪夢を繰り返し見ていた．それについて質問を受けたとき，オーマンドはこれらの考えが自分の作り出したものであって，現実にあり得ないと考えることは可能だと答えた．だが彼はこうした体験を煩わしく思っていた．彼は他人を傷つけるといった考えを実行に移すことはなかったが，例えば不良仲間と付き合うなどの悪い思いつきは悪霊の仕業かもしれないと考えることはあった．このような体験は週に数回生じ，最近2か月間で徐々に強さを増しており，その頻度も増えていた．特筆すべきなのは，彼とともに生活していた祖母や他の家族までもが，もちろん実際にそれを目にしたわけではないのに，悪霊の存在を一緒になって信じていたことである．

P1＝5　重度だが精神病的でないレベルの不自然な内容の思考

P2. 猜疑心／被害念慮

彼は他人が自分のことを話していると思い込むことがあった．その始まりは3か月前で，「僕が綺麗なガールフレンドと付き合うようになって，みんな僕がうまくいかなくなるだろうと思っていたんだ」というものだった．彼はガールフレンドを不当に疑うようなこともあったという（残念ながら初回の面接後，彼はガールフレンドと別れることになった）．最終的にオーマンドは，学校で警察や教師から目をつけられ監視されていると感じるようになった．実際に彼は最近学校でトラブルを起こしたことで，これは現実に起こり得ることでもあった．彼はまた面接中つねに警戒しているように見受けられた．

P2＝3　中等度レベルの猜疑心

P3. 誇大性

　彼は自分が有名なカントリーやラップの歌手か，スポーツ選手になるチャンスが7割方あると信じていた．どこか旅行に行ったときに有名人に会って，そこで夢が現実になるのだと思い描いていた．彼はしばしば金持ちのように振舞うことを好み，周囲にそう信じさせたがっていた．それは1年前から始まり，週に1回程度強く出現した．オーマンドは時々自分が選ばれた人間のように感じることがあり，それも彼の願望とは裏腹に，周囲に邪悪な行為を強いる悪人としてであった．彼はまた自分が人よりも自分を大きく見せる（体重や身長，強靱さなど）説明しがたい能力を持っていると感じており，それが周りから軽く扱われない理由だと考えていた．彼は実際人々が自分のことを「大きくて強い」と表現していたと述べている．

P3＝3　中等度レベルの誇大性

P4. 知覚の異常／幻覚

　オーマンドはある晩，部屋の中にいくつかの人影の気配を認め，それはまるで幽霊か悪魔のように感じられたと述べている．彼はあわててベッドに潜り込み，素早く電気を消したため，それを実際に目にしないで済んだという．だが一方でそれは光の加減か，単なる錯覚のようなものに過ぎないと考えることも可能だった．それは数年前に初めて出現したが，最近頻度が増えており，今では週に数回認めるようになった．その体験は彼にとって以前よりも煩わしく，軽度の恐怖をもたらすものとなっていた．彼はまた悪魔の声を聞くことがあると述べたが，実際にはそれは悪魔に語りかける彼自身の声だとも自覚していた．その声はこれまで夜に出現することが多かったが，先月などは授業中に「教室の外に出ろ」という声が聞こえ続けていた．彼は何かに目を凝らして注意を集中させたり，目を閉じて眠りに入ろうとしたりすることでそれに対処していた．

P4＝3　中等度レベルの知覚の異常

P5. まとまりのないコミュニケーション

　彼はしばしば話の論点が曖昧になることがあった．彼は意味不明でまとまりのないことを話しているとガールフレンドから指摘されることがあると述べた．だが，面接中に特にそうした傾向は認められなかった．
P5＝1　存在が疑わしいレベルのまとまりのないコミュニケーション

N1. 社会的関心の低下

　オーマンドは自分が社交的な人間だと主張した—しばしば夜は家に帰らないこともあると言った—が，実際に彼が親友と呼べるのは一人のみで，あとはガールフレンドだけだった．祖母からの情報では，彼は最近2か月間はずっと家に引きこもりきりで，ほとんどの時間を一人で過ごしていたという．
N1＝1　存在が疑わしいレベルの社会的無関心

◀サイコーシス・リスク診断▶

　P1，P2，P3およびP4における症状の存在から，オーマンドはサイコーシス・リスクシンドロームの微弱な陽性症状群（APS）の基準に該当する．すべての症状は最近1年以内に出現あるいは悪化し，かつ週に1回は認められるものであり，さらにその不自然な内容の思考に対して非現実的と疑うことも可能であった．

ケース13：ペネロペ

背景情報

　ペネロペは16歳の白人女性で，ハイスクールの現在2年生である．独身で，母親と一緒に生活している．

これまでの精神科治療歴

　彼女は3年ほど前に微弱な陽性症状の出現によりリスククリニックを紹介されている．その後3年間，彼女はクリニックでフォローを受けていたが，初回から特に薬剤は処方されたことはなく，現在も服薬はしていない．彼女は非合法薬物を使用した経験はなく，アルコールも飲ま

いという．また，何らかのアレルギーや既往症も特に認めていない．

家族歴

彼女の父親は統合失調症と診断されており，これまでに数多くの長期入院を経験している．彼女は現在ほとんど父親と接触はないという．

一般的な社会機能

彼女は現在，ほとんどの時間一人で過ごすのを好むようになっている．それは学校の仲間に対しても，また一部の家族に対しても同様であった．彼女の母親によれば，彼女の最も親しい友人が彼女に「皆あなたのことを変わっていると思っているわ」と――どのような経緯かは不明だが――伝えていたという．ペネロペはまたある種の対人場面で明らかに不安が生じることがあったと認めている．彼女の対人的な特徴について母親は，彼女が以前から「変わった」子供で，しばしば他人が不快に思うようなくせを持っていたと語っている．彼女にはこの1年以上友人と呼べる存在がいない．

学校における役割機能

ペネロペは授業に集中し続けることができず，母親は彼女の担任の何人かから，授業中注意散漫であることを指摘されたという（例えば授業中ずっとぽんやりしていたり，すでに答え終わった質問を繰り返したりした）．それでも彼女が平均的な成績を維持できていたため，学校側は最近の彼女の学校での機能低下に特別な注意を払わなかったのではないかと母親は述べている．

GAF 現在のレベル / 最近1年間の最高レベル

44/54

◀ **SOPS による評価** ▶

P1. 不自然な内容の思考 / 妄想

ペネロペは以前から魔法に興味があり，魔法のかけ方を身に着けようと，一時期インターネットでさかんに研究したことがあった．彼女は自分がもっと人気者になれるように，周りの人たちに魔法をかけようとしたという．今では魔法や呪文のことを考えて過ごすことはなくなっているものの，それを学ぶ時間がもっとあれば，きっと魔法をかけることが

できるようになったはずだと，彼女は今でも信じている．

彼女はまた，曲の歌詞の中の「隠されたメッセージ」を明らかにすることに，以前夢中になっていたという．今では歌詞の中のメッセージについて頭を悩ますことはなくなってきているが，メッセージが隠されている可能性については今なお否定していない．そこには存在しないメッセージを彼女が「読み取っている」のか，隠されたメッセージを実際に見つけ出しているのかについても，彼女は明言を避けていた．だがラジオを聴くことで「答え」が見つかることがあるということに関しては，彼女は確信を得ていた．彼女は一生懸命頭を悩ませば，世界が自分に答えをもたらしてくれると信じていた．メッセージが伝わってくるという証拠は次第に少なくなっていったが，彼女の信念が弱まっていくことはなかった．

彼女はしばしば「亡霊のような」あいまいな人影を目にすることがあり，ドアを閉めていれば大丈夫だと分かっていても，自分が何かされるのではないかと不安になることがあった．

また彼女は時々―1か月に1回か2回―，時間が普段より早く進んでいるように感じることがあった（しばしば1時間が1分ぐらいに感じられた）という．

彼女は友人から，自分の考えがしばしば奇妙で変わっていると指摘されたが，彼女たちがなぜそう思うのか，彼女にはうまく理解できなかった．

P1＝3　中等度レベルの症状だが重症度と出現頻度は一定であり，1年以上持続している

P2. 猜疑心／被害念慮

ペネロペは1か月に2, 3回―週に1回以下―，彼女が「亡霊のような」と形容する（P1およびP4を参照），主として夜出現する漠然とした暗い影を視界の端に認めることがあった．それは現実にあり得ない存在だと信じていたが，一方で寝ている間に自分が襲われるのではないかと不安を感じることがしばしばあり，夜はその侵入を防ぐために寝室に鍵をかけるのを忘れなかった．それについて考えるとき，彼女は少なからず

ストレスを感じていた．

彼女は学校で周囲の人が皆自分を嫌っていて，彼らが何か「陰謀をたくらんでいる」と思い込むようになった．彼らの中に自分が「おかしな人」だという噂を広める人がいて，それで「学校の皆が自分のことを変わっていると思うようになった」のだと考えていた．彼女は周りからのけ者にされていると感じており，それは確信に近いものであった．だがその背景として，学校で彼女が変わっていると言われていることも皆彼女と友人付き合いをやめたことも，母親が彼女にそう伝え，確信を促している点には注意が必要である．

P2＝3　中等度レベルの症状だが重症度と出現頻度は一定であり，1年以上持続している

P3. 誇大性

彼女は多くの人よりも自分が優れていて，特別な存在になるべく運命づけられていると信じていた．一方で自分の能力を発揮するには時間が不足しており，自分の描いている目標に実際にはたどり着けないかもしれないとも述べた．

P3＝2　軽度レベル

P4. 知覚の異常／幻覚

彼女は最近3年間，「亡霊のような」幻影の存在を認めていた．この体験は少なからずストレスをもたらすものであったが，その出現は週に平均1回以下（すなわち月に2, 3回）であった（P1およびP2の項も参照）．彼女は最近1年間に，音に対してやや敏感になっていると認めたものの，周囲をうるさく感じて混乱するというようなことまではなかった．

P4＝3　中等度レベルの症状だが重症度と出現頻度は一定であり，1年以上持続している

P5. まとまりのないコミュニケーション

アセスメントを受けている間，彼女はしばしば注意が脇に逸れ，会話のテーマを見失ってしまうことがあった．彼女は面接者から数回にわ

たって，今話している話題に戻るように注意を受けた．
P5＝2　軽度レベル

失調型パーソナリティ障害の診断基準の適用
・過剰な自意識：P1＝3，本や歌詞に隠されたメッセージへの過度の関心．
・奇妙な信念や非現実的な思考：P1＝3，呪文に関する興味，考え．
・普通でない知覚体験：P4＝3，幻視，聴覚過敏．
・猜疑心や妄想的思考：P2＝3，他人が「陰謀を企んでいる」という考え．
・親しい友人の欠如：少なくとも1年前からの友人の不在．
・過度の社交不安：特に学校での深刻な対人関係（P2参照）．

◀要約▶
　ペネロペは失調型パーソナリティ障害の基準に該当している．彼女は一親等家族に統合失調症の罹患歴を持つが，最近1年間のGAFスコアに30％以上の低下は認めておらず，したがって遺伝的リスクと機能低下を呈す群の基準には該当しない．

第13章
サイコーシス・リスクシンドロームの鑑別診断

　第12章ではサイコーシス・リスクシンドロームの典型例の詳細を示した．実際の臨床場面では，このようなケースはつねに目立つというわけではなく，むしろ見出すのは容易ではないかもしれない．加えて精神病に対するリスクに特徴的な徴候や症状の多くは，他の精神疾患でも認められるものである．ベースライン時の評価は，前景となっている臨床像がサイコーシス・リスクシンドロームによるものか他の精神疾患によるものかを十分に確定できるものでなくてはならない．これは被評価者が呈している臨床像がリスクシンドローム以外の別の疾患で説明可能かどうかを判断する，いわゆる「鑑別診断」を行うことにほかならない．

　サイコーシス・リスクシンドロームと類似した，あるいはそれと見誤りやすい精神状態や症状は，他のⅠ軸あるいはⅡ軸の疾患群で認められる可能性がある．したがって最も徹底的に鑑別診断を行うのであれば，DSM-IVのⅠ軸・Ⅱ軸両疾患に対する構造化面接，例えばⅠ軸疾患ではSCID[66]あるいはKSADS（対象が10〜14歳の場合）[69]，Ⅱ軸疾患ではDIPD[67]あるいはSCIDなどを行う必要が出てくる．しかしながら，実臨床上ではリスクシンドロームと区別が難しい精神状態/疾患は限られており，長大で詳細な構造化面接を行う必要性はあまりない．サイコーシス・リスクシンドロームと混同しやすいこれらの「おきまりの」疾患について，以下に列挙しその鑑別要点を記載した．それに引き続いて，少なくとも断続的にはリスクシンドローム

の状態と重なる他の疾患の症例を4例提示する．詳細についてはDSM-IV[48]のような標準的な臨床診断に関する成書をご参照頂きたい．

精神病的特徴を伴う（あるいは伴わない）大うつ病

　非精神病的なレベルでの現実検討力の低下は，大うつ病においても，例えば自己評価の非現実的なまでの低下などといった形で見られる．しかしながら多くのサイコーシス・リスク例では大うつ病の診断基準を満たさず，むしろ感情の浮沈を訴えることが多い．抑うつというよりも無力感に近く，現実検討の低下も抑うつ気分とは一致せずに出現する．

精神病的特徴を伴う（あるいは伴わない）躁病

　非精神病的なレベルでの現実検討力の低下は，軽躁状態や躁病においても（例えば自己評価の非現実的なまでの肥大などといった形で）しばしば見受けられる．大部分のサイコーシス・リスク例とは，上記大うつ病の場合とほぼ同様にして区別される．リスクシンドロームにおける気分変動は通常軽微でしかなく，現実検討の低下も高揚感や苛々感などに一致して出現するわけではない．

不安障害

　不安障害においても，非精神病的なレベルでの現実検討力の低下は，例えば社会不安障害におけるおよそ現実にそぐわないような周囲への断定的解釈や，パニック障害での自身や他者の安全に対する脅威への過大評価，心的外傷後ストレス障害（PTSD）における自分に向けられた危険への過剰な関心，強迫性障害（OCD）で儀式的行為の求めに応じなかった場合にもたらされる結末への異常な不安といった形で見られる．このような不安障害で通常見られる現実検討の低下は，サイコーシス・リスクシンドロームに特徴的とはいえない．だがリスクシンドロームのケースでは不安症状が前景に立つことが多く，そうした場合には両方の診断が付与されることもある．

物質関連障害

物質使用は多くのリスクシンドロームケースで見られ，特に知覚の歪みや錯覚，幻覚を誘発したり増幅させたりすることで知られる薬物の使用が多い．リスクシンドローム症状の出現が物質使用のエピソードと一時的にでも強く関連している場合には，薬剤性精神病を疑う必要がある．だが DSM-IV では薬物の中止から 30 日以上経過してから症状が出現している場合，物質関連障害を疑う必要はないとしている．

失調型パーソナリティ障害

すでに述べてきたように，失調型パーソナリティはしばしば若年期から存在し，その傾向は持続的で固定していることが多い．同障害はサイコーシス・リスクシンドロームに併存し得るものの，両者は通常その経過によって区別することができる．リスクシンドロームの症状は出現が最近でその後進行性の経過をたどり，かつ非持続的で固定していない．しかしながら，この 2 つの状況が両立しないということはなく，時に併存する可能性がある．

境界性パーソナリティ障害

不安定なセルフイメージと解離症状を伴う，アイデンティティの揺らぎを特徴とする境界性パーソナリティ障害は，しばしば思春期に出現し前景化する．これらの症状は，一時的な精神病体験が加わると，リスクシンドロームの診断が付与される可能性がある．だがリスクシンドロームの場合と異なり，境界性パーソナリティでは通常これらの症状に伴って，不安定で張りつめた対人関係，衝動性，自傷行為などが繰り返し執拗に出現する．

他の精神疾患

リスクシンドロームに併存する，あるいはリスク症状を出現させる可能性のある精神疾患には他に，注意欠陥多動性障害（ADHD），摂食障害，アス

ペルガー障害などの広汎性発達障害などが含まれる．

ケースの例示

次に示すケース実例は，これまでに述べた鑑別疾患の一部の例を具体的に示したものである．

ケース1：大うつ病性障害

背景情報および経過

クインは20歳のアフリカ系米国人で，担当の心理療法士からクリニックに紹介された．彼は現在大学2年生で，日中授業に出る傍ら，大学内の食堂でアルバイトをしていた．彼は大学にある寮で，ルームメイトとともに生活していた．

入学して最初の1学期は順調に進行し，成績も良好だった．だが2学期が終わる頃にはクインはいくつかの単位（特に科学系）で落第しかけていた．彼は周囲がまるで今までとは別の，見慣れないものと化しているように感じ始めていた．その後の半年間，彼の気分はつねに重く，沈みがちで，時にいらいらすることもあった．異様に長い時間眠るようになり（一晩9時間以上），しばしば授業中も寝てしまっていた．だが2か月前からは逆に眠れなくなり，睡眠時間は4時間程度で，それも朝6～10時に寝るような状態となった．彼は希死念慮を否定していたが，通学の際にあえて市内の危険な区域を通って歩くなど，意図的に自分を危険な状況に置きたがるようになった．1年前から彼は何度か自分にわざと火傷を負わせるようになった．彼は課題をこなすのにモチベーションを上げるのが明らかに難しくなるなど，深刻な意欲の低下を自覚していた．彼は友人との付き合いは維持していたものの，それ以上に親密な関係を築くのは容易ではないと感じていた．

紹介の理由

クインは機能の低下に加え，知覚異常の出現を疑われたためにクリニックへ紹介された．彼自身の主たる訴えは社交不安と抑うつ気分で

あった．彼はまた，自分が「おかしくなっている」と自覚していると述べていた．

既往歴

これまでに特記すべき既往症は認めていない．

これまでの精神科治療歴

彼は現在薬剤の処方は受けておらず，紹介の1か月前から抑うつ症状と自傷行為を理由に心理療法士のもとに通っていた．それ以前の精神科治療歴は認めていない．

物質使用歴

昨年から彼は週に1回程度マリファナを吸うようになり，さらにほぼ連日アルコールを飲むようになった．他にもエクスタシーとアンフェタミンを使用した経験があった．現在彼は5か月前からドラッグの使用を止めているものの，アルコールは週に1回は飲んでおり，1回に5,6本ビールを空けるという状態であった．

精神疾患に関する家族歴

彼の姉にうつ病の可能性が指摘されており，昨年彼女が自殺ホットラインに電話していたのを彼は覚えていた．その電話の結果彼女が診断や治療を受けたかどうかについては，彼は知らされていない．

SCID

　　Ⅰ軸疾患：大うつ病性障害，アルコール依存

　　Ⅱ軸疾患：保留

　　Ⅴ軸：43

GAF 現在のレベル / 最近1年間の最高レベル

　　43/50

◀ SOPS による評価 ▶

P1. 不自然な内容の思考 / 妄想

クインはしばしば物事が場違いで不適切であるように感じることがあったが，その感覚がなぜ生じるのか彼には説明できなかった．彼はしばしば自分が勝手に想像で物事を作り出しているように感じることがあり，「ときどき夢の中にいるみたいに思える」と述べた．彼はデジャヴも

頻繁に体験しており，特に疲れているときに多く出現したが，それを煩わしいと感じることはなかった．彼はまた罪の意識に悩まされることがあり，それは「何か」に対する罪悪感であったが，その「何か」を特定することはできなかった．こうした罪悪感は彼にとってはストレスをもたらすものであった．彼は他人が自分の「悪い内面」を知っていると考えており，それは彼を見る目つきでわかると述べた．一方でそれは自分が作り上げた幻想に過ぎないと考えることも少なくないという．
P1＝4　出現の時期＝5か月前

P2. 猜疑心／被害念慮
　彼は他人に対し不信感を持っており，つねに警戒心を抱いていると述べた．この警戒心は抗しがたい罪悪感と関連しており，周囲から自分を守るために生じていると彼は考えていた．
P2＝2

P3. 誇大性
P3＝0

P4. 知覚の異常／幻覚
　彼は視界の端に何かが見えることが何度かあると報告している．ただ「何かが動いている」という以上にそれがどういうものであるかを説明するのは難しいという．
P4＝1

P5. まとまりのないコミュニケーション
P5＝0

◀要約▶
　P1における症状の存在から，クインはサイコーシス・リスクシンドロームの微弱な陽性症状群（APS）に該当すると判断される．しかしながらこれらの症状は，Ⅰ軸疾患に対する構造化面接で診断された大うつ病

性障害によって，より適切に説明することが可能である．夢の中にいるかのような非現実感やデジャヴ体験，邪悪であるという感覚，罪悪感，他者への被害意識などは，大うつ病性に通常認められる離人感や抑うつ的思考にすべて一致するものである．

ケース2：双極性障害

背景情報および経過

　レベッカは20歳の独身女性で，月に1回通っているセラピストによって紹介された．彼女は4か月前から地元のコミュニティカレッジの学生となっていたが，現在は授業に出ていない．彼女は家族とともに生活している．

　彼女は最初「何か問題が起きている」と訴えて心理療法士による治療を希望した．現在彼女を担当しているセラピストは，最初から数えて3人目に相当する．レベッカは以前から幻聴，記憶力の低下，衝動制御困難，さらに非現実感の存在を訴えていた．彼女は他人に対して強い猜疑心を持っており，自分の身を守るために寝るときは傍らにナイフを忍ばせ，普段はハサミなどの鋭利な刃物を持ち歩いていた．最近は夜も4時間程度しか眠れず，時に何日も続けて起きていることさえあった．

　彼女は最近の2か月で，以前よりいらいらしやすくなっており，また，腹を立てたり人と言い合いになったりすることが多くなっていると感じていた．一方で彼女はある種の不安感を伴う，軽度のうつ状態を示してもいた．彼女はやるべきことをこなすのに苦労するようになり，注意を維持するのも難しくなっていた．考えが空回りして，物事に集中できなくなっていた．彼女はカレッジに登録していたものの，こうした症状が進んでいったために，きちんと授業を受け続けることができなくなってしまった．

　また彼女は，2か月前から断続的に幻聴を認めていたと述べた．最初に聞いた幻聴は彼女の名前を呼ぶ声であった．初めのうち彼女は弟か誰かがいたずらをしているのだと思っていたが，実際に弟がその場にいないと分かると，それが幻聴であるということに気がついてストレスに感

じるようになった．それはときに囁き声であったり，何かの批評であったり，誰かとの会話であったりした．面接時，彼女の口調は早口で，しばしば口を挟む余裕さえなかった．

紹介の理由
レベッカは最近の機能低下により，3人目のセラピストからクリニックへ紹介された．

既往歴
これまでに既往症，何らかの医学的問題，および服薬歴は認めていない．

これまでの精神科治療歴
彼女は服薬に拒否の姿勢を示しており，現在のセラピストと2か月前から週に2回の心理療法を継続していた．

物質使用歴
これまでにいかなる薬物もアルコールも使用した経験はないという．

精神疾患に関する家族歴
彼女の叔母と母方のいとこが双極性障害と診断されている．彼女の父親も双極性障害の症状を呈していたが，これまでに特定の精神疾患と診断されたことはない．

SCID
Ⅰ軸疾患：双極Ⅰ型－混合性躁うつ状態

Ⅱ軸疾患：保留

GAF 現在のレベル / 最近1年間の最高レベル
42/52

◀ SOPS による評価 ▶

P1．不自然な内容の思考 / 妄想

レベッカは周囲の事物が見慣れない，何か別のものであるかのように感じることがあると述べている．彼女は母親を何か見知らぬ人のように感じることがあり，そうした「あり得ない」感覚は日中よりも夜生じることが多いという．彼女は自分の考えがしばしばコントロールされているように思うことがあったが，それが誰によって，どのように行われてい

るのかを正確に言うことはできなかった．こうした考えは連日のように生じており，それは彼女にストレスを与える体験となっていた．その体験が現実かどうかと問われれば，それを疑うことも可能ではあった．
P1＝5　出現の時期＝1か月前

P2．猜疑心／被害念慮

　彼女は他人に対して強い猜疑心を抱いていた．彼女は用心深く，疑い深く，自分の安全をつねに案じていた．夜は枕の下にナイフを忍ばせ，普段は保身のために金属製のペンを持ち歩いていた．彼女は誰かが自分を監視しており，隙があれば襲いかかろうとしていると感じていた（特にバス停で不安が強くなった）．一方，なぜそのように思うかについては自分でもよく分からず，その不安のいくつかについては根拠がないと認めることもできた．
P2＝5　出現の時期＝1か月前

P3．誇大性

　レベッカは自分がいかに「特殊な才能を持ち」，多くの人々よりも優れているかについて，特に求められていないにもかかわらずいくつかのコメントを行った．彼女は自分が偉大なダンサーであり，「誰かの目にとまれば」いずれ有名になるだろうとも述べた．
P3＝5

P4．知覚の異常／幻覚

　彼女は週に数回，挨拶や批評をする幻声を聞くことがあったと報告した．その声は，時に彼女自身について語ったり，彼女をからかったり，囁きかけてきたりした．また彼女は日常的にいくつかの幻影を見たり，（主として側頭部に）押される感覚や痛みを感じたりすることがあった．彼女はこうした体験にストレスを感じていたが，客観的な視点も維持されており，それが現実ではないと自覚していた．
P4＝4　出現の時期＝1か月前

P5. まとまりのないコミュニケーション

面接の間，彼女の語り口調は早口で，理解するのが困難であった．彼女は回答形式が定められた質問に対してもうまく答えることができず，頻繁に筋道を見失ったが，促されれば修正を行うことも可能であった．このような話し方は彼女にとっても初めてのことであった（最近1か月以内の出現）．

P5＝5　出現の時期＝1か月前

◀要約▶

5つの陽性症状の存在から，レベッカはサイコーシス・リスクシンドロームの微弱な陽性症状群（APS）に該当すると判断される．しかしながらこれらの症状は，双極Ⅰ型－混合性エピソード（躁およびうつ状態）の診断によって，より適切に説明される．すべての症状がリスク陽性であり，かつその中の4項目は精神病閾に近接しているが，症状はこれまでに認められておらず，しかもその出現は比較的最近（最近1か月）である．本症例では，薬物療法あるいは入院治療などの積極的治療を迅速に導入する必要があると考えられる．

ケース 3：強迫性障害

背景情報

ショーンドリエルは17歳のアフリカ系米国人の女性で，不自然な不安感を繰り返し訴えたため，心理士によってクリニックに紹介された．彼女は最近11年生を修了したばかりだった．成績は6か月前まで常にAかBであったが，徐々にCが目立つようになった．彼女は9年生までは「社交的な人気者」だったのだが，急に人との付き合いを避けるようになり，週に1回ごく限られた友人と時間を共にするといった程度になってしまっていた．彼女は紹介を行った心理士から支持的精神療法を受けていたのに加え，昨年からフルオキセチンを1日60 mg服用していた．そうした治療によっても彼女の不安感の出現頻度はほとんど変わることはなかったが，強度はやや緩和されたように見えた．彼女の一親

等家族に精神病の罹患歴は認めなかったが，母親からの情報では彼女の姉が広汎性発達障害と診断されていた．

彼女は6か月前から大麻を継続的に使用していたと述べた．2か月前まではほぼ連日吸引していたが，金銭面で切迫してきたため使用を中止した．以下に述べる症状は大麻使用以前から認め，それ以後も持続していたものであるが，大麻使用時により増悪している印象があった．

GAF 現在のレベル / 最近1年間の最高レベル
60/64

◀ SOPS による陽性症状評価 ▶

P1. 不自然な内容の思考 / 妄想

彼女は終始根拠のない罪悪感を持ち続けており，自分が悪魔のようになってしまうというような，普通でない信念によって生み出される恐怖を常に抱いていた．彼女は7歳の頃からずっと，夜になると寝室のドアの向こう側に誰かがやって来て，自分の考えが読み取られ「何か邪悪なもの」に自分が変えられてしまうと考えることがあった．彼女は身を守るために，祈りの文句を唱え，彼女を愛してくれている人の名前を挙げ，防御としてベッドの手前に枕を置いた．こうした考えは彼女の幼少期を通じて，毎月のように出現したという．

だが成長するにつれドアの向こう側にいる男の存在は徐々に薄れていき，代わりに「いずれ悪魔のようになって自制を失っていく」という恐怖感のほうが強くなって，それは今や週に2回は襲ってくるようになった．「そんなことは多分あり得ないだろうということは頭では分かる」が，そう考えることによる不安感は徐々に強くなっており，先月は睡眠もままならない状態であったという．

また彼女は，特に歩道を歩くときに，「何も悪いことが起きないように」1-2-1のリズムで数を数えるという儀式を日常的に行っていた．だが一方で彼女は，具体的に何か悪いことが起きると確信していたわけではなかった．

家族や友人がいくら反証を示したところで，彼女は結局自分が「邪悪な人間である」と信じ込んでいた．そうした悪の自覚や罪の意識は，

1年半ほど前から連日のように彼女を悩ませ続けているという．
P1＝4　持続的に出現

P2. 猜疑心／被害念慮
　彼女はハイスクールに入学した頃から，自分がいつも周りから非難されているように感じることがあり，周りの人々は自分よりも正しいのだと思うようになったという．彼女は彼らが自分のことを悪く言っていると考えることもあったが，必ずしも自分を傷つけようとしているわけではないとも思っていた．
P2＝2

P3. 誇大性
　彼女は先月，週に2回程度自分には「悪魔のように全能に」なれる可能性があると信じることがあったが，今の時点ではそうした可能性や能力は存在しないと思うと述べた．そんなことは理論的にあり得ないと頭では分かっていたが，それでも自分がいずれ「多くの人々に大きな被害をもたらす」のではないかと彼女は不安を抱いていた．彼女はそうした恐怖感の多くを誰にも打ち明けることはなかった．
P3＝2

P4. 知覚の異常／幻覚
　彼女はいかなる知覚異常の存在も否定していた．
P4＝0

P5. まとまりのないコミュニケーション
　まとまりのないコミュニケーションを示唆する所見は，客観的にも自覚的にもとくに認められなかった．
P5＝0

◀要約▶
　リスクレベルにあるP1の症状が持続的に認められていなければ，本

症例はサイコーシス・リスクシンドロームの微弱な陽性症状群（APS）に該当すると判断される．しかしながらこれらの症状は，強迫性障害の症状としてより適切に説明されるものである．強迫性障害は，侵入的で不適切な体験様式を備えかつ高度の不安やストレスを伴う，繰り返し出現する持続的な思考や衝動，あるいはイメージを特徴としている．本症例でもこれらの心的イベントは自身の中から生じているという認識のもと，別の行動やある種の精神活動（例えば数を数えるなど）を繰り返すことによって強制的にそれを抑圧しようという試みが見られている．詳細な診断基準については DSM を参照されたい．

ケース4：神経性大食症

背景情報

　15歳の白人の少女であるターシャは，養母と養祖母，さらに養兄と生活していた．彼女の実の両親は二人とも妄想型統合失調症と診断されていた．引きこもりや低栄養，発育不全などが懸念されたために，彼女は幼少時に生まれた家庭から引き離され，すぐに養子に出された．彼女は現在地元のパブリックスクールの9年生であり，特進コースに在籍している．成績はこれまでずっとオール A で通してきていた．

現在の問題

　彼女は最近の変化として，涙もろさや集中困難，成績の低下，外見への関心の低下などを自覚していた．彼女は学校のソーシャルワーカーに，自分が食べた後に吐いてしまうので，クリニックを紹介されることになったのだと述べていた．

これまでの精神科治療歴

　認めていない．

現在あるいは過去の物質使用

　彼女はいかなる物質の使用も経験はないと述べた．

処方歴

　現在服用中の薬剤はなく，過去にも処方されたことはないという．

精神疾患や物質使用に関する家族歴

　ターシャの両親は二人とも慢性期の妄想型統合失調症と診断されており，薬物療法が継続して行われている．両親ともにこれまで数多くの精神科入院を経験している．

併存診断

　彼女は KSADS における神経性大食症の基準に該当した．

◀ SOPS による評価▶

P1. 不自然な内容の思考／妄想

　ターシャは不自然な内容の思考／妄想に関して中等度レベルの症状を示した．これらの症状はすべて，食生活の問題を取り巻くようにして繰り返し出現した．彼女は食事をするとしばしば自制を失い，中身が空っぽになったように感じ，あまりに多くの食べ物を急いで詰め込んでしまうのだった．彼女はこのような過食衝動をコントロールするのは無理だと感じていた．過食した後は決まって自分のことが嫌になり，その結果「むちゃくちゃをやって周りをがっかりさせたのだから，吐いて償うのが当たり前だ」と考えるようになった．このような考えに襲われることで彼女の日常行動は少なからず左右され，結果的に集中力が失われていった．自分はもっとやせなくてはいけないのに過食をしていたらさらに太ってしまうと考え，彼女は普通の量しか食べないときでも吐くようになった．彼女の身長は 160 cm で，体重は 51 kg だった．過食行為は1年半前から始まり，以来週に数日の割合で出現している．

P1＝4

P2. 猜疑心／被害念慮

　彼女は存在が疑わしいレベルの猜疑心／被害念慮を示していた．彼女が教室内に入ると，時々周りが自分のことを見て話すのをやめることがあると述べた．そのせいで彼らが自分のことを話しているのではないかと彼女は疑うようになったという．だが他の人が入ってきたときにも，同じことが起こっていたと彼女は言った．こうした体験はミドルスクールに入学してから約2年の間続いており，2〜3週に1回程度の割合で

出現していた．特にその頻度が増えているということはなかったという．
P2＝2

P3．誇大性
　彼女は特に誇大性を示唆する症状を示さなかった．
P3＝0

P4．知覚の異常／幻覚
　知覚の異常を示唆する症状も認められなかった．
P4＝0

P5．まとまりのない発話
　まとまりのない発話を示唆する所見は，客観的にも自覚的にもとくに認められなかった．
P5＝0

◀要約▶
　ターシャの訴える不自然な内容の思考は，神経性大食症というⅠ軸疾患によってより適切に説明することが可能である．またその症状は持続的かつ不変であり，他の陽性症状はどれもリスク症状の基準を満たしていないことから，本症例はサイコーシス・リスクシンドロームには該当しないと判断される．

第14章

サイコーシス・リスクシンドロームの経過

　サイコーシス・リスクシンドロームはその定義上，様々な疾患に派生する可能性のある精神状態である．その状態はそれ自体に特有の症状を有し，すでに様々な困難を伴う一方，その症状やサインはより深刻で不可逆的な臨床的結末に向かう過渡期に位置するものでもある．

　第1章および第2章で引用したようなリスクシンドロームの縦断研究によって，SIPSのリスクシンドローム基準に該当するケースがどのような経過を辿るか，その大まかな軌跡を把握することができる．これまで行われてきた中で最大規模であるNAPLSのリスクシンドローム研究の結果，初回（ベースライン）評価からの2.5年間における経過のパターンは以下のようであった[51]．対象のほぼ1/3が「発症」，すなわちDSM-IVにおける精神病性障害に移行し，その内訳は56％が統合失調症スペクトラムの精神病，34％が他の非感情性精神病，10％が感情性精神病となっていた．精神病に移行する割合は2.5年の経過後も明らかに増えていくものと考えられるが，残念ながらそのデータは存在しない．

　では精神病に移行しなかった群とはどのようなケースなのだろうか？我々はいまだかつてこのような観点からデータを系統的に見直したことはなく，したがってこれらのケースがどのような経過を辿ったかについての正確なデータを持っていない．しかしながら長年にわたる経験に基づいて，以下のようなパターンを示す経過が大勢を占めるであろうと推測することは可能

である．

1. リスク症状を呈している状態からの寛解．後にリスク状態を「再発」する可能性はある．
2. リスク症状は軽快しているものの，他の症状が残存し，いずれかのDSM診断カテゴリー（ADHD，強迫性障害，PTSD，広汎性発達障害，パーソナリティ障害，気分変調性障害，大うつ病性障害，双極性障害など）に合致する状態．
3. リスク症状が持続しており，明らかな改善も悪化も認めていない．経過中，結果的に失調型パーソナリティ障害の基準を満たす場合も多い．

本章ではサイコーシス・リスククリニックで最も多く認められた経過パターンを，実例を挙げて示していく．以下順に，精神病への移行例（アップトン，ヴィクター，ホイットニー，シーヴァ），失調型パーソナリティ障害への移行例（エレナ），リスクシンドロームの基準を満たしていなかったもののその後非精神病性の双極性障害に移行した例（ゼーン），リスク状態からの寛解例（アラン），非リスク対照群からのリスク状態への移行例（バルトロ）を示す．

ケース1：アップトン

背景情報

アップトンは15歳のアジア系の少年で，出生後すぐに養子に出され，現在は養育家庭で両親と妹と一緒に生活している．彼はまだ幼い頃に家族とともに国外に移住し，8年前に米国に戻ってきていた．彼は国外の私立学校で教育を受けていたが，米国でも昨年まで私立学校に在籍し，その後公立のハイスクールに移って，現在は2年生となっている．

紹介元

彼は地元の児童精神科医によって，リスクシンドロームクリニックへ紹介された．

現在の問題

初回評価の6か月前から背後で囁く声が聞こえるようになり，それは5か月前から明らかに悪化していた．彼はいくつかの不自然な思考や信念にとらわれるようになり，学校生活にも困難を感じ始めていた．

これまでの精神科治療歴

彼は幼稚園に入る頃に，すでに他国でADHDと診断されていた．米国に戻ってきた時点でもADHDの治療薬を服用していたが，その後足のチックが出現したために薬剤は中止された．チックは沈静化したものの注意の欠陥が続いていたため，その後アトモキセチンが1日80 mg処方された．

現在および過去の物質使用歴

彼はいかなる物質の使用も経験はないと述べた．

既往歴

アップトンは遠視を指摘されており，矯正レンズを装着していた．

精神疾患および物質使用に関する家族歴

彼は出生直後に養子に出されたため，実の家族についてはほとんど何も情報を持っていなかった．

併存診断

彼はADHDの診断基準を満たしていたが，DIPDによる評価ではいかなるⅡ軸疾患にも該当しなかった．

◀ SOPSによる評価 ▶

P1. 不自然な内容の思考／妄想

アップトンは重度だが精神病的でないレベルの不自然な内容の思考を示した．彼は，しばしばある種の「予見する力」を—すなわち，目の前の出来事が自分のために用意されたヒントであるかのように感じることがあった．また，彼は自分の考えが他人に読み取られていると感じることが時々あった．アップトンは神話上の「神」が自分を探し求めているという，普通でない思考や信念をいくつか報告した．彼は水泳の名手で学校のチームにも所属していたが，しばしばギリシャ神話に出てくるポセイドンが水中で自分を励ましているように感じることがあった．また，彼

は夜の暗闇でも物を視ることができる能力を持っていると信じており，それは彼がいずれ吸血鬼になることの「予兆」であると考えていた．だが一方で，彼はこうした考えが現実的でないと疑うこともできており，それによって機能上の低下を来すこともなかった．これらの症状の大半は最近 6 週間以内に始まっており，週に数回出現していた．
P1＝5

P2. 猜疑心／被害念慮

彼は軽度なレベルの猜疑心を示していた．彼は時々他人の意図に不信を抱き，自分の身に不安を感じることがあった．その危険が何から生じているのか彼にも明らかではなかったが，もしかすると学校の「不良」グループがそうなのかもしれないと述べていた．
P2＝2

P3. 誇大性

彼は誇大性に関して中等度レベルの症状を示していた．彼は自分に与えられた水泳に関する特別な能力が「ポセイドンからの贈り物」であると考えており，ゲームにおいて戦術を練る才能は「アテネからの贈り物」と考えていた．また，彼は自分が夜も日中と同じように物を視ることができる能力を持っていると述べた．こうした能力を持つことについて，彼は「誰でも何かは人より優れた部分を持っているはずだから」と説明した．これらの誇大的な観念は最近の 2 か月間に出現したものであり，今では週に数回認めるようになっていた．
P3＝3

P4. 知覚の異常／幻覚

アップトンは中等度レベルの知覚の異常を示していた．彼は背後で囁くような声を時々聞くことがあった．それは複数の声からなるように聞こえたが，何を言っているのかまでは聞き取れなかった．その声が現実ではないことは彼にも分かっていたが，かといって気にならなくなるわけでもなかった．また，耳の中でベルの音が鳴り続けることもあり，周

りの人にも聞こえているかどうか確認を行うこともあった．彼は視界の端に人らしき影を認めることもあり，それは大抵夜に起きた．そのようなことはあり得ないと頭では分かっていたが，なぜそうした体験が生じるのか彼は不安に思っていた．これらの体験はすべて6か月前に始まっており，1か月前から悪化を認め，現在は週に数回出現していた．
P4＝4

P5. まとまりのないコミュニケーション

　本症例において，まとまりのないコミュニケーションを示唆するような徴候や症状は自覚的にも客観的にも認められなかった．彼は以前から会話の中でごく短い時間注意がそれることがあると述べていたが，面接中にそれが確認されたのは1回のみであった．

◀サイコーシス・リスク診断▶

　P1およびP3，P4における症状の存在から，アップトンはサイコーシス・リスクシンドロームの微弱な陽性症状群（APS）に該当すると判断される．

◀フォローアップ評価▶

　アップトンは臨床研究プロトコールに基づき，月に1回の割合でフォローされた．その後彼が呈していた陽性症状は，ゆっくりとだが確実に進行し，その回数も増えていった．初回評価から3か月も経たないうちに，その症状は重度かつ精神病的なレベルに達していた．彼は自分の身体に，より早く泳ぐための「えら」が発達してきたように思い込み始めた．さらに彼の目には水中でも視界が利くように別のまぶたが生えてきたと信じていた．また彼は，肩甲骨の間に泳ぎを助けるための筋肉の「翼」を感じたときの衝撃についても語っている．これらの症状が進んでいったと同時に，事実彼はチーム内でさらに成績をあげていったのだった．彼はそうした上達はすべて，えらやまぶた，そして「翼」によって得られたものだと固く信じるようになった．

　それに並行して，背後での囁き声はより明らかな（少なくとも複数の）

声へと変わっていった．それは彼に何をすべきで何をすべきでないかを，一日中ずっと語りかけていた．彼は声が話す内容を簡単に退けることができず，むしろそれは自分にとって役に立つものだと信じていた．

アップトンは SIPS の「精神病状態の存在（POPS）」の定義に基づき，現在は精神病レベルの状態にあると診断される．非定型抗精神病薬の投与が開始され，（外来での）治療を継続するために精神科医に紹介された．その後も彼は我々のクリニックで経過を観察されている．

ケース 2：ヴィクター

ヴィクターは 15 歳のアフリカ系米国人の少年で，地元のハイスクールの 9 年生である．彼は昨年不登校となり，出席日数が不足したために落第した．出席時の彼の成績は，平均以上を常に保っていた．学校のナースが彼をクリニックに紹介したが，その理由は不登校をもたらした彼の回避的な行動であった．

SIPS による評価の際，彼は悲哀感や抑うつ感を訴えたが，希死念慮については否定していた．彼は自分の中で何かが変わってしまい，感じ方や考え方が変化してしまったのだと述べた．彼は自分がおかしくなっていると感じていたが，それは他人には分からないだろうとも言った．また彼は，自分の考えに没頭してしまうことが多く，物を覚えていられなくなっているとも述べた．

これまでの経過

母親からの情報では，妊娠や出産時も特に問題なく経過し，発達も順調であった．これといった大きな病気もなく，何度かスポーツ（バスケットボールなど）による怪我はあったものの，特に問題にはならなかった．彼は現在も服薬などはしておらず，精神科による治療歴もない．父方の祖母と叔父に統合失調症の罹患歴がある．

物質使用歴

ヴィクターは以前何度か友人と多量に飲酒してアルコール中毒症状を来したことがある．また，マリファナを試しに使用したこともしばしばあるという．学校に行かなくなり，友人との付き合いもなくなってから

は，そうした社交の場に出ることもなくなり，少なくともこの3か月間はアルコールやドラッグの使用はないという．

◀ SOPSによる評価 ▶
P1. 不自然な内容の思考／妄想

　不自然な内容の思考に関して，ヴィクターは多くの症状を示した．彼は自分の思考や行動がコントロールできないと感じることがあり，また自分の考えが周囲に伝わっているのではないかと思うようになった．どのようにすればそんなことが可能なのか彼には分からなかったし，あるいはただの空想に過ぎないと思うこともあったが，それでも他人が自分から何かを抜き取っているかもしれないと不安にならずにはいられなかった．また彼はしばしば，テレビがある種のカメラになっていて，自分のことを記録していると考えることもあった．こうした考えは8か月ほど前から生じ，週に1回は出現していた．彼はそれを自分の想像に過ぎないと自覚してもいたが，一方でテレビの電源を切ったりせずにはいられないこともあった．彼はまた，自分が以前から関心を持っていた忍者についての非現実的な持論を展開した．彼は日本の忍者がその細い体から発する驚くべきパワーを信じ込んでおり，そのパワーのおかげで何度も自分は救われてきたと考えていた．彼はそれを半ば確信していたものの，面接時には疑いを持つ余地も示し，それはもしかすると単なる空想上の話に過ぎないかもしれないと認めてもいた．面接時にヴィクターは的を射た質問を聞いてもらえて安心したと述べていたが，それはおそらく彼の身の周りに起きている出来事を理解してもらえていると彼が感じていたということを意味していた．彼はそのことによって，自分が助けを得られるかもしれないという希望を持つことができたと述べた．

P1＝5　重度だが精神病的でない

P2. 猜疑心／被害念慮

　ヴィクターは周囲が自分に敵意を持っていると漠然と感じることがあった．彼は友人たちが自分を陥れようとしていると考えていた．彼らは自分のことを嫌っており，つねに悪く思っていて，傷つけようと企ん

第 14 章　サイコーシス・リスクシンドロームの経過

でいると思っていた．彼らは彼を信用していないように見え，彼もまた彼らを信用していなかった．彼はしばしば自分の家族に対してさえも不信感を抱いていた．こうした感情のせいで，彼は学校にも行けず，友人と過ごすこともなくなったが，家族と時間を共にすることはできていた．面接時，例えば「それは本当に現実に存在すると思いますか？」などの質問を用いることによって，それが現実かどうか疑うことは可能であった．
P2＝5　重度だが精神病的でない

P3．誇大性
　ヴィクターは自分のほうが友人よりも力が強く，喧嘩では負けないだろうとひそかに考えていた．
P3＝1

P4．知覚の異常／幻覚
　ヴィクターは1年半前から視界の端に淡い人影が現れるようになったと述べた．それは今では彼が「魔王」と形容するような異形で出現していた．彼はそれが現れると，それが実際に自分の外に存在していると考えるのが9割だったが，残りの1割ではそれが空想であると分かっていた．人影が現れてこないときには，彼はそれが目の錯覚に過ぎないと考えることができた．彼は光に敏感になってきているとも述べ，目の前に黒い斑点が現れることもあった．こうした症状は週に1回から2回程度出現し，最近の3か月間で徐々に悪化していた．また彼は，背後から聞こえてくる声に似た音が頭の中で響くのを感じることもあった．周りに誰もいないことで，それが頭の中で起きていることだと考えることはできたが，音が耳から聞こえてくると感じることもしばしばあった．その体験は彼にとってしばしば煩わしく思えるものだったが，気にならないこともあった．また彼は自分の考えていることが，まるで頭の外で話されているみたいに聞こえることがあったと述べている．彼はその体験について説明を求められると，自分が頭の中をのぞき込もうとし過ぎているからかもしれないと述べた．
P4＝5　重度だが精神病的でない

P5. まとまりのないコミュニケーション
　発話のまとまりのなさに関しては，自覚的にも客観的にもその徴候を認めなかった．
P5＝0

◀サイコーシス・リスク診断▶
　P1，P2，およびP4の評価結果より，ヴィクターはサイコーシス・リスクシンドロームの微弱な陽性症状群（APS）に該当すると判断された．

◀フォローアップ評価▶
　ヴィクターはその後9か月間にわたって，月1回のフォローを受けた．彼は不定期に登校を再開し，ギターのレッスンを受け始め，それを楽しんでいるように見えた．一方で彼は依然として陽性症状に苦痛を感じており，その頻度は客観的にも徐々に増えていた．各評価時点ではSOPSが繰り返し使用され，同時に構造化された個人心理療法が提供された．9か月経過時点で，彼は朝起きられなくなっており，学校にも行けず，身だしなみにも関心がなくなっており，症状におびえて夜も寝られないという状態であった．彼は今では忍者が実際に見えるようになり，自分の体温を上下させたり，重力を変化させたり，他人の心を読み取ったりする新たな能力が与えられたと信じていた．こうした能力は人々を恐怖に陥れるだろうと想像し，それを理由に人々が自分を襲いに来るのではないかと不安になった．彼は部屋に一人でこもるようになり，出された食事にも疑いを持つようになり，食事をほとんど取らなくなってしまった．頭の中の音は今や明瞭な声となり，彼の行動をいちいち批判するようになっていた．
　ヴィクターはPOPSの基準にしたがって精神病と診断され，すみやかに適切な精神科治療が導入され，抗精神病薬の投与が開始された．その後2か月もすると，彼の状態は著しく改善した．

ケース3：ホイットニー

　ホイットニーは18歳の女性でハイスクールを卒業し，現在は地元の会社で新入社員として働いている．彼女は学生時代，成績は優秀でスポーツもよくこなし，社交的で友人からも人気があった．彼女は現在両親と兄弟と一緒に生活しているが，両親は彼女の行動に一貫性が見られなくなり，不機嫌でいらいらしやすくなっていたため，それを不安に思うようになっていた．両親は彼女が仕事に価値を追求することにも，かつて大切にしていた趣味や余暇を楽しむことにも，彼女が最近関心を示さなくなったと心配していた．

　ホイットニーは6歳のときに養子に出されており，養母によれば彼女の実の父親は慢性期の妄想型統合失調症であるという．その他の実家庭に関する情報は得られていない．

　ホイットニーは彼女の両親が抱いていた不満に対して，十代の女性がどういうものか彼らは何も分かっていないと言い返した．彼女は自分が他の友人たちと何も変わるところはないと思っており，ただ自分の両親が無知なだけだと考えていた．

　彼女は友人たちと集まって飲酒をすることはあったが，過度に飲むことはなかった．彼女はハイスクール時代にマリファナを吸った経験が何度かあったが，最近3か月の間で使用した経験はなかった．

◀ SOPSによる評価▶

P1. 不自然な内容の思考／妄想

　ホイットニーはしばしば将来を予見できると感じることがあると述べた．彼女は以前から人の心を読むのが得意だと感じていたが，最近はさらにその能力が鋭敏になっていると自覚していた．彼女はその例として，自分のボーイフレンドと別の女性に起きた出来事を正確に予見することができたと述べた．それは単なる直感に過ぎないかもしれないが，そこには直感以上のものがあったと彼女は考えていた．こうした体験は最近4か月ぐらいから目立つようになり，週に数回出現していた．それによって行動が左右されるということはなかったものの，自分の能力がど

こまで鋭敏になるのかについて彼女は不安を感じていた.
P1＝4　やや重度

P2. 猜疑心／被害念慮
　ホイットニーは周りの女性たちが自分をつねに監視していると感じていた．彼女は自分が魅力的で男性に好かれるため，彼女たちが自分を痛めつけようとしているのだと考えていた．それは単に彼女たちが嫉妬していると感じるだけでなく，本気で傷つけようとしていると時に強く感じることもあったという．こうした考えは5か月ほど前から始まっており，ほぼ連日のように出現していた．
P2＝4　やや重度

P3. 誇大性
　彼女は誇大的な性質をうかがわせるような思考をいくつか示していた．彼女は自分が幸運の魔力を持っていると信じており，例えば友人に何か悪いことが起こりそうになっても，自分がその場にいればそれが起こるのを防ぐことができると考えていた．そうした考えは約9か月前から出現し，その後徐々に増え，今では週に1回は認めていた．彼女はそれを神様が自分を見張ってくれていて，自分だけ特別に守ってくれているのだと解釈していた．
　また彼女は，自分が金持ちだと非現実的に信じ込んで，後先を考えずにお金を使い込んでしまうことがあるとも述べていた．
P3＝4　やや重度

P4. 知覚の異常
　ホイットニーは，ごくたまにだが明らかに，音に対して過敏になることがあると述べた．
P4＝1　存在が疑われる

P5. まとまりのないコミュニケーション
　発話のまとまりのなさに関しては，自覚的にも客観的にもその徴候を

認めなかった．
P5＝0

◀サイコーシス・リスク診断▶
　P1，P2，およびP3の評価結果より，ホイットニーはサイコーシス・リスクシンドロームの微弱な陽性症状群（APS）に該当すると判断された．

◀フォローアップ評価▶
　ホイットニーはその後6か月の間，クリニックで月1回フォローされた．彼女はその後も初歩的な仕事を続けていたが，休むことも増えていった．彼女は大学に行きたいと話すこともあったが，実際にそうした行動に踏み切る様子もなかった．彼女は依然家族と同居していたが，徐々に夜家に帰らない日も増えていった．彼女のクレジットカードの負債はすでにかなりの額に及んでいた．
　彼女には各評価時にSOPSが繰り返し用いられ，同時に構造化された個人心理療法が提供された．だが初回評価から2か月もすると，SOPSのスコアは5点（重度）まで上昇していた．彼女は自分の妄想癖のおかげで，友人の多くを失ってしまっていた．6か月後には，彼女の誇大妄想が行動にもたらす影響はすでに危険なレベルにまで達しており，やむを得ず入院が必要な状態となっていた．その後服薬に何度か抵抗を示しはしたものの，リスペリドンとリチウムによる薬物療法，また，個人および集団の心理社会的治療を積極的に導入することで，現在は症状の寛解が得られている．

ケース4：シーヴァ

　シーヴァは17歳の白人女性で，現在地元ハイスクールの12年生である．彼女はハイスクールに入学してしばらくはオールAの優等生であったが，その後徐々に成績が下がり，学校の課題もこなせなくなってきていた．彼女は友人や家族とも疎遠になり，多くの物事に興味を失っ

ていった．彼女をクリニックに紹介したセラピストは，彼女が抑うつ以外の症状を呈すようになってきていることを心配していた．

SIPSによる初回評価時，シーヴァは抑うつといらいら感，不安が混ざり合った，不快な気分を訴えた．彼女は音と光に敏感になっており，いくつかの普通でない知覚体験を有していることも報告していた．彼女は自分が他の人とは何かが違っていて，それまでの自分とも何かが変わってしまっていると述べた．

母親の情報では，シーヴァの妊娠時の経過は順調であったが，出産は鉗子分娩であった．だがその後の発達は順調であり，概ね健康で経過した．精神疾患の家族歴としては，母方の祖父に精神病的な特徴を有する大うつ病性障害，父方の叔父に精神病的な特徴を有する双極性障害が指摘されている．

また彼女にはドラッグやアルコールの使用経験は特に認めていない．

GAF 現在のレベル／最近1年間の最高レベル
60/75

◀ SOPSによる評価 ▶

P1. 不自然な内容の思考／妄想

シーヴァは週に2回程度，繰り返しデジャヴを体験すると報告した．想起される事物はもやがかかったように曖昧で，それは6週間ほど前から出現していた．なぜそのような体験が出現したのか，またなぜそれが今も続いていて，なぜ以前より頻繁に生じるのかが理解できず，彼女は明らかに混乱していた．また同時に彼女は，自分の考えていることをはっきりと口に出して言われてしまい，周囲にそれが聞こえてしまうと感じるようになった．彼女は周りの人々が自分の考えていることに反応を示しているかどうか，周囲を見渡して確かめるようになった．だが彼らが特に反応を示していないことが分かると，彼女はそれが何らかの錯覚に過ぎなかったと考えることもできた．それは週に数回繰り返し生じており，彼女にとって煩わしい体験だった．また週に1回程度だが，他人が自分の心を読み取っているように感じることがあった．それは現実にはあり得ないと分かっていたが，そう考えるのをやめることができな

かった．その考えは約6週間前から出現していた．
P1＝3　中等度

P2. 猜疑心／被害念慮
　シーヴァは他人に不信感を抱いており，彼らは自分のいない所で悪口を言っているに違いないと思っていた．彼女は誰かに傷つけられるとまでは考えていなかったが，不信感は消えることがなかった．そうした考えがいつから始まったのか彼女には正確に思い出すことができなかったが，おそらく最近3か月以内のことであり，今ではほぼ毎日生じていた．
P2＝3　中等度

P3. 誇大性
　誇大性に関しては，自覚的にも客観的にもその徴候を認めなかった．
P3＝0

P4. 知覚の異常／幻覚
　彼女は3か月ほど前から週に1回程度，視界の端にぼんやりとしたかすかな人影を認めるようになった．また同時に，光や音に対しても敏感になっており，特に学校では勉強の邪魔になって困ることが多いと述べていた．さらに自分の名前を呼ぶ声がして周りを見渡しても誰もいなかったということが，週に少なくとも1～2回あった．これらの症状はほぼ同時に始まっており，それが治まることがないのを彼女は不安に思っていた．
P4＝3

P5. まとまりのないコミュニケーション
　発話のまとまりのなさに関しては，自覚的にも客観的にもその徴候を認めなかった．
P5＝0

◀サイコーシス・リスク診断▶

　P1，P2，および P4 の評価結果より，シーヴァはサイコーシス・リスクシンドロームの微弱な陽性症状群（APS）に該当すると判断された．

◀フォローアップ評価▶

　シーヴァはその後 7 か月の間，クリニックで月 1 回フォローされた．彼女はその後も何とか学校には行き続けたものの，成績はいくつかの単位を落第する程度にまで下がってしまっていた．彼女には各評価時に SOPS が繰り返し用いられ，同時に構造化された個人心理療法が提供された．だが彼女の猜疑心は毎回の評価ごとに増悪し続け，7 か月後には精神病レベルに達していた．彼女は人々が—家族も含めて—自分に毒を盛ろうとしているのではないかと恐れるようになり，ラップで密封された食べ物しか食べなくなっていた．さらに彼女は自分が見られているという恐怖心で夜も眠れなくなっていた．猜疑心に関するこれらの症状は，POPS の基準に照らし合わせても精神病と判断するのに十分な持続期間を備えていた．彼女は研究プロトコール上の救助対象群に組み入れられ，緊密なモニタリングと支持的精神療法，家族支援，さらに非定型抗精神病薬による薬物療法が行われた後，地域の治療チームへと引き継がれた．

ケース 5：エレナ

　エレナは 17 歳の白人女性である．彼女の両親は離婚しており，今は母親と兄と一緒に実家で生活している．エレナは地元の私立のハイスクールに入学するまで，学校には通わず自宅で勉強していた．入学時はオール A の成績であったが，最近はほとんど A がなく，C が多くなっていた．彼女はいつからか鼻の片方に安全ピンを突き刺して登校するようになったために，クリニックに紹介されることになった．彼女は食事をとらなくなったせいで 2 か月間に約 11 kg 体重が減っていた．彼女の行動には 3 か月前から明らかな変化が生じていた．彼女は学校に行かなくなり，部屋から出ようとしなくなった．

　母親によれば，エレナの妊娠や出産の経過は順調で，その後の発達経

過にも特に問題がなく，概ね健康な状態を保っていた．エレナには精神科治療歴も薬剤の服用歴もなかったが，祖父母が妄想型統合失調症と診断されていた．

彼女はこれまでドラッグ，アルコール，ニコチンを使用した経験は一切ないと述べた．

エレナは自分が変わっているとか異常であるなどと見られることに強い不安を持っており，面接を行う際にも慎重な姿勢を崩さなかった．面接者がすべての質問は特定の個人でなくあらゆる人に等しく行われていることを説明すると，彼女は少し安心したようだった．面接が1/3ほど進んだところで，彼女は泣き出しそうになって質問をさえぎった．そして自分の体験が実際に質問として成立するぐらいにありふれたものであることを知って安心したと述べた．彼女の感じていたストレスは徐々に軽くなり，彼女はよりリラックスした状態で面接を終えることができた．

GAF 現在のレベル／最近1年間の最高レベル
50/80

◀ SOPS による評価▶
P1. 不自然な内容の思考／妄想
　エレナは不自然な内容の思考に関する症状を数多く示した．彼女は最近の6か月間に予知夢を見るようになったと報告した．夢に出てきた徴候は実際に現実となることが多かったと彼女は述べたが，それを本当に信じているかどうか聞かれると，それはただの偶然かもしれないと答えていた．彼女はまたテレパシーの能力を自分が持っていて，他人の心を読み取ることができると考えていた．それを自覚し始めたのは先月からであったが，連日徐々に強く現れるようになり，今では彼女はそれを意識せざるを得なくなっていた．彼女はその能力を疑っていなかったが，一方で偶然の産物かもしれないという可能性も否定はしなかった．また彼女は，自分の周りで生じる出来事が自分だけに特別な意味を持っているとも述べた．彼女はそれを神様が他の人と適切な形でコミュニケーションをとれないために，自分を通じてコミュニケーションを図ろうとしているのだと解釈していた．こうした考えは最近6か月以内に出現し

ており，週に2回から3回生じていた．
P1＝5　重度だが精神病的でない

P2. 猜疑心／被害念慮
彼女は時々学校で，周囲から真意を疑われていると感じることがあった．それも友人からではなく，それ以外の人々からだったという．
P2＝1　存在が疑われる

P3. 誇大性
エレナは漠然と自分の能力を自覚していると述べた．彼女は自分が他人の心を読み，オーラを感じ取り，テレパシーを使って意思を伝えることができると考えていた．前述したように，彼女は自分が神様に選ばれて特殊な役割を与えられたとも信じていた．こうした考えはすべて最近1年間に出現あるいは悪化しており，週に数回生じていた．彼女は自分がこのように他の誰とも違っていると考え始めると不安を感じてしまうと述べた．
P3＝4　やや重度

P4. 知覚の異常／幻覚
彼女は誰もいない場所で誰かが歩いている音や髪をとかす音が聞こえてくることがあると報告した．また写真や絵を見ているときに，そこにないはずのものが見えることがあるとも述べた．彼女は視界の端に人か動物のような形の淡い影を認めることがあり，それを「暗影」と呼んでいた．このような幻覚は最近3か月に始まっており，週に3回から4回出現していた．これらの体験について説明を求められると，彼女はなぜそのようなことが起きるのか自分でもよくわからないが，それを「面白い」と感じていると答えた．
P4＝4　やや重度

P5. まとまりのないコミュニケーション
エレナは比喩を多用した．凝った話し方が特徴的で，しばしば言葉を

誤用したり，関連のない話題について話し始めたりすることもあった．それがいつから始まった特徴なのかは本人にも定かではなかったが，面接中にも明らかに認められていた．

P5＝3　中等度

◀サイコーシス・リスク診断▶

　P1，P3，および P4 の評価結果より，エレナはサイコーシス・リスクシンドロームの微弱な陽性症状群（APS）に該当すると判断された．

◀フォローアップ評価▶

　エレナはその後 2 年間にわたって，クリニックで月 1 回のフォローを受けていた．症状は SOPS を用いた評価を繰り返すことで仔細に観察され，並行して構造化された個人心理療法が提供された．彼女は通学を再開することが可能となり，成績は回復し，アルバイトを始め，友人も増え，さらに恋人もできた．カレッジに入学する時点で，症状の程度や頻度に大きな変化が見られないことから，彼女は失調型パーソナリティ障害の基準に合致すると判断された．こうした体験は，むしろ彼女の本来のパーソナリティに溶け込んで，その一部と化しており，目立った機能低下をもたらすこともなかった．

ケース 6：ゼーン

背景情報および経過

　ゼーンは 20 歳の白人男性で，アルバイトのかたわら定時制の地元コミュニティカレッジに通っている．彼は独身で家族と共に生活しており，家族との折り合いは良く，友人も少なくないが，1 年間付き合ったガールフレンドと最近別れている．彼はウェブサイトから情報を得て，自らクリニックに受診を行った．

これまでの精神科治療歴

　彼はハイスクールの 2 年生のときに大うつ病性障害のエピソードがあったと報告している．彼は両親に連れられて精神科医を受診し，外来

でセルトラリンによる薬物治療を8か月間受けた．

既往歴
　これまでに何らかの健康上の問題の発生や頭部外傷歴，入院歴，手術歴および服薬歴などはいずれも認められていない．

家族歴
　一親等家族にも二親等家族にも，精神病の家族歴は認められていない．

物質使用歴
　彼は友人と食事やパーティに出かけたときには，たまにワインを飲むことがあったが，ドラッグに関して乱用や依存の既往はないという．

◀ SOPS による評価 ▶

P1. 不自然な内容の思考／妄想
　ゼーンは約4か月前に物事が自分にとって特別な意味を持っているように感じたことがあった．例えば自分の好きな青い色合の車が道を走っているのをよく見るようになった，などである．それが何を意味しているのか彼には正確には分からず，それが偶然に過ぎないと考えてもいたが，その自分の好きな色を楽しんでもいた．それは2週間に1回程度の出来事だったが，特にストレスなどは感じていなかった．
P1＝2

P2. 猜疑心／被害念慮
　彼は自覚的にも客観的にも猜疑心を示唆するような徴候や症状を認めなかった．
P2＝0

P3. 誇大性
　誇大性に関しても，自覚的にも客観的にもその徴候を認めなかった．
P3＝0

P4. 知覚の異常／幻覚
　彼は数週間前から訳の分からない知覚体験を自覚していたという．離

れたところから近づいていったときには確かにそこになかったものが，ちょっと目を離したすきにまた戻っている，というようなことである．それはごく些細な体験だったが，これまでにも2,3回生じているという．
P4＝2

P5. まとまりのないコミュニケーション
　面接の間，彼は一度か二度，何の話をしているのか一瞬分からなくなることがあった．そういったことは2週間ほど前から認められていたという．
P5＝2

◀フォローアップ評価▶
　ゼーンは研究プロトコール上，非リスク対照群に組み入れられ，SOPSの評価を月に1回受ける形で経過観察された．初回評価の5か月後には，彼は睡眠が十分とれず考えが空回りしているのを自覚していた．電話を受けた面接者は，彼の口調があまりに早口で，言っていることの意味もよく理解できなかったと述べている．2日後改めて彼のもとに電話を入れたところ，彼は自分の考えていることを付箋に書きつけてはベッドの脇の壁に貼り付けるという作業を一晩中寝ないでしていたと述べた．彼はすでに36時間以上眠っておらず，活力があり余っていて書くことも山のようにあるため眠ることができないと言った．彼は救急外来を受診し，躁状態を認めそのまま入院となった．彼はその後双極性障害と診断され，バルプロ酸の処方と心理社会的介入による治療が精神科医のもとで開始された．

ケース7：アラン

　アランは13歳の白人の少年で二人兄弟の次男である．彼は4か月前から理由なく学校を欠席するようになったため，クリニックに紹介された．それまで彼は平均以上の成績を示していた．今や彼は一日中家に閉じこもり，両親と一緒でないと外には出なくなった．友人と会うことも

なくなり，家ではすぐいらいらしてかんしゃくを起こすこともあった．彼はモトクロス競技に異様な関心を示し，有名なレーサーになることを夢見ながら日々過ごしていた．彼はいかなる物質の使用も否定しており，身体的には健康で服薬などもしていないと述べた．

母親からの情報では，妊娠時や出産に関しては問題なく，その後の発達も正常に経過していたという．家族歴としてはうつ病が見られるものの，精神病の罹患歴は認めていない．

GAF 現在のレベル / 最近1年間の最高レベル
45/80

◀ SOPS による評価 ▶
P1．不自然な内容の思考

彼はいとこが自分の心を読み取っていると感じていた．彼は面接者も同様に心を読み取れるのではないかと不安に思った．心を読み取るわけではないと面接者が保証を与えると，彼はそれを理解しその後の面接も問題なく行われた．彼は心を読むという行為について問われると，それは一種の「神秘的な」符合なのだと述べた．そうした考えはつねに生じ続けていたため，彼はそれを気にせずにはいられなくなり，それは徐々に彼にとって煩わしいものとなっていった．また彼は頭の中にレースのトラックが存在し，その上を車が走り続けているように感じることがあった．それはしばしば彼の集中力を妨げるものであった．それはおそらくただの空想に過ぎないと彼は考えていたが，今ではほぼ常時出現するようになっていた．

これらの症状はすべて最近6か月以内に始まっており，少なくとも週に1回出現していた．
P1＝3　中等度

P2．猜疑心／被害念慮

彼は周囲が信用できないという感覚を抱くことがあった．彼は自分を守るために「背後に気をつける」必要があると考えていた．家を出るときも両親と一緒でなければ不安を感じるようになっていた．こうした考え

は最近4か月前から始まっており，今では常時認めるようになっていた．
P2＝3　中等度

P3. 誇大性
　彼はいずれNASCAR（全米ストックカーレース協会）のドライバーになれると信じていたばかりか，すでに自分が優秀な整備士であると思い込んでいた．これは妄想的確信というよりも，思春期特有の誇大観念や若さゆえの過剰な自信の表れと解釈された．こうした考えは6か月ほど前から出現するようになった．
P3＝2　軽度

P4. 知覚の異常／幻覚
　彼は視界の端に淡い人影が見えたり，説明しがたい金属音のような音が聞こえたりすることがあると述べた．それは最近1か月以内に出現したものだったが，特に彼を悩ませるような症状ではなかった．
P4＝2　軽度

P5. まとまりのないコミュニケーション
　発話のまとまりのなさに関しては，自覚的にも客観的にもその徴候を認めなかった．
P5＝0

◀サイコーシス・リスク診断▶
　P1およびP2の評価結果より，アランはサイコーシス・リスクシンドロームの微弱な陽性症状群（APS）に該当すると判断された．

◀フォローアップ評価▶
　アランはその後3年間にわたって月1回のフォローを受けた．症状はSOPSを用いた評価を繰り返すことで仔細に観察され，並行して構造化された個人心理療法が提供された．初回評価から8か月後，彼の症状はほぼ消失した．彼は通学を再開し，学校を卒業し，自動車整備士の学校

に進んだ．彼はその後北方に転居したが，今もクリニックとは電話を通じて接触を保っている．彼は現在ガールフレンドとも2年間付き合っており，社会機能も問題なく維持されている．

ケース8：バルトロ

背景情報および経過
　バルトロは20歳の混血の男性で，父方の祖父母と生活している．彼は2年間大学に通ったが，成績不振のため退学した．彼は4か月前まで働いていたが，今はコミュニティカレッジに在籍している．彼には付き合っているガールフレンドがおり，それ以外にも友人が数人いる．

既往歴
　周産期や出生時に異常は見られず，発達経過も順調であった．既往歴としては，これまで背中や膝を痛めたことがあるのと，スポーツで喘息が誘発されたという程度である．

これまでの精神科治療歴
　過去に精神科で治療を受けた経験はなく，精神科薬を処方されたこともない．

家族歴
　家族に精神疾患の罹患歴は認められていない．

物質使用歴
　彼は18歳時から飲酒をするようになったが，現在では2週間に一度，外で酒を飲む程度であり，酔った経験もないという．また，18歳のときから4回ほど，マリファナを使用したことがあった．

◀ SOPSによる評価 ▶

P1. 不自然な内容の思考／妄想
　バルトロは宗教や政治に強い関心を持っていたが，それについて彼の述べる意見は周囲から奇妙だと思われていた．だが彼にしてみればそうした考えは自分の意思によらず生じ，しかも自分の時間の多くを消費していくものであった．彼は「ダンジョン＆ドラゴン」というゲームの登場

キャラクターの人格特性について研究し，そのうち特に「カオス的な中立者」と「中立的な悪者」という特性を，一種魔術的なやり方で自分にあてはめるようになった．彼はこのような考え方はきわめて重要で意味があると考えていた．
P1＝3

P2. 猜疑心／被害念慮
　彼は自身の安全についていくつかの懸念を示したものの，その根拠を明らかにすることはできず，特にそれによって悩まされることもなかった．そうした考えは最近6か月で月に1回から2回出現していた．
P2＝2

P3. 誇大性
　バルトロは自分が周囲より知的に優れていると考えていたが，確信しているわけではなかった．彼は特にそのことを誰かに確認するようなこともなければ，誇大観念によって行動や決断が影響されるということもなかった．
P3＝2

P4. 知覚の異常／幻覚
　彼は約2か月前からいくらか光や音に敏感になっていると感じていたが，それは特にストレスをもたらすものではなかった．
P4＝1

P5. まとまりのないコミュニケーション
　発話のまとまりのなさに関しては，自覚的にも客観的にもその徴候を認めなかった．
P5＝0

◀フォローアップ評価▶
　バルトロは研究プロトコール上，非リスク対照群に組み入れられ，

SOPSの評価を月に1回受ける形で経過観察された．初回評価の4か月後には，彼は他人への不信感が高まっていて，自分に対する周囲の明らかな敵意さえ感じるようになったと述べた．週に何度か学校の仲間から悪口を言われていると思うようになり，それは彼を落ち着かなくさせた．また光や音への過敏性が徐々に高じて，今では何かを叩くような，あるいは背後で囁くような奇妙な音——「受信機の雑音みたいな」と彼は言った——を耳にするようになっていた．それは彼にも全く不可解な現象であり，しかも週に数回出現し，容易に消えないことに彼はストレスを感じていた．

この時点で，彼はP2（猜疑心）の症状は3点のレベルに上昇しており，かつ最近4か月以内の悪化で，週に数回出現を認めていた．また，知覚異常に関する症状についても同様に，3点への上昇，最近4か月での悪化，週に数回の出現を認めていた．このような事態によって，バルトロはサイコーシス・リスクシンドロームにおける微弱な陽性症状群（APS）に該当すると診断された．彼は研究プロトコール上，あらためてリスク陽性群に組み入れられた．

リスクシンドロームクリニックにおける精神病発症時の対応

ここに示したケースのうちの4例が，SIPSのPOPS基準によって定義される精神病状態に移行している．具体的には，リスク症状が一定期間に6点レベルに到達している場合に，あるいはその症状が安全の脅威となり得る場合には期間によらず，精神病状態が存在するものと判断されている．

これらのケースではすべて，症状がこの精神病理的なレベルに到達するのと同時に，適切な治療が導入されている．リスクシンドローム・クリニックでは，精神病レベルに至った未治療の陽性症状を積極的治療の迅速な導入の対象であると考えており，このような状態に対して治療上必要と考えられる抗精神病薬の投与を行っている（それに加えて個人あるいは家族を対象にした心理社会的治療を継続していく）．さらに我々は「自身や他人に対する危険」を広く定義しており，それは生命への危険という意味だけではなく，社会的な人間関係や評価，また家族や友人，同僚らとの関係を永続的に損なう危険

という意味にも解釈している．特に周囲に不安や脅威を与えるような精神病特有の非合理的行動は，その後の人生にも影響を与えかねない社会的偏見や疎外を生み出す大きな原因となり得る．

　リスクシンドロームクリニックでは，リスクケースを定期的にフォローすることによって，精神病状態への移行の有無を仔細に観察することが可能であり，そのプロセスを本人だけでなく家族と共有することも可能となる．クリニックでは基本的にこのような状態の推移に対して，毎週あるいはしばしば連日，警戒を怠らず注視している．モニタリングと心理社会的な介入によって，クリニックだけでなく家庭においてもそうした注意の目が強化される．クリニックと家庭との間の関係が良好に維持されているかどうかをつねに注意深く確認することで，たとえ精神病状態が出現したとしても，初回エピソードに準じた治療に迅速かつ円滑に移行することが可能となる．

　このようなプロセスへの対応に関して，我々は臨床経験(それは特に研究によるものばかりではない)を通じて徐々に自信を深めている．精神病に移行したほぼすべてのケースにおいて，治療は円滑かつ確実に進められ，学校や仕事を離れなくてはならないというようなこともなかった．本人および家族との治療関係についても適切に維持され，(薬物療法を含む)治療のアドヒアランスも安定していた．時宜を得た介入によって，強制的な入院といったほとんど悪夢のような事態や，市民的自由の制限，社会との断絶，奇異な行動によって生じる社会的偏見などを避けることが可能となるといえる．実際に，初回エピソードに移行する可能性の高いケースをリスクシンドロームの段階にとどめることによって，実質的には3次予防が実現できていると捉えることも可能である．

第15章

ベースライン評価のエクササイズ

　最後にいくつかのサンプル症例を通じて，これまでに習得した評価スキルを実際に試してみることとしよう．症例はサイコーシス・リスクシンドロームにおける微弱な陽性症状群，遺伝的リスクと機能低下を呈す群，短期間の間歇的な精神病症状を呈す群のほか，失調型パーソナリティ症候群，および他の疾患に属する非リスク対照群である．章の末尾に各症例の評価サマリーが掲載されている．

ケース1：キャンダス

背景情報
　キャンダスは20歳の独身の白人女性で，現在カレッジの3年生であるが，彼女は3年間で2回学校を替えていた．彼女には複数の友人がいて，いくつか学校活動にも参加していたが，今の学校も自分には合っていないと感じているという．

主訴
　彼女は新聞に掲載されたプログラムに関する広告を見て，自らリスクシンドロームのクリニックを訪れた．彼女は最近偶然の一致が増え，直感や第六感が研ぎ澄まされるようになり，全身が宇宙の神秘的な力に「吸い寄せられそうになる」感覚を経験するようになったと訴えた．

これまでの精神科治療歴

　キャンダスはカレッジの1年目にうつ病のエピソードを経験したが，その原因は突然の両親の離婚により父親と連絡がとれなくなり，サポートが失われたためであった．治療は心理療法と抗うつ薬による薬物療法が行われたが，抗うつ薬が奏効したという自覚はなかった．彼女は昨年ストレスを感じたときも，一時的に心理療法を短期間受けていた．

既往歴

　特記すべき事項はない．

物質使用歴

　飲酒は限られた機会のみであり，過去に一度マリファナを試した経験がある．

精神疾患に関する家族歴

　彼女の母親と姉，母方の伯母がうつ病を指摘されていた．

失調型パーソナリティ障害の有無

　診断基準を満たしていない．

GAF 現在のレベル/最近1年間の最高レベル

　80/80

SCID

　過去の大うつ病性障害

DIPD

　いずれのⅡ軸疾患にも該当しない．

◀ **SIPSによる面接の要約** ▶

　キャンダスは去年からニューエイジ運動に強く関心を抱くようになり，それについて研究するようになった．彼女は古書店で偶然見つけた本に，人生のヒントと真意が隠されていたと述べた．こうして人生の様々な意味に気づき，それを理解するうちに，彼女は多くの偶然の符合を目にするようになった．例えば，いつもの勉強場所があいにく埋まってしまって他を探そうと歩いているときに，たまたまドアが突然開いて，中にふさわしい場所が見つかるといった具合であった．他にも彼女の「ラッキーナンバー」である"8"が至る所で目につくようになり，それは自分が

正しい道を正しい方向に進んでいる証だと考えていた．また彼女は，意識と無意識の間には「直感」あるいは時に「第六感」の支配する領域が存在するはずだと考えていた．例えば，自分が友人のことを考えていると当人からすぐに連絡が来るだとか，あるいは教授が何色のシャツを着てくるか，などのどうでもいいようなことを言い当てるといったことであった．こうした体験は最近の7か月に，ほぼ連日生じていたという．

また彼女はこの6か月間に週に1回程度，瞑想をしているとしばしば「霊気」—「守護天使とか精霊みたいなもの」と彼女は言った—を感じることがあると述べていた．

さらに彼女は，時々人々の背後にオーラ（虹色の波）が見えることがあり，それによって「精神状態を読み取る」ことができると考えていた．周囲の世界がホログラムのように二次元である可能性について考えることもしばしばあった．祖母がかつて霊媒師として知られていたことから，自分にもその能力が受け継がれたのではないかと彼女は考えていた．彼女はこのような考えに徐々に取りつかれるようになり，瞑想の時間が増え，学校にも周囲の話題にも興味が薄れていった．こうした体験は彼女にとっても「奇妙な」感じではあったが，何らかの意味があると考えており，週に一度は「自分が未知の領域に突き進んでいく」のが怖くなって瞑想を中止することがあったという．

彼女は以前から周囲に良く思われていないと感じることがあり，自分が他人とは違っていて，そのせいで批判や非難の目を向けられているのだと思っていた．こうした考えはずっと前から存在しており，最近変化は見られていない．

彼女は自分の直感力や第六感はある種の特殊な能力だと感じていると述べた．彼女はそれを友人にも伝えていたが，特に自慢や誇示をするわけではなかった．

最近の6か月間で月に数回，彼女は周りに誰もいないのにドアをノックする音や自分の名前を呼ぶ声を聞いていた．それは自分を導く「精霊」が注意を引くために送っている合図だと考えていた．また，この6か月間に2回ほど，自分だけにジンジャーブレッドの匂いがしてきたことがあったとも述べている．

彼女は時々会話中，話についていけなくなることがあり，それはこの1年間で徐々に強く自覚されるようになっていた．彼女の話す口調はしばしば早口になり，繰り返すことも多かったが，話の理解が明らかに妨げられるようなことはなかった．

ケース2：ダリック

背景情報

ダリックは15歳のアフリカ系米国人の少年で，現在8年生（中学2年生）である．彼は，あるときは祖母と生活し，そうでないときはガールフレンドと一緒に住んでいる．兄弟が他に3人おり，皆ばらばらに生活している．

紹介元

彼をリスクシンドロームのクリニックに紹介したのは，以前からクリニックをよく知る児童精神科医であった．医師はダリックの訴える漠然とした幻影や茫漠とした感覚が脳波やMRIの所見からは説明ができなかったことで，紹介を検討するに至った．

これまでの精神科治療歴

ダリックは開業看護師が運営し児童精神科医が監督するタイプの地元の小児保健センターの外来に通っていた．受診の最初の動機は極度の不安感が出現したことだった．

現在あるいは過去の物質使用歴

ダリックは1年ほど前に2回マリファナを吸ったことがあると報告した．それは彼にとって悔やむべき体験であり，今抱えている問題もその体験から生じているのではないかと不安に思っていた．彼は以来ドラッグを使用した経験はなく，飲酒も友人と，せいぜい月に2回程度に限られており，中毒症状を呈したこともなかった．

発達の経過

ダリックの祖母によれば，彼の母親は妊娠中もマリファナやコカインを頻繁に使用していたという．ダリックは35週の早産で産まれたが，体重はすでに2,700gを超えており，健康上問題はなく，保育器に移さ

れる必要さえなかった．発達経過は概ね順調であったが，始語がやや遅く，歯の生える時期もかなり遅れていた．彼は喘息や肺炎を患って入院したことがこれまでに6回程度あった．ダリックはパブリックスクールの普通学級に進み，成績は大体BかCであったが，昨年はかなり欠席が多かったために，8年生を繰り返すことになった．

客観的評価

ダリックの服装に特に奇抜な点は見られず，感情の表出も正常範囲であった．話しぶりは明確で率直であり，親友も複数存在し，特に社交不安を感じるようなこともないという．

薬物治療歴

ダリックは喘息の治療薬として，サルブタモールの吸入薬を使用している．また以前不安感や睡眠障害が出現した際に，児童精神科医がリスク症状を疑ってクエチアピンが1週間処方されていたことがある．現在彼は向精神薬を服用していない．

精神疾患および物質使用に関する家族歴

彼の両親は二人ともドラッグとアルコールへの依存が認められており，父親は現在も服役中である．彼の兄弟のうち二人は不安症状の治療のために向精神薬を服用しており，うち一人には精神病症状の出現が認められている．

合併症

ダリックはDSM-IVにおける広場恐怖を伴うパニック障害と全般性不安障害の診断基準を満たしていた．DIPDによる評価では，彼は失調型パーソナリティ障害を含むいかなるパーソナリティ障害の基準にも該当しなかった．

GAF 現在のレベル／最近1年間の最高レベル

43/43

◀ SIPSによる面接の要約 ▶

ダリックは自分の頭が回らなくなっているのは，脳がマリファナによってダメージを受けたためではないかという不安を抱いていた．そのようなダメージの存在を支持する根拠は存在しないと医師が保証しても，

その考えに彼は悩まされ続けた．彼は見たり聞いたりすることがまともにできないというような，「ぼーっとする」感じが続いていると述べた．それは2年前から始まっていたが，悪化しているというわけでもなかった．彼はしばしば空想にふけることも多かった．外に出ると人々の関心の中心に自分がいるような感覚があったが，自分が傷つけられるという不安を感じていたわけではなく，ただ周りが皆なぜか自分ばかりを見ているという感覚にとらわれた．それも2年前から続いていたが，特に最近頻度が増えているというわけではなかった．彼はときどき事物が「おかしな具合に」動いたりするといったような，錯覚に襲われている感覚を覚えることもあった．それについて問われると，それが本当に起きていることなのか自分の空想なのかははっきりとは分からないと彼は答えた．それは1年以上前から出現していたが，最近は頻度が減ってきていた．

ダリックは誰かと目が合うと，笑われたりからかわれたりするのではないかという不安がつねにあると述べた．だが実際に相手が笑っているかどうか，本当にそれが起きているかどうかを確認することで，自分の気持ちを落ち着けることは可能だったという．

またダリックは自分が才能のあるラップ歌手だと述べていた．

1年半前から週に数回，彼は視界の端に閃光がちらつくのを認めるようになった．最初のうちそれは彼に不安をもたらしたが，そのうち慣れてしまうとその回数も減っていき，今では月に2回出現する程度であった．時々自分の耳がふさがって，以前より聞こえが悪くなるように感じることもあった．またパニック発作の時にぼんやりとした幻影が見えることもあったという．

ダリックは考えがあちこち飛んでしまって，会話に集中できないことがあると述べた．実際に，面接時にも注意が散漫になることはあったものの，修正に応じることもできていた．彼も祖母も，こうした傾向はこれまでにもしばしば問題になることがあり，最近悪化したわけではないと述べていた．

ダリックは複数の友人を持ち，ガールフレンドとも付き合い，家族との折り合いも悪くはなく，バスケットボールも野球も上手くこなした．

だが周りに人がいると落ち着かず気づまりに感じることもあって，しばしば一人でいることを好んだ．

彼は会話の意味を理解するのにしばしば困難を示していた．彼は事物の類似性に関する質問には正答したが，慣用句の意味は正確に理解できていなかった．

ケース3：イーサン

背景情報

イーサンは18歳の白人男性で，現在カレッジの1年生である．彼は寮に住んでおり，同部屋にもう一人ルームメイトがいて，別の二人とキッチンなどを共有している．一学期の成績はあまりかんばしくなく，3つの授業で単位を落としていた．ただ彼は友人からも十分に助けを得ていたし，地元に住む両親――彼が7歳のときに離婚していたが――も彼に協力的だった．彼に兄弟はなく，毎週末車を動かすために自宅に戻っていた．

主訴

イーサンは学校の精神科医から精神病症状の可能性を疑われて，リスクシンドロームクリニックに紹介された．

これまでの精神科治療歴

最近の3か月間に，彼は抑うつ症状と記憶力の低下を訴え，校内のカウンセリングサービスで心理士と精神科医による治療を受けていた．経過中にエスシタロプラムの投薬が開始されており，現在も服用を続けている．

既往歴

特記すべき事項はない．

物質使用歴

飲酒は月に2回程度限られた機会のみであり，過度になることはない．過去7か月間に二度，マリファナを試した経験がある．

精神疾患に関する家族歴

彼の母親にうつ病が指摘されており，母方の祖母もうつ病で電気けい

れん療法を受けたことがある．
失調型パーソナリティ障害の有無
　診断基準を満たしていない．
GAF 現在のレベル／最近1年間の最高レベル
　65/78
SCID
　過去の大うつ病性障害に該当するが，最近の1か月では認めていない．
DIPD
　いずれのⅡ軸疾患にも該当しない．

◀ SIPS による面接の要約 ▶

　イーサンは1年ほど前から偶然の符合の存在に気づき始め，それは徐々に増えていて，この半年間では週1〜3回認めるようになっていたという．それは例えば，彼が近づいていくと電球が急に切れたりあるいは逆に点いたり，iPodをシャッフルのモードにしているのに頭に浮かんだ曲が次に流れてきたり，テレビ番組で次に何が起きるか予想できたりするというようなことであった．なぜそのような現象が起きるのか分からず，彼は困惑していた．彼はしばしばラジオを聞いているときに，頭に浮かんだ曲が実際に流れるかどうか局を替えて確かめてみたりもした．彼は音楽と自分の間に何らかの結びつきが存在すると感じていたが，確信を抱いているというわけではなかった．彼はこうした体験には何か特別な意味があると考え，自分の頭の中だけで起きているとも思わなかったが，それが実際にはよくあることなのかもしれないと考えることもあった．また月に1回程度であるが，夢か現実かわからなくなって混乱することもあったという．しばしば夢があまりにも現実的過ぎるので，それが現実に起きたことなのか夢の中の出来事なのかを友人に聞いてみなくてはならないこともあった．それは6か月前に初めて出現した体験だった．

　イーサンは4か月前から週に1回程度，異常な知覚体験が出現するようになったと述べた．ほんの1秒か2秒程度だが，目の前の廊下をネズミが横切ったり，窓の向こうに黒い物体が見えたりした．気を取り直し

てもう一度見るとすでにそれは消えており，何かの錯覚に襲われたのだということは理解できた．また車を運転しているときに，白いシャツを着てオレンジ色の短いパンツを履いた黒人の大男が何度も現れるといった，繰り返される幻視も報告している．ごく一瞬ではあったが，掛布団に大きな黒い円が描かれていたり，テレビ画面に本来あるはずのない何かが見えたりすることもあったという．そうした現象は彼が疲労を感じているときに出現していた．また月に1回程度，（車の中や教室などで）ちょっとの間座って立つときに，自分の手足が離れていくような感覚を覚えたとも述べている．それはまるで自分の手足が恐竜時代の森のジャングルの中に置き去られたみたいに感じられた．別の言い方をすれば，それは「年を取っていくような」感覚であったという．彼はテレビの電源の低いうなりのような音にかなり過敏になっていて，自分だけがそれを遠くからでも聞き分けられるとも述べた．

　イーサンはこの半年間に，文章内の言葉を混同して使っているのに気づくことが2週に1回程度あったという．例えば，「ビーカーに水を入れる」という代わりに「ビーカーを水に入れる」と言ってしまったりすることがあった．彼はしばしば数字を混同することもあったというが，こうした混同は面接中には特に見られなかった．

ケース4：フェリペ

背景情報

　フェリペは21歳の独身男性で，街中にあるクラブハウスに住んでいる．彼は原子力工学の専門課程の2年目を終えたところであり，現在は夏休みを利用し，ガソリンスタンドのアルバイトをフルタイムで行っている．

主訴

　フェリペは11か月前，かかりつけの精神科医に自ら「統合失調症の症状」だと述べた現象が，今もなお続いていることを明らかにした．精神科医は彼をリスクシンドロームクリニックに紹介した．また以前から，不安感や感情の平板化にも悩まされていたという．

これまでの精神科治療歴

フェリペは不安症状の持続を理由に，約4年間，その精神科医のもとに通っていた．彼は強迫性障害およびパニック障害と診断され，ベンラファキシンが処方されていた．受診開始から1年ほどして，軽度の知覚異常と睡眠障害が出現し，リスペリドンが1日1mg処方された．彼は1週間服用を続けたが，その後は服用も不規則になった．

物質使用歴

飲酒は限られた機会のみであり，誘われて大麻を試した経験がある．

SCID

強迫性障害および広場恐怖を伴わないパニック障害に該当する．

◀ SIPSによる面接の要約 ▶

何か急に「スイッチが切れて」，周囲の現実感が失われるような感じを持つことが彼には以前からあったが，その出現はまれで，持続も数分程度だった．また誰かが自分の心を読み取っていたり，自分の考えを口に出して言っていたりする感覚に一瞬とらわれることがしばしばあったが，それはすぐに消失するものであり，ストレスを生じるものでもなければ行動を左右するようなものでもなかった．

彼は時々見知らぬ人が自分のことを悪く思っているように感じることがあり，周囲に対して不信感を抱くことがあった．人ごみの中では自分が被害に遭わないようにたえず用心していたが，一方で自分など相手にされていないと思うこともあった．彼はしばしば周囲から見られているように感じることもあったが，誰が見ているのか，なぜ自分なのかはよくわかっていなかった．彼は面接に対しても警戒心を示し，評価の際に学生が同席することを拒んだ．このような警戒心については，物心がつく頃からすでにあったと彼は述べた．

彼は自分を知的に高い人間であると考えており，多くの人々—大学の教授も含めて—よりも自分の方が知的に優れていると感じていた．彼は教授たちと議論をして，相手が面食らうのを見るのが好きだと述べた．彼の態度には至る所に優越感の存在がうかがわれたが，非現実的な計画に夢中になる様子は見られなかった．

最近の3年間には，物がゆがんで見えたり，視界を横切る斑点が現れたり，花など何もないのに一瞬何かの匂いがしたように感じたりすることが，月に1,2回あったという．こうした知覚の変容は特に彼の行動を左右するようなものではなく，彼がそれを何かと関連付けるということもなかった．

彼は一人でいることを好んでいたが，クラブハウスのメンバーとの付き合いには消極的ながら参加した．だが彼は自分から話しかけることもほとんどなく，そうした付き合いに何ら楽しみは見いだせなかったという．

ケース5：ジーナ

背景情報

ジーナは16歳の白人女性で，両親および2人の姉妹と一緒に住んでいる．彼女は現在ハイスクールの10年生（高校1年生）であり，成績はBが主だが，昨年まではオールAの優等生であった．

紹介元

彼女をクリニックに紹介したのは地元の学校で心理士をしている彼女の母親であり，母親はクリニックに関する説明を以前に聞いたことがあった．

現在の問題

ジーナはこの3か月，考えがぐるぐる回るのとひどい悪夢にうなされるのとで，十分に睡眠がとれなくなっていると訴えていた．彼女の成績は低下し，自分でもおかしくなっていると思い始めた．彼女は周囲に対しても不安感を抱き始めたが，友人との接触や学校でのスポーツ活動は依然継続していた．

これまでの精神科治療歴

これまでに精神科サービスを利用したことはない．

物質使用歴

昨年2回ほど，マリファナを試したことがあった．飲酒は付き合いなど限られた機会のみでしかない．

既往歴

　母親からの情報では，ジーナは生後6か月まで腸の具合がひどく悪く，結果的に体重が十分に増加せず，5歳半になっても体重は4.5 kgを下回っていたという．彼女は1年半前に潰瘍性大腸炎と診断されている．他には運動の際に膝と肩に怪我を負った以外，目立った既往症はない．

薬剤の処方歴

　過去に腸炎で薬剤を処方されたのみである．

精神疾患および物質使用に関する家族歴

　両親いずれの家系にも，不安障害が頻繁に出現している．

合併症

　Ⅰ軸およびⅡ軸疾患のいずれの診断基準にも該当しない．

GAF 現在のレベル / 最近1年間の最高レベル

　60/90

◀ SIPSによる面接の要約 ▶

　ジーナは自分の周りで起きる出来事が自分にとって特別な意味を持っているように思うと述べた．テレビを見ていると，彼女はそこに自分の行為に対するメッセージを感じ取った．人から話しかけられると，それは自分の行った悪事に対する戒めを，あるいはこれからしようとしている悪行への警告を，神様が発しようとしているのだと思い込んだ．彼女はほとんど毎日のようにそうした考えを抱き，以前よりそれを強く信じるようになった．こうしたメッセージによって，自分の言動や行動を変更しなければならないこともしばしばあった．彼女はそれを頭から払いのけることができなかったが，面接時に促されると，反証となるような体験を思い起こすことでそれが現実かどうかを疑うことも可能であった．

　彼女は3か月前から，視界の端にぼんやりとした，白い小さな人影を認めるようになった．その影のいる方向に目をやるが，そこにはきまって何もなかったという．また同様に視界の端に猫や小動物のような何かが動くように見えることもあったが，やはり実際にはそこには何もいなかった．こうした出来事は週に少なくとも2,3回出現していた．

　また週に少なくとも1,2回は，自分の部屋の揺り椅子に誰かが座って

いるのを目にしたという．だがよく目を凝らして見ると，そこには誰もいなかった．その誰かは彼女にとってほとんど現実のように見えたというが，それについて質問されると，彼女は単なる想像の作り出したものかもしれないとも認めていた．

彼女は誰にも聞こえない音が聞こえてくることがあるとも述べた．誰もいないのに車庫の扉が開く音がしたり，誰かが階段を上がっていく音がしたり，ドアがバタンと閉まる音が聞こえたり，テレビのスイッチがついたりすることがあったという．こうした現象はほぼ連日のように出現し，彼女は何か心霊作用のようなものが自分を混乱させようとしていると考えていた．それは彼女にストレスを与え，しばしば恐怖をもたらした．彼女は恐怖を和らげようと一晩中電気を点けてなくてはならないこともあった．だがその体験について問われると，それは単なる空想かもしれないとも認めていた．

ケース6：ヒース

背景情報

ヒースは15歳の白人少年で，実母と継父および二人の兄弟と一緒に生活している．両親は彼が7歳の時に離別していたが，彼は実の父親と年に2回ほど定期的に会っていた．彼は10年生であったが，最近は学校に通わなくなっていた．

紹介元

学校の無断欠席を理由に面接に応じた心理士によって，ヒースはリスクシンドロームクリニックに紹介された．

現在の問題

ヒースは気分の落ち込みとモチベーションの低下がひどく，それが学校に行けなくなった理由だと述べた．気分と気力の低下は以前に比べ，より悪化していると彼は自覚していた．彼は元々やや内気な性格ではあったが，今では友人と会うことも全くなくなっていた．彼は一人自分の部屋に閉じこもり，家族とも食事の時以外は会わなくなった．

これまでの精神科治療歴

学校で心理士によって行われた1回の面接のみである．

物質使用歴

使用歴はない．

既往歴

特記すべき既往症はない．

薬剤の処方歴

かかりつけ医から現在フルボキサミンが1日50 mg処方されている．

精神疾患および物質使用に関する家族歴

父親が慢性期の妄想型統合失調症と診断され，治療を受けている．

合併症

SCIDおよびDIPDを用いた評価の結果，Ⅰ軸／Ⅱ軸疾患のいずれの診断基準にも該当しなかった．

GAF 現在のレベル／最近1年間の最高レベル

40/60

◀ SIPSによる面接の要約 ▶

ヒースは3か月ほど前から「何か今までと違う感じ」が続いていると報告した．彼は理由もなく悲哀感を抱いたり，頭がおかしくなりそうになったりすることがあったという．これまで欠席の珍しい優等生であった自分が，なぜ今は朝起きることさえままならなくなってしまったのか，彼は自分でも困惑していた．だが不自然な内容の思考，猜疑心，誇大性，知覚の異常，コミュニケーションの問題のすべてに関して，彼にはいかなる症状も認められなかった．

ケース7：イングリッド

背景情報

イングリッドは20歳の白人女性で，カレッジの2年生をちょうど終えたばかりである．彼女は授業のある期間は寮に住み，学校が休みの期間は自宅に戻って両親と2歳下の妹と一緒に生活していた．彼女が3年

生に進級して以来何か不安げで内向的になっていると，彼女ばかりでなくその家族も最近指摘していた．

紹介元

インターネットから情報を得た母親によって，彼女はリスクシンドロームクリニックに紹介された．

現在の問題

彼女は次から次へと浮かんでくる意味をなさない考えや，猜疑心，いくつかの奇妙な聴覚／視覚体験に悩まされていると報告した．

これまでの精神科治療歴

彼女は7年生のときに社会恐怖症状の治療を目的に地元の医師を受診した．9年生時には同症状に対する認知行動療法を地元の小児保健センターで受け，11年生時には精神科医を受診し，薬の処方を受けた．

物質使用歴

アルコールを含むいかなる物質に関しても使用歴はない．

既往歴

彼女は予定日より3週半早く産まれたが，母親によれば出産時もその後の経過も問題なく順調であった．発達経過も概ね正常であったが，小さい頃から腹部症状を訴えることが多かったという．

薬剤の処方歴

2年前にシタロプラムが処方されていたが，昨年からセルトラリンに変更され，不安時の頓用でアルプラゾラムが処方された．だが今夏に学校が終わってからは，アルプラゾラムは一度も使用していないという．

精神疾患および物質使用に関する家族歴

母方の祖父母が二人とも不安障害と診断され，薬物療法を受けていたという．他に家族歴は指摘されていない．

合併症

SCIDによる評価の結果，広場恐怖を伴うパニック障害および社会恐怖の基準に該当した．またDIPDを用いた結果，彼女は回避性パーソナリティ障害および依存性パーソナリティ障害に該当したが，失調型パーソナリティ障害の基準は満たさなかった．

◀ SIPSによる面接の要約▶

　彼女は6か月前から奇妙な体験をするようになったと述べている．その最初は鮮明なデジャヴ体験であり，それは連日のように出現したため，彼女はしばしば何が現実で何が空想か区別がつかない状態に陥った．自分のものとは思えない考えが頭の中をぐるぐる回る体験も，週に2回程度出現した．こうした体験は自分の心が「制御不能」になって，ある種の錯覚を起こしているのだと彼女は考えていた．それは止まることなく続いたため，今では苦痛に感じるようになっていた．また彼女は毎日のように，シャワーを浴びているときにそばに人がいるような気配を感じていた．その感覚について説明を求められると，彼女はそれを「そばに宇宙人がいるような感じ」と述べた．頭の中ではそのようなことはあり得ないと分かっていながら，彼女はしばしば強い不安を感じていた．

　面接中に，彼女は面接者が自分の心を読み取ることができるのではないかという懸念を口にした．面接者がそれを否定すると，彼女は理解を示し，その後の質問には快く応じた．そうした考えを読み取られるという不安は，カレッジで教授といる時—週に1回程度—にもしばしば認められた．それは自分が間違いを犯さないようにとか何かおかしなことを口にしないようにと，過剰に意識しているせいではないかと彼女は考えていた．だが一方で彼女はしばしば，それが本当に現実でないのかどうか分からなくなることもあった．

　彼女は他人が自分を見て笑っているとか自分のことを話していると，毎日のように感じることがあると述べた．すぐにそれがあり得ないことだと気づくのだが，それでもその感覚は消えることはなかった．これも同様に6か月ほど前から生じたものだった．また彼女は他人の真意を疑う（例えばなぜ友人でいてくれるのか，など）ことがあるとも述べていた．今学期の成績がオールAだったとき，誰かが冗談でそれは本当の成績ではないと言ったことで，それを確かめるために彼女は何度もウェブサイトをチェックしなくてはならなかった．彼女はまた，教授が自分を監視していて，他の学生とは区別して扱っているように感じていた．彼女はこれらの体験を思い出したくもなかったし，それについて話すのも辛かったが，かといってそれが頭から離れることもなかった．彼女は面接

中も，いくつかの質問に対して容易にいらいらした様子を示した．

　イングリッドは家に誰もいないのに人の気配がすることがあるとも述べていた．それは学校から自宅に戻った4か月前に始まり，少なくとも1日に1回は出現していた．それは「過度の」空想によるものだと彼女は考えていた．また自分の考えが外で話されているかのように聞こえてくることもあった．それは約2か月前から週に1,2回出現していた．彼女はそのような体験がなぜ生じるのか不審に思い，自分の考えに集中し過ぎていることと何か関係があるのではないかと考えた．さらに彼女は，視界の端に何かの影が見えるなどといった視覚の異常を約1年前から，今では少なくとも1日に1回は体験していた．週に2回程度，それが誰かの人影である場合もあった．だがよく見るとそこには誰もいないため，彼女はそれが現実ではないと考え直すこともできたが，なぜそれが起きるのかが分からず，恐怖を感じるようにもなった．

　イングリッドは話をしている時に，自分が何を言いたいのか一瞬わからなくなることがあり，また相手に合わせようとすると混乱しやすくなるとも述べた．それは面接中にも認められていた傾向でもあった．

　彼女にはカレッジがあるときでも休みのときでも，定期的に会う親友が一人いた．だがその友人以外には，彼女はほとんど交流を持たなかった．彼女が以前はもっと社交的で，スポーツやダンスにも積極的に参加していたと，彼女だけでなく彼女の母親も語っていた．こうした変化は昨年夏に生じたものだった．彼女は他人と一緒にいると気分が悪くなるために一人でいるのを好むようになったと述べ，それは彼女が社交恐怖と診断されている根拠でもあった．彼女は家族とは定期的に会い，共に時間を過ごしていた．

ケース8：ジェシー

背景情報

　ジェシーは20歳の独身女性で，カレッジの2年生である．彼女はオンライン上の募集広告を見て，研究への参加を自ら希望していた．アルバイトなどはしておらず，家族と一緒に生活している．

紹介の理由

　彼女はいらいら感や易怒性，浅眠，抑うつなどの症状が最近出現しているとえていた．かかりつけの医師はこうした症状が双極性障害によるものだと考えていたが，精神科医の診断はうつ病だった．また彼女には，最近の機能低下と妄想的思考の存在も認めていた．家族歴としては母方の叔父に双極性障害が認められていたが，それ以外の一親等・二親等家族に精神病の罹患歴などは認めていなかった．

現病歴

　彼女は精神的に安定している時期があったかと思えば，すぐに抑うつ感や悲哀感，怒りの感情が襲ってくるのだと述べた．こうした周期的な感情の変化はこの2年間見られており，1回ごとに数日間にわたって持続した．したがって最近の2年間，彼女は何かに集中するのにも勉強をするのにもひどく苦労させられていた．彼女はすぐに気が散ってしまって，課題をこなすことができず，いくつかの授業の単位を落とした．この2年間に衛生観念も薄れていき，今ではシャワーも週に1回しか浴びていなかった．睡眠障害の既往は否定していたものの，しばしば入眠困難や中途覚醒を認め，日中も倦怠感が持続することがあった．事実，フルオキセチンの他に現在は睡眠薬も服用していた．彼女は易怒性と抑うつ症状に対して心理士と精神科医による治療を7年生時から断続的に受けており，過去にセルトラリンとエスシタロプラムを処方されたことがあった．

　SIPSによる評価の際に，彼女は人々が自分を悪者だと考え，嫌っているのではないかと思うなどの猜疑心がしばしば出現すると報告した．こうした懸念は昨年から生じ，特に近所の人が窓から自分を監視していると思い込むようになった．見られているという感覚自体はそれほど彼女を悩ませるものではなかったが，それでも誰にも見られないようにと彼女は常にブラインドを下ろしていた．猜疑心は最近少しずつ悪化していたが，それがたとえ彼女には現実のように感じられたとしても，自分の空想に過ぎないとも考えることはできた．それによって直接行動が左右されるということはなかったが，彼女は徐々に孤立を深めていった．

　彼女はここ何年も自分の家族や級友を信用できなくなっており，彼ら

が様々な嘘を並べているとしばしば思い込むようになったと述べた．彼女は一人でいることを好むようになり，人込みで落ち着いていられず，他人の欠点を探してばかりいるようになった．

また彼女は眠りに就こうとするときに，音に敏感になるのを感じていた．隣人を特にうるさく感じ，しばしば母親にも騒音が聞こえているかと確かめたが，母親は何も聞こえないと言い，しばらくの間それが繰り返された．彼女はハイスクールにいた頃から光に対する過敏性が増しているとも述べていた．

最近彼女は言葉の意味を誤って用いることが多くなり，会話の中で注意が散漫になるのを感じていた．これは彼女にとっても今までなかったことであった．だが面接中，そうした特徴は明らかには認められなかった．

SCIDによる評価の際，彼女は手洗い強迫や物の順序へのこだわりなどの強迫的な性質に加え，一晩に4, 5回ドアの鍵が閉まっているかを確かめるなどの確認強迫が過去に存在したことを認めていた．

これまでの精神科治療歴

かかりつけの医師は彼女が双極性障害ではないかと疑っていたが，一方精神科医は彼女がうつ病であると考えていた．彼女は現在ブプロピオンを処方されており，過去にセルトラリンを服用したこともあったが，めまいが出現したため中止となっていた．

物質使用歴

アルコールを含むいかなる物質に関しても使用歴はない．

合併症

I軸診断：特定不能のうつ病性障害および強迫性障害

II軸診断：保留

ケース9：キャサリン

背景情報

キャサリンは30歳の白人の独身女性で，2年間の南部暮らしの後，昨年から今の自宅で犬と一緒に暮らすようになった．彼女は大学卒で，

最近インターネット上で会計学の修士コースを受講しており，同時に経営学修士（MBA）のコースも受講し始めた．彼女は普段動物や老人へのボランティアの仕事をしており，数か月以内に会計士になるための試験を受ける予定だった．近くに友人が一人だけいるが，それ以外は家族とも接触を避けるようにしていた．

これまでの精神科治療歴
5年前に大うつ病性障害のエピソードを認め，2年間抗うつ薬による治療を受けていた．

既往歴
これまでに喘息とある種のアレルギー，乾癬の既往がある．

物質使用歴
使用歴はない．

精神疾患および物質使用に関する家族歴
特記すべき家族歴は認めていない．

GAF 現在のレベル / 最近1年間の最高レベル
68/75

◀ SIPSによる面接の要約▶

キャサリンは昨年以来「非現実的な」体験が増えてきているという．彼女は日々何が実際に起きていて何が起きていないのか，混乱し当惑することが多くなっていると述べた．それは例えば，誰かの家のドアベルを自分が鳴らしたかどうかとか，その会話を本当にしたのかどうかとか，その仕事をやり終えたかどうかなどの単純な物事だった．その体験は通常数秒間持続し，彼女にストレスをもたらした．彼女はそうしたことがなぜ生じるのかよく分からなかったが，それ以外にも頻繁にデジャヴを体験していたことから，それもその一部か，あるいは睡眠不足によるものと考えていた．また彼女は，物事が自分の意識の及ばないところで進んでいるような感覚があると訴えた．それは良くないことが起こりつつあるのに，それが何であるかわからないために対応しようがないというような感覚だった．その感覚は彼女に不安をもたらし，彼女はその瞬間全神経を集中させ周囲に注意を払った．こうした体験は2,3年前から始

まっていたが，この1年間に頻度が増していた．

　また彼女は，過剰な自意識についてもいくつか報告を行っていた．彼女は車のナンバープレートにある特別な意味が隠されていると考えていた．例えば何か不安を抱えているときにアラバマのナンバープレートを見たとすれば，それは不安がより一層悪化するということを意味していた．逆にオハイオのナンバープレートであれば，それは事態がいずれ好転して安心感が得られるという意味だった．さらにラジオから流れてくる曲の中にも，彼女は特別な意味を見出していた．一度，自分が最近おかしくなってきていると感じていたときにちょうどクリニックのラジオ広告が流れてきたことがあった．彼女は自分でも驚いて，その広告は何かの冗談なのではないかと考えた．こうした体験は週に数回出現しており，昨年以来徐々にその意味が明確になってきているという．

　キャサリンは最近1年間に，週に2回程度，見知らぬ人たちから見られているという感覚を抱くことがあった．彼らは人目につきにくい場所にいて，そこから彼女に注意を向け，監視を継続していた．いったい何が起きているのか，彼女は不安になった．犬を散歩しているときやスーパーで買い物をしているときなど，それはいかなるときにも出現していた．彼女は自分が「妄想にとらわれているだけ」だとも考えたが，最近の数か月間彼女は自分が誰かわからないように，外に出るときはIDバッジを裏返すようになった．そうする理由は自分でもよく分からなかったが，おそらく自分が他人を信用していないからだと思っていた．

　彼女は昨年から自分にしか分からない匂いを嗅ぐようになったと述べた．それは10月なのにライラックの香りが漂ってくるといった，現実的にはあり得ないような匂いだった．最近の数か月間では週に2回程度，アパート内に食べ物の腐ったような匂いや動物の糞尿の匂いが立ち込めているのに気付くことがあった．だが彼女の住んでいる場所を考えれば，そのような悪臭がどこからか立ち上ってくることなどまずあり得ないことだった．彼女はなぜこうした体験が生じるのかわからず，不安に思い動揺した．

　キャサリンは昨年以来，会話中に言葉が出てこなくなることが明らかに増えていると述べた．だが面接の際には，時々独り言を言うことは

あったものの（自分ではそれに気づいていなかった），そうした特徴はそれほど明白ではなかった．

彼女はこれまでずっと一人でいることを好み，大半の時間を犬と一緒に過ごした．他人と一緒にいると落ち着かない気分になるため，仕事以外の付き合いは最小限でしかなかった．ただ，今も E メールのやりとりをしている旧友が，彼女には何人かいた．家族との交流も今はほとんどなく，面接の際，それについて話すことを彼女は望まなかった．

ケース 10：ルーク

14 歳の少年であるルークは，学校でかんしゃくを起こし教師に脅し文句を吐いて病院へ送られた後，状態評価の目的でリスクシンドロームクリニックに紹介された．彼はジプシーカードの膨大なコレクションを持っており，それで遊んでばかりいて学校にも行かないので，両親はカードを彼から取り上げてしまった．彼は父親がカードを悪の根源とみなして，それを捨てたのだと考えていた．彼が学校にカードを持ってきていたことを両親に言いつけたと，彼は生徒指導カウンセラーを責めた．彼はカウンセラーのオフィスを破壊して，自分が失ったものがどれほど大きいかを知らしめようと考えた．そのカードは彼にとってとても貴重なものであり，何物にも代えがたいものだった．

ルークにはこれまで精神科治療歴はなく，アルコールや薬物の使用歴もなかった．彼は成績不良やいじめ被害などの問題で，週に 1 回スクールカウンセラーと面接を行っていた．

GAF 現在のレベル / 最近 1 年間の最高レベル
51/61

◀ SIPS による面接の要約 ▶

ルークは自分の中に悪の側面，あるいは邪悪な精神とでも呼ぶべきものが存在すると考えていた．例えば勝手に扉を開けて叔父の飼っている 2 匹の犬を逃がしたのは，自分の中の邪悪な人格がそうしたのだと述べた．だが彼は扉を開けたことを覚えておらず，したがってそれは実際に

は他の誰かがしたのかもしれないとも認めていた．

　彼は邪悪な精神が彼の周囲を常に荒らし回っていると述べた．もし何かがいつもと違う場所に置かれていれば，それは彼の中の悪霊の仕業だと考えた．だが面接者が別の説明を求めると，それは兄の仕業かもしれないとも述べた．こうした現象は約5年前から始まっており，今では週に少なくとも1回から2回認めていた．その邪悪な精神が実際にどのような姿形をしているのか彼には分からなかったが，おそらく宙をさまよう霊魂か動物の類だろうと考えていた．毎晩彼が眠りに就こうとするときに，クローゼットの中でそれが動く気配を彼は感じていた．それは4年前からあったが，ここ3か月は認めていないという．

　ルークは周囲の人々が自分を痩せ過ぎだと思っていて，たとえ道を歩いている見知らぬ人であっても，それを自分に注意してくるように感じることがあった．彼は学校でもいじめを受けており，自分の物を取られたり，なくされたり，許可なく勝手に使われたりするので，他人を信用できなくなったと言った．時々道を歩いているときに彼をじっと見ている人がいると，自分のバイクを盗もうとしているのではないかと疑うこともあった．

　彼は学校やショッピングモールなどの人込みの中にいるときや，あるいはただ大通りを歩いているときでも，自分の名前を呼ぶ声がすることがあると述べた．彼はたしかに誰かが名前を呼んだと思い，振り返って辺りを見回してもそこには誰もおらず，馬鹿にされていると思って怒りを覚えた．それは週に2回程度出現し，最初は今学期の初めだったというが，正確な日時はわからなかった．

　また一度だけドアの内側に鳥が飛びこんでいくのを見たことがあった．だが実際には中を探しても鳥はおらず，彼はひどく困惑したという．

　彼はどこから生じているのかわからない不快な匂いを嗅ぐことがあったとも述べている．それはまるで有毒ガスのような匂いであり，木に生えた緑のカビか何かのようにも思えた．彼はその匂いを想像すると，実際にその匂いが漂ってくると言った．周囲にそういう匂いがしないかどうか確かめてみたが，その匂いを嗅いだのは自分だけで，それもまた腹立たしく思った．そうした体験はどのような場所でも出現し，彼はその

都度確かに匂いを嗅いでいると考えていた．それは1か月前から始まっていて，かなりのストレスをもたらすものであり，彼はしばしば自分の鼻に水や石鹸を入れて匂いを消そうとまでした．匂いが生じるのは週に4回ほどあり，1回につき30分程度持続した．

ルークの話には一貫性を欠くところがあり，彼は話の要点を見つけ出すのに苦労していた．彼は自分のカードが奪われたことに執拗にこだわり続けたため，しばしば質問にきちんと答えることができなかった．彼は自分でも話すのは苦手であり，時々どういう言葉を用いればよいのかわからなくなることがあると述べた．

ケース11：マーガライト

背景情報

マーガライトは17歳のヒスパニック系の独身女性で，ハイスクールの3年生である．両親は彼女がまだ幼い頃に離婚しており，彼女は母親と2人の兄とともにプエルトリコで3〜11歳を過ごした．その後米国に移り，引き続き母親や兄とともに生活していたが，最近になって彼女は父親と一緒に住むようになった．それは彼女と母親とのいさかいが増えてきたことが直接の原因であった．

紹介元

以前クリニックに関する説明を聞いたことのあった父親が，彼女をリスクシンドロームクリニックに紹介した．

現在の問題

彼女は学校での成績の低下に加え，自尊心の低下，感情の起伏の増加，注意や集中の困難，引きこもり傾向などを訴えた．父親は彼女が抑うつ的で，いらいらしやすく，感情の波が激しく，我慢が効かなくなっていると指摘した．彼女も父親もこうした変化が6か月前から目立ち始めていたと述べた．

これまでの精神科治療歴

彼女は昨夏にボーイフレンドと別れてから，しばらくの間抑うつ状態にあったと述べた．それ以外には特に治療歴などは認めていない．

物質使用歴

彼女は最近マリファナを使用していたと報告した．使い始めたのは今年からだったが，その時には1週間にわたって連日吸ったという．その後は月に1回使う程度で，それも友人らとのパーティなど付き合いの場に限られていた．彼女は家での食事のときなどに少しばかり酒を飲むことがあったが，外で飲酒することはなかった．

既往歴

父親からの情報では，産まれた次の日にけいれんの発作が見られたという．彼女は2日間集中治療室で治療を受けたが，けいれんの原因は結局不明であった．その後は発作も見られず，特に問題は認めていないという．

薬剤の処方歴

これまでに特記すべき薬剤服用歴は認めていない．

精神疾患および物質使用に関する家族歴

本人からの情報では，祖父が双極性障害のエピソードにより何度も入院を繰り返していたという．また，祖母がうつ病で薬が処方されており，伯母も統合失調症と診断され現在も薬物療法を受けている．その他，精神疾患および物質使用に関する家族歴は認めていない．

合併症

SCIDによる評価の結果，部分寛解状態にある大うつ病性障害の基準に該当した．彼女は1年半前に中等度単一エピソードの大うつ病性障害に合致していたが，その後特に治療を受けなかったにもかかわらず症状は2か月で軽快し，以来大うつ病性障害の基準を満たすことはなかった．

DIPDによる評価の結果，いかなるⅡ軸疾患の基準にも該当していなかった．

GAF 現在のレベル / 最近1年間の最高レベル

61/70

◀ SIPSによる面接の要約 ▶

マーガライトは知らない間に自分の考えを口に出して言ってしまったのではないかと不安になることがしばしばあった．特に込み合ったス

ポーツジムで，ヘッドホンをつけてトレーニングをしているときにそう感じることが多かったという．だがそれ以外の時にも深く考え込んでいるときなどは，しばしば自分の考えを声に出してしまっていると思うことがあった．そうしたとき，彼女は誰も自分のことを見ていないかどうか確認するようにしていた．面接時，実際に自分の考えを無意識に声に出していると思うかと問われたとき，彼女は「本当にそんなことをするとは思っていません．あまりにしつこく考えてしまうのには嫌気が差していますけど」と答えた．このような体験はずっと以前から続いているものであり，月に 2 回程度出現した．

彼女は時々周囲の人が，自分をあまりよく思っていないのではないかと考えることがあった．実際にそう信じているわけではなかったが，自分に対する周囲の真意を疑うようなところがあるという．そうした考えは昨年から続いており，月に 2 回程度繰り返し生じていた．

一方，誇大性に関しては，それを示唆するような徴候や症状を認めなかった．

また彼女はしばしば，周りに誰もいないのに自分の名前を呼ぶ声やひそひそ話す声がしたり，鳴っていないのに携帯電話の音が聞こえたりすることがあったという．そうした体験は彼女を混乱させたが，自分の感覚が過敏になっているだけだと考えることもできた．

彼女は特にコミュニケーションでの困難は自覚しておらず，面接中にも特にそのような特徴は見受けられなかった．

評価のまとめ

〈ケース 1〉

キャンダスは不自然な内容の思考（P1＝3），猜疑心（P2＝3），知覚の異常（P4＝3）の各項目に基づいて，サイコーシス・リスクシンドロームの微弱な陽性症状群に該当すると判断される．また彼女には存在が疑われるレベルのまとまりのないコミュニケーション（P5＝1），および軽度の社会的無関心（N1＝2）も指摘することができる．

〈ケース2〉

　ダリックはサイコーシス・リスクシンドロームには該当しない．彼は中等度レベルの不自然な内容の思考(P1＝3)と，同じく中等度レベルのまとまりのないコミュニケーション(P5＝3)を示していたが，いずれの症状も1年前から持続的に出現しており，かつ最近の悪化を認めていない．DSM-IVの基準によればダリックは広場恐怖を伴うパニック障害と全般性不安障害に該当すると診断され，それによって彼の症状のいくつかを説明することが可能である．以上より，ダリックは非リスク型対照群に分類される．

〈ケース3〉

　イーサンは不自然な内容の思考(P1＝3)，および知覚の異常(P4＝3)の各項目に基づいて，サイコーシス・リスクシンドロームの微弱な陽性症状群に該当すると判断される．

〈ケース4〉

　フェリペはサイコーシス・リスクシンドロームには該当しない．彼はやや重度なレベルの猜疑心(P2＝4)と，中等度レベルの誇大性(P3＝3)，さらに同じく中等度レベルの知覚の異常(P4＝3)を示していたが，いずれの症状も1年前から持続的に出現しており，かつ最近の悪化を認めていない．その病像から，フェリペは失調型パーソナリティに該当すると判断される．

〈ケース5〉

　ジーナは重度だが精神病的ではないレベルの不自然な内容の思考(P1＝5)，および同様に重度だが精神病的ではないレベルの知覚の異常(P4＝5)を示しており，サイコーシス・リスクシンドロームの微弱な陽性症状群に該当すると判断される．

〈ケース6〉

　ヒースはいかなる微弱な陽性症状も呈していないものの，一親等家族に精神病罹患歴があり，最近1年間でGAFの30％以上の低下を認めるため，サイコーシス・リスクシンドロームの遺伝的リスクと機能低下を示す群

(GRD)に該当すると判断される．

〈ケース7〉
　イングリッドは不自然な内容の思考(P1＝4)，猜疑心(P2＝4)，および知覚の異常(P4＝4)の各項目から，サイコーシス・リスクシンドロームの微弱な陽性症状群に該当すると判断される．また，彼女には軽度のまとまりのないコミュニケーション(P5＝2)，および同じく軽度の社会的無関心(N1＝2)も指摘することができる．

〈ケース8〉
　ジェシーは猜疑心(P2)の存在によって，サイコーシス・リスクシンドロームの微弱な陽性症状群に該当すると判断される．だがこれらの症状は，SCIDで診断された大うつ病性障害のⅠ軸疾患によって，むしろ適切に説明することが可能である．彼女が示した人から悪く思われているという不安は，大うつ病性障害で一般に認められる思考と一致している．

〈ケース9〉
　キャサリンは不自然な内容の思考(P1＝4)の存在により，サイコーシス・リスクシンドロームの微弱な陽性症状群に該当すると判断される．また，彼女には存在が疑われるレベルの猜疑心(P2＝1)，軽度の誇大性(P3＝2)，軽度の知覚の異常(P4＝2)，および軽度のまとまりのないコミュニケーション(P5＝2)も指摘することができる．

〈ケース10〉
　ルークはサイコーシス・リスクシンドロームの短期間の間歇的な精神病症状を呈す群(BIPS)に該当すると判断される．彼には重度だが精神病的ではないレベルの不自然な内容の思考(P1＝5)，中等度レベルの猜疑心(P2＝3)，およびやや重度レベルのまとまりのないコミュニケーション(P5＝4)を指摘することができるが，これらの症状はすべて持続的で固定している．一方，知覚の異常(P4＝6)に関する症状は重度かつ精神病的なレベルに達しており，これによりBIPSの基準が適用される．

〈ケース11〉

　マーガライトはサイコーシス・リスクシンドロームには該当しない．彼女は不自然な内容の思考（P1＝2），猜疑心（P2＝2），および知覚の異常（P4＝2）を示していたものの，いずれも症状のレベルは軽度である．あわせてDSM-IVの基準により，彼女は部分寛解状態にある大うつ病性障害と診断される．以上から，マーガライトは非リスク型対照群に分類される．

PART C
PRIME クリニック：
サイコーシス・リスクシンドロームに対する実際の臨床

　イェール大学のサイコーシス・リスククリニックにおける我々の臨床経験は，すでに12年以上に及んでいる．その間に経験した多数のケースは，最終的に一群のデータとしてまとめられ，いくつかはこれまでに公表もされている．その個々のケースを見ていけば，一人の実在する若者が日々直面しなくてはならない，成長に必要とされる膨大な数の課題が浮かび上がってくるだろう．そしてその課題とは，自然界で我々が知る限り最も複雑な物質である人間の脳の，その完成に向けた最終的な神経学的プロセスを無事に乗り越えることでもあるのだ．

　この脳の発達プロセスが，遺伝的にプログラムされた想定上の軌道から突然，何の前触れもなくわき道にそれるということを―しばしば痛々しいほどに―彼らは明らかにしてくれる．こうした偏倚の傾向を予兆するものとして，例えば，幼少時における社交性の欠如や認知機能障害といった，発達早期に

現れる脆弱性や精神病様の知覚体験などが指摘されている．だが，精神病性障害のケースの大部分に認められる神経発達プロセス（例えば前述したような，シナプスの刈り込みの過程での異常など）は，生物学的には思春期まで出現せず，それ以前に進行することはないとされる．

　不幸なことに，この時期の変調はその後通常みられる多くのプロセスを，決定的に混乱させてしまう．思春期にさしかかった小児の大半は，数多くの発達段階を問題なく乗り越えており，その点に関して家族が不安を抱えていることもほとんどない．したがって，いずれその変調が無視できなくなればケアを求めることがあるとしても，最初にリスクの徴候が現れた時点では，彼らは決まってそれを認めようとせず，拒絶するのである．思考は急に常軌を逸したかのように，秩序に従うことをやめてしまう．非現実的な思考や感情，感覚イメージなどが，本来固有の，自分だけのものであるはずの意識空間や知覚体験を徐々に侵害していく．もはや自分の精神状態を，以前のように自らの意思で扱うことができなくなる．時には自分の考えが，自分の意図やコントロールの及ばないところから生じるようにさえ思えてくる．何かがおかしくなっていると頭では分かっていても，それが一体何なのか，それをどう説明し，どう対処したらよいのか，彼らには知る由もない．

　最終的に彼らの抱えるストレスや機能の低下，無力感などは誰の目にも明らかとなり，大部分が（特に感受性の高い，健康な家族などが）精神保健システムに自らアクセスしていくようになる．

イェール大学 PRIME クリニックにおけるリスク陽性ケースのマネジメント

　PRIME とはサイコーシス・リスク（<u>P</u>sychosis-<u>R</u>isk）の発見（<u>I</u>dentification），マネジメント（<u>M</u>anagement），さらに教育（<u>E</u>ducation）の頭文字を合わせたものであり，コネチカット州ニューヘイヴンのイェール大学医学部内にある，サイコーシス・リスクあるいは「前駆状態」のためのクリニックの名称でもある．PRIME クリニックは 1996 年に立ち上げられ，医学部キャンパス内の大小 2 つの精神科外来オフィスの中に位置している．より小さい方は研究を目的とした私立精神科病院に近接しており，大きい建物は研究および教育を

州と提携して行っている．コネチカット精神保健センター内に位置している．

　スタッフは精神科医，心理士，医療ソーシャルワーカー，あるいはそれらの研修生からなり，専門スタッフの数は臨床実務的な点でも，研究的な観点からも，十分潤沢であるといえる．スタッフの多くは臨床的な実務に積極的に携わっており，PRIMEクリニックからの委託業務だけでなく，医学部での教育なども行っている．クリニックの業務の大部分は研究資金による援助を受けており，そのほとんどは国立精神保健研究所(NIMH)によるものであるが，一部を製薬企業(薬物治療の臨床試験が対象)や私的な寄付(スタグリン音楽祭など)に拠っている．クリニックでは資金援助を受けて行う研究の他に，関係機関に対するサイコーシス・リスク症状とそのサインについての教育や，リスクが疑われるケースの評価を依頼する教育機関と医師との間のネットワーク作りなども行われている．

　PRIMEの中核的な役割は，サイコーシス・リスクシンドロームの基準に該当するケースの診断や治療，研究を行う精神医療センターである．そのクライアントには通常，患者本人，その家族や関係者のほか，本人を取り巻く教育システム上のキーパーソンも含まれる．

インテーク評価

　第8章から第10章でも詳述したように，紹介されたケースのインテーク評価の対象には，本人だけでなくその家族も含まれる．本人に対しては，SIPSだけでなく，DSM-IVにおけるⅠ軸およびⅡ軸疾患に対する構造化面接などの他の診断面接も併用して，詳細な臨床評価が行われる．家族も通常は同席してもらい，もし本人が未成年である場合にはそれは必須である．また同時に過去の既往歴や精神科治療歴も記録され，評価が行われる．すべての評価が終了した時点で，本人および家族に対し，評価結果とそれに基づく選択肢の説明が行われる．リスク陽性と判断された場合には，クリニックにおけるプログラムに加えて(関連する)臨床研究に関する説明も行われる．もし何らかの関心が得られた場合，インフォームドコンセントを行ったうえで，同意が得られた研究のプロトコールに対する割り付けが行われる．

PRIMEクリニックにおける標準的な治療プロトコール

　ほぼすべての説明に対して同意が得られたケースに対しては，一定期間ごとにSIPSを用いたモニタリングを行う形式の，包括的なプロトコールが一律に適用される．モニタリングの間隔は臨床的に安定していれば原則1か月としているが，症状の頻度の増加や，重症度の進行が疑われる場合には，より短い間隔でモニタリングを行う．モニタリングは通常，そのケースの治療をコーディネートするチームのスタッフが行っており，したがってそこでは，本人や家族の状況についてすでに精通しているという利点が生かされる．

　どのような研究であれ，すべてのケースはSIPSによる評価を受ける．さらにSIPSを用いたモニタリングに並行して，包括的な治療パッケージが提供される．それには週に1回の支持的な個人精神療法，（リスクや症状，精神病などに関する）心理教育，さらに認知行動療法（例えば知覚異常などの症状に対する対処スキルの検討など）が含まれている．

　家族とのミーティングも（本人を含める場合もそうでない場合もある），ただちに設定が行われる．後になって情報が追加される場合も多いため，必要に応じて心理教育のセッションも早期に設定する．あらゆる治療研究プロトコールにおいて，家族は通常月1回，個別の家族療法を受けることになる．万一症状が悪化し始めたり，状況が危機的に進行して注意や観察が必要となったりした際には，当然ながら家族との接触はより強化される．

　対象者が未成年である場合には，学校関係者との連携の確立にも努力が払われる．クリニックのスタッフは担任の教師や生徒指導カウンセラーと適宜面会を行って，本人の問題や特有の脆弱性（例えば複数の課題を同時に行えないなど）について情報提供を図る．教師はしばしば，本人が対人関係や遂行能力の面でより適応できるように，教室内での対応を考慮することもある．

　PRIMEクリニックのケースの大半は，不安感や抑うつといった症状に対して何らかの薬物療法を受けている．抗精神病薬（あるいはプラセボ）も治療研究の一環として，研究への参加に同意を得られたケースに対して処方されることがある．これまでに行われた研究としては，オランザピン，D-セリン，ジプラシドンを用いたプラセボを対照とした二重盲検試験が挙げられる．またケースの中には，PRIMEクリニック以外でかかりつけ医による治療を継

続して受けている場合もある．そのようなケースに対してかかりつけ医が抗精神病薬を処方している場合もあるが，その際には PRIME クリニックのスタッフは処方内容を記録するにとどめている．

　リスク陽性と判断されたケースで治療研究には参加しておらず，また PRIME クリニック以外でも治療を受けていない場合には，特に必要と判断された状況でのみ，クリニックから抗精神病薬が処方される．臨床上の「必要性」は個々のケースにもよるが，通常は SIPS の陽性症状項目のうち1つ以上で5点レベル（重度だが精神病的ではない）まで症状が進行した場合と考えられる．このような危機的状況に際しては，家族を呼んで状況を説明し，どのような徴候や症状，行動が抗精神病薬の使用を正当化するかについて情報提供を行う必要がある．これには SIPS のスコアが重度かつ精神病的なレベルにまで達した場合だけでなく，社会機能や現実検討能力の深刻な低下によって生じる自傷他害の可能性が認められた場合も含まれる．

精神病への移行に際して

　症状が進行して精神病的なレベルに達し，かつ機能低下が深刻である場合には，PRIME クリニックの精神科医によって速やかに抗精神病薬による薬物療法が開始される．治療研究に参加しているケースであれば，その研究プロトコールに基づく抗精神病薬が処方され，そうでない場合には精神科医によって薬剤の選択が行われる．

　同時に入院の必要性についても検討がなされるが，実際に入院が必要となるケースはそれほど多くない（後述）．したがって，抗精神病薬投与以外の治療もすべて継続したうえで，本人や家族が利用できる適切な地域精神病治療チームをできるだけ迅速に提供していく必要がある．クリニックでは原則的に，適切な治療が地域で確立されるまでの3か月間は，現状のモニタリングと治療を継続していくことを本人および家族に保証する．ここでの治療には薬物療法に対する保険も適用される．クリニックのスタッフは，公的なものであれ民間であれ，地域における治療ネットワークに精通しており，こうしたプロセスに熟達している場合が多い．同様に，治療に積極的に取り組んでいる中学校や高校など，精神病に罹患した若者に有用な地域における特殊な

サービスについても情報提供が行われる．

もし精神病に移行した時点での年齢が18歳に満たない場合には，児童・思春期を専門とする精神科医に紹介される．18歳以上であれば，通常の成人を対象とする精神科医に紹介が行われる．また，薬物療法を補完する心理社会的治療を提供するように訓練された心理士やソーシャルワーカー，上級看護師を含む開業チームにも優先的に紹介がなされる．保険に加入している家族には，こうした開業チームと連携する保険業者のリストが渡される．もし保険に加入していない場合には，コネチカット州で設定されているケアが提供される．それには未成年のための保険や成人のための公的な精神保健サービスなどが含まれている．

他の疾患への移行に際して（偽陽性群への対応）

PRIMEクリニックにおけるケースの大部分は，リスク陽性であるが精神病には移行しない精神病非移行群である（このようなケースのうち4例を，第13章で詳しく述べた）．2003～2006年の間にPRIMEクリニックの研究プロトコールに参加したリスク陽性の81例のうち，61例（75％）が精神病非移行群であった（表C-1）．これらのケースのうち何例かは，DSM-IVにおける他の精神疾患への移行を認めている．具体的には，抗精神病薬が投与されておらず，プロトコール上の薬物療法のみが継続された33例の精神病非移行ケース中，11例にSCIDを用いた面接を行い，そのうち5例にベースライン時には示していなかったI軸疾患（それぞれ大うつ病性障害，双極性障害，パニック障害，社交恐怖，特定の恐怖症）への移行を確認した．

同様の33例に対し，25例にSIPSによる評価を継続的に行ったところ，11例（44％）でリスク症状の消退を認めた．このような寛解群の大部分では，一見自然経過での無症候状態への回復が認められる．したがってこうしたケースにおけるリスクシンドロームは，通常の発達に伴って生じる一時的なストレスの，臨床的な反映の一種と解釈すべきかもしれない．精神病非移行群の残りの14例（56％）については，評価期間中もリスク症状が持続していたが，そのうちの3例は症状の種類と持続期間から，経過中に失調型パーソナリティ障害の基準に合致した．だがフォローアップ評価の期間が群間で差

表 C-1 イェール大学 PRIME クリニックにおけるサイコーシス・リスクシンドロームと精神病移行例の割合(2003〜2006 年)

	N
SIPS による評価の対象者	222
リスク陽性と診断されたケース	96(43%)
アリピプラゾールあるいはグリシンを用いたオープンラベル試験に参加したケース	7
抗精神病薬(アリピプラゾール,リスペリドン,クエチアピン)を用いた治療を紹介前に受けていたケース	8
PRIME クリニックのプロトコールが適用されたケース	81
精神病性障害に移行した例	20(25%)
統合失調症	8
失調型感情障害	2
精神病的特徴を伴う双極性障害	6
特定不能の精神病性障害	3
精神病的特徴を伴う大うつ病性障害	1
抗精神病薬が投与された精神病性障害移行例	20
入院治療を要した精神病性障害移行例	2

があるため(寛解群では平均 21 か月であるのに対し,非寛解群では平均 9 か月),非移行群における寛解率(44%)はやや低く見積もられている可能性も否定できない.

発症前状態に対する早期発見・早期介入のリスクとベネフィット:予防と偏見

　思春期や若者に対してより広く関心を向けることがいかに必要であるか,また「第二次神経発達段階で生じる疾患」の予防と治療のために早期発見がいかに重要であるかに米国の健康保健システムが気づくまでには,相当の時間が必要であったといえる.このような関心の低さの原因の 1 つとして,深刻な精神疾患が見間違えようのない程度に明確な形で現れるよりも前に,その可能性を指摘することへの抵抗感が存在する.その警戒心の裏には,相手に誤ってリスクを宣告してしまう失敗を事前に回避したいという当然の心理が働いている.事実,現時点でも偽陽性となる確率は「真の陽性」を見出す率より 2〜3 倍も高いのである.

この真のリスク陽性と偽陽性との区別の問題から生じる種々の難題は，早期精神病を専門とする研究者の間でこれまで何度も議論になっていた．彼らの多くは，リスク陽性と誤って診断されフォローされるケースにはより大きなリスクが存在しうることを認めており，自身の精神の健康に不安を抱えたまま実際には必要のない治療を受けることで，不要な恐怖感や偏見がもたらされると考えている．実際にこれらは事前に回避すべき，かつ真剣に考慮する必要のある，まず妥当な懸念であるといえよう．しかしながら現実にクリニックを訪れる人々はすべて自ら援助を求めており，そうした偏見などはあまり大きな問題にはならない．彼らは何かがおかしくなっていると感じており，そこには何かしら問題が存在しているとすでに認識している．もちろんその問題が「精神病的な」ものであるとは考えたがらないかもしれないが，しかしそうした病が地平線上に近づいているかもしれないという可能性を無視できなくなったがゆえに，彼らはその症状に向き合うことを選択し，精神疾患にまつわる「偏見」から逃げないことを選んだのである．

　偏見が治療に際してそれほど大きな障壁にならない別の理由として，病気という診断を伝えるのではなく，リスクを指摘していることが挙げられる．この段階においては，疾患の存在はあくまで可能性上のものでしかない．この不安定な状況について本人および家族との間で十分な議論が交わされ，リスクレベルの変化の指標となる症状や徴候などに加えて，現時点での発症の確率が—指摘しうる範囲で—互いに共有される．また他の疾患における「発症予備状態」—例えば糖尿病や心疾患などのリスクを示唆する症状や徴候—との類似性に言及することもある．他の聞き慣れている疾患を引き合いに出すことで，しばしば過剰な恐怖心を取り除くことができるだろう．そうすることによって本人もその家族も，無力感や不当な差別意識が徐々に薄れ，より積極的にリスクを注視するようになると考えられる．

　では，リスクが真の陽性であった場合にはどうなるのであろうか？　精神病のまさに発症の途上にあるケースが見過ごされ放置されてしまうことも，またきわめて重大である．それは医療の観点からも，倫理的な視点からも，同様の重大さをはらんでいるといえる．我々のPRIMEクリニックでは，「真に」リスクのあるケースに対して何の手も差しのべられなければ，偽陽性の場合よりもずっと深刻なリスクがもたらされると考えている．リスクが気づ

かれずに放置され，準備もされなければ，最初の精神病の発症が不意に到来した際に生じる衝撃は，結果的により大きなものになってしまうだろう．精神病の発症はそれ自体十分に悲劇的であるが，そこにさらに本人や家族，周囲の驚きが加われば，より混乱は増し，不幸な結果を招くことも考えられる．不合理な思考や感情に基づく行動は，その個人の安全や社会的な評価，さらに治療システムとの関係構築の機会などを著しく損なう可能性がある．その点から言っても，精神病がもたらす最初の「打撃」が治療もされずに放置されるという状況は，医療的な緊急性が高いといえる．

精神病発症のリスクを同定しそれを経時的にモニタリングすることによって，たとえそれがごく最低限の介入であっても，こうした不幸な事態を回避することが可能となる．**表 C-1** にまとめた PRIME クリニックにおける転帰の結果は，この点を明らかにしてくれている．PRIME クリニックのプロトコールが適用されたケースのうち約 2 年以上にわたるフォローアップの間に精神病性障害に移行したのは 81 例中 20 例（25%）であり，表中にその内訳を示した．この非薬物療法下における精神病移行率は，1998〜2000 年の間に行われたコホート研究（1 年後の移行率は 14 例中 7 例，50%）[50]の半分の数字であり，1998〜2003 年の間に行われた無作為試験[29]でのプラセボ服用群（1 年後に 29 例中 11 例，38% が発症）の 2/3 の割合である．この相違が生じた理由の 1 つとして，PRIME クリニックでは研究開始当初，臨床試験以外に構造化されたモニタリングプログラムを提供していなかったことが考えられる．また，こうした薬物療法を用いない構造化されたモニタリングプログラムが提供可能となったことで，対象基準は満たすもののその中でも比較的症状の軽い群が引き寄せられたと考えることもできる．あるいは一方で，プロトコールや治療プログラムの適用を自ら選ぶようなリスクシンドロームケースはむしろ精神病を発症するリスクが元々は高いが，そうした治療によってそのリスクがより軽減されたと考えることも――実証は当然困難だが――可能ではある．

精神病を発症したケースではすべて，プロトコールにしたがって現行の心理社会的介入に加えて抗精神病薬による治療が発症時より開始された．入院が必要となったケースは 2 例のみであり，妄想が高じて自身の安全が脅かされた男性のケースと，自殺を考えるほどに抑うつが進行した女性のケース

だった．各ケースはそれぞれ2日あるいは5日間の入院治療を要したが，その後は外来で治療が継続された．

　以上のデータは，サイコーシス・リスクシンドロームの早期発見とモニタリングが将来的にはリスクよりも利点がはるかに大きいことを十分に支持していると我々は考えている．加えてこのような介入は，すでに三次予防の確立を可能にしているといえる．すなわち精神病の初回エピソードがもたらす「衝撃」といった，思いがけないイベントが不意に出現した際に生じるダメージが極力緩和されている．事実，発症したケースの9割は入院を必要としておらず，もっと言えば彼らの大部分は仕事や学校を中断する必要もなかった．彼らは家族とともにすでに治療のレール上にあり，リスクシンドロームから精神病状態に状況が移行したからといって，その人生の骨子を揺さぶるような変化は何ら生じなかった．

　三次予防がサイコーシス・リスクシンドロームの早期発見とモニタリングによってもたらされる利点の1つであることは間違いないが，精神病のリスク段階における早期発見・早期介入は，さらに強力なレベルでの予防の可能性を示すと我々は考えている．実際二次予防として，精神病の発症が遅延され，症状が活発に持続する期間は短縮され，疾患としての治療反応性が促進される．第1章で示したように，たとえ発症後であっても―すなわち初回エピソード期であっても―，早期発見と早期介入は精神病症状の持続期間を短縮し，その重症度を軽減し，良好な社会機能の保持を可能にする．それならば，発症時にあるいは発症前のリスク状態に発見し治療を行えば，もっとより多くの成果が得られるのではないだろうか．現時点でこのような利点はいまだ理論上のものでしかなく，その可能性が実現されるためにはさらに多くの臨床研究による実証が必要である．だが我々の予備的なデータはすでに，サイコーシス・リスクシンドロームの発見と介入によるベネフィットがそのリスクをはるかに上回っていることを強く主張している．こうした考察を実地の臨床に反映させ，リスクを疑う際にはサイコーシス・リスクシンドロームの基準をその診断キットの一部に組み込んでいくということが，まさに今必要になりつつあると，我々は固く信じてやまない．

文献

1. Rakfeldt, J., & McGlashan, T. H. (2001). Identification of vulnerable individuals before a first schizophrenic psychotic episode. In F. Flach (Ed.), *Directions in Psychiatry* (pp. 335–343). New York: The Hatherleigh Company.
2. McGlashan, T. H. (1984). The Chestnut Lodge follow-up study. II. Long-term outcome of schizophrenia and the affective disorders. *Archives of General Psychiatry*, 41(6), 586–601.
3. McGlashan, T. H. (1988). A selective review of recent North American long-term follow-up studies of schizophrenia. *Schizophrenia Bulletin*, 14(4), 515–542.
4. Jablensky, A., Sartorius, N., Ernberg, G., Anker, M., Korten, A., Cooper, J. E., et al. (1992). Schizophrenia: Manifestations, incidence, and course in different cultures. A World Health Organization ten-country study. [erratum appears in *Psychol Med Monogr Suppl* 1992 Nov;22(4): following 1092]. *Psychological Medicine—Monograph Supplement*, 20, 1–97.
5. Hafner, H., & an der Heiden, W. (1997). Epidemiology of schizophrenia *Canadian Journal of Psychiatry—Revue Canadienne de Psychiatrie*, 42(2), 139–151.
6. Kraepelin, E. (1971). *Dementia Praecox and Paraphrenia* [1919] (R. M. Barclay, Trans.). New York: Robert E. Krieger.
7. Wu, E.Q., Birnbaum, H.G., Shi, L., Ball, D.E., Kessler, R.C., Moulis, M., Aggarwal, M.H.S. (2005). The economic burden of schizophrenia in the United States. *Journal of Clinical Psychiatry*, 66, 1122–1129.
8. McGlashan, T. H. (1996). Early detection and intervention in schizophrenia: Editor's introduction. *Schizophrenia Bulletin*, 22(2), 197–199.
9. McGlashan, T. H., & Fenton, W. S. (1993). Subtype progression and pathophysiologic deterioration in early schizophrenia. *Schizophrenia Bulletin*, 19(1), 71–84.
10. Fenton, W. S., & McGlashan, T. H. (1994). Antecedents, symptom progression, and long-term outcome of the deficit syndrome in schizophrenia. *American Journal of Psychiatry*, 151(3), 351–356.
11. Tully, E., & McGlashan, T. H. (2006). The prodrome. In J. A. Lieberman & T. S. Stroup (Eds.), *Textbook of Schizophrenia* (pp. 341–352): American Psychiatric Publishing.
12. Beiser, M., Erickson, D., Fleming, J. A., & Iacono, W. G. (1993). Establishing the onset of psychotic illness. *American Journal of Psychiatry*, 150(9), 1349–1354.

13. McGlashan, T. H., & Hoffman, R. E. (2000). Schizophrenia as a disorder of developmentally reduced synaptic connectivity. *Archives of General Psychiatry*, 57(7), 637–648.
14. Susser, E., Neugebauer, R., Hoek, H. W., Brown, A. S., Lin, S., Labovitz, D., et al. (1996). Schizophrenia after prenatal famine. *Archives of General Psychiatry*, 53, 25–31.
15. Opjordsmoen, S. (1991). Long-term clinical outcome of schizophrenia with special reference to gender differences. *Acta Psychiatrica Scandinavica*, 83(4), 307–313.
16. Wyatt, R. J. (1991). Neuroleptics and the natural course of schizophrenia. *Schizophrenia Bulletin*, 17(2), 325–351.
17. Marshall, M., Lewis, S., Lockwood, A., Drake, R., Jones, P., & Croudace, T. (2005). Association between duration of untreated psychosis and outcome in cohorts of first-episode patients: A systematic review. *Archives of General Psychiatry*, 62(9), 975–983.
18. Perkins, D. O., Gu, H., Boteva, K., & Lieberman, J. A. (2005). Relationship between duration of untreated psychosis and outcome in first-episode schizophrenia: A critical review and meta-analysis. *American Journal of Psychiatry*, 162(10), 1785–1804.
19. McGlashan, T. H., & Johannessen, J. O. (1996). Early detection and intervention with schizophrenia: rationale. *Schizophrenia Bulletin*, 22(2), 201–222.
20. McGlashan, T. H. (1996). Early detection and intervention in schizophrenia: Research. *Schizophrenia Bulletin*, 22(2), 327–345.
21. Johannessen, J. O., McGlashan, T. H., Larsen, T. K., Horneland, M., Joa, I., Mardal, S., et al. (2001). Early detection strategies for untreated first-episode psychosis. *Schizophrenia Research*, 51(1), 39–46.
22. Larsen, T. K., McGlashan, T. H., Johannessen, J. O., Friis, S., Guldberg, C., Haahr, U., et al. (2001). Shortened duration of untreated first episode of psychosis: Changes in patient characteristics at treatment. *American Journal of Psychiatry*, 158:1917–1919.
23. Johannessen, J. O., Larsen, T. K., Horneland, M., Joa, I., Mardal, S., Kvebaek, R., et al. (2001). The TIPS project: A systematized program to reduce duration of untreated psychosis in first episode schizophrenia. In T. Miller et al. (Eds.), *Early Intervention in Psychotic Disorders* (pp. 151–166). The Netherlands: Kluwer Academic Publishers.
24. Melle, I., Larsen, T. K., Haahr, U., Friis, S., Johannessen, J. O., Opjordsmoen, S., et al. (2004). Reducing the duration of untreated first-episode psychosis: Effects on clinical presentation. *Archives of General Psychiatry*, 61(2), 143–150.
25. Melle, I., Johannesen, J. O., Friis, S., Haahr, U., Joa, I., Larsen, T. K., et al. (2006). Early detection of the first episode of schizophrenia and suicidal behavior. *American Journal of Psychiatry*, 163(5), 800–804.
26. Larsen, T. K., Melle, I., Auestad, B., Friis, S., Haahr, U., Johannessen, J. O., et al. (2006). Early detection of first-episode psychosis: The effect on one-year outcome. *Schizophrenia Bulletin*, 32(4), 758–764.
27. Melle, I., Larsen, T. K., Haahr, U., Friis, S., Johannesen, J. O., Opjordsmoen, S., et al. (2008). Prevention of negative symptom psychopathologies in first-episode schizophrenia: Two-year effects of reducing the duration of untreated psychosis. *Archives of General Psychiatry*, 65(6), 634–640.
28. McGorry, P. D., Yung, A. R., Phillips, L. J., Yuen, H. P., Francey, S., Cosgrave, E. M.,

et al. (2002). Randomized controlled trial of interventions designed to reduce the risk of progression to first-episode psychosis in a clinical sample with subthreshold symptoms. *Archives of General Psychiatry*, 59(10), 921–928.
29. McGlashan, T. H., Zipursky, R. B., Perkins, D., Addington, J., Miller, T., Woods, S. W., et al. (2006). Randomized, double-blind trial of olanzapine versus placebo in patients prodromally symptomatic for psychosis. *American Journal of Psychiatry*, 163(5), 790–799.
30. Morrison, A. P., French, P., Walford, L., Lewis, S. W., Kilcommons, A., Green, J., et al. (2004). Cognitive therapy for the prevention of psychosis in people at ultra-high risk: randomised controlled trial. *British Journal of Psychiatry*, 185, 291–297.
31. Falloon, I. R. (1992). Early intervention for first episodes of schizophrenia: A preliminary exploration. *Psychiatry*, 55(1), 4–15.
32. Chapman, L. J., & Chapman, J. P. (1987). The search for symptoms predictive of schizophrenia. *Schizophrenia Bulletin*, 13(3), 497–503.
33. Chapman, L. J., Chapman, J. P., Kwapil, T. R., Eckblad, M., & Zinser, M. C. (1994). Putatively psychosis-prone subjects 10 years later. *Journal of Abnormal Psychology*, 103(2), 171–183.
34. Huber, G., Gross, G., Schuttler, R., & Linz, M. (1980). Longitudinal studies of schizophrenic patients. *Schizophrenia Bulletin*, 6(4), 592–605.
35. Klosterkotter, J., Hellmich, M., Steinmeyer, E. M., & Schultze-Lutter, F. (2001). Diagnosing schizophrenia in the initial prodromal phase. *Archives of General Psychiatry*, 58(2), 158–164.
36. Yung, A. R., & McGorry, P. D. (1996). The prodromal phase of first-episode psychosis: Past and current conceptualizations. *Schizophrenia Bulletin*, 22(2), 353–370.
37. Yung, A. R., McGorry, P. D., McFarlane, C. A., Jackson, H. J., Patton, G. C., & Rakkar, A. (1996). Monitoring and care of young people at incipient risk of psychosis. *Schizophrenia Bulletin*, 22(2), 283–303.
38. Yung, A. R., Phillips, L. J., Yuen, H. P., Francey, S. M., McFarlane, C. A., Hallgren, M., et al. (2003). Psychosis prediction: Twelve-month follow-up of a high-risk ("prodromal") group. *Schizophrenia Research*, 60(1), 21–32.
39. Jones, P., & van Os, J. (1997). Predicting schizophrenia in teenagers: Pessimistic results from the British 1946 birth cohort. Paper presented at the Sixth International Conference on Schizophrenia Research. Colorado Springs.
40. Davidson, M., Reichenberg, A., Rabinowitz, J., Weiser, M., Kaplan, Z., & Mark, M. (1999). Behavioral and intellectual markers for schizophrenia in apparently healthy male adolescents. *American Journal of Psychiatry*, 156(9), 1328–1335.
41. Jones, P., & Croudace, T. (2001). Predicting schizophrenia from teachers' reports of behavior. In T. Miller et al. (Eds.), *Early Intervention in Psychotic Disorders* (pp. 1–28). Dordrecht: Kluwer Academic Publishing.
42. Varsamis, J., & Adamson, J. D. (1971). Early schizophrenia. *Canadian Psychiatric Association Journal*, 16(6), 487–497.
43. Miller, T. J., McGlashan, T. H., Woods, S. W., Stein, K., Driesen, N., Corcoran, C. M., et al. (1999). Symptom assessment in schizophrenic prodromal states. *Psychiatric Quarterly*, 70(4), 273–287.

44. McGlashan, T., Miller, T., Woods, S. W., Hoffman, R., & Davidson, L. (2001). Instrument for the assessment of prodromal symptoms and states. In T. Miller et al. (Eds.), *Early Intervention in Psychotic Disorders* (pp. 135–139). Netherlands: Kluwer Academic Publishers.
45. Overall, J.E., & Gorham, D.R. (1962). The Brief Psychiatric Rating Scale. *Psychology Report*, 10, 799–812.
46. Kay, S. R., Fiszbein, A., & Opler, L. A. (1987). The positive and negative syndrome scale (PANSS) for schizophrenia. *Schizophrenia Bulletin*, 13(2), 261–276.
47. Andreasen, N. C., Flaum, M., & Arndt, S. (1992). The Comprehensive Assessment of Symptoms and History (CASH): An instrument for assessing diagnosis and psychopathology. *Archives of General Psychiatry*, 49(8), 615–623.
48. American Psychiatric Association. (1994). *Diagnostic and Statistical Manual of Mental Disorders, Fourth Edition (DSM-IV)*. Washington, D.C.: American Psychiatric Association.
49. Yung, A. R. (2006). Identification of the population. In J. Addington (Ed.), *Working with People at High Risk of Developing Psychosis* (pp. 7–23). Hoboken, NJ: John Wiley & Sons.
50. Miller, T.J., McGlashan, T.H., Rosen, J.L., Cadenhead, K., Ventura, J., et al. (2003). Prodromal assessment with the Structured Interview for Prodromal Syndromes and the Scale of Prodromal Symptoms: Predictive validity, interrater reliability, and training to reliability. *Schizophrenia Bulletin*, 29(4), 703–715.
51. Cannon, T. D., Cadenhead, K., Cornblatt, B., Woods, S. W., Addington, J., Walker, E., et al. (2008). Prediction of psychosis in youth at high clinical risk: A multisite longitudinal study in North America. *Archives of General Psychiatry*, 65(1), 28–37.
52. Hawkins, K. A., McGlashan, T. H., Quinlan, D., Miller, T. J., Perkins, D. O., Zipursky, R. B., et al. (2004). Factorial structure of the scale of prodromal symptoms. *Schizophrenia Research* 68(2–3):339–347.
53. Hall, R. C. (1995). Global assessment of functioning. A modified scale. *Psychosomatics*, 36(3), 267–275.
54. Woods, S. W., Miller, T., & McGlashan, T. (2001). The "prodromal patient": Both symptomatic and at-risk. *CNS Spectrums*, 6(3), 223–232.
55. Guy, W. (1976). *ECDEU Assessment Manual for Psychopharmacology, rev. ed.* Bethesda: Department of Health, Education, and Welfare.
56. Montgomery, S. A., & Asberg, M. (1979). A new depression scale designed to be sensitive to change. *British Journal of Psychiatry*, 134, 382–389.
57. Young, R. C., Biggs, J. T., Ziegler, V. E., & Meyer, D. A. (1978). A rating scale for mania: Reliability, validity, and sensitivity. *British Journal of Psychiatry*, 133, 429–435.
58. Baker, F., & Intagliata, J. (1982). Quality of life in the evaluation of community support systems. *Evaluation & Program Planning*, 5(1), 69–79.
59. Cannon-Spoor, H. E., Potkin, S. G., & Wyatt, R. J. (1982). Measurement of premorbid adjustment in chronic schizophrenia. *Schizophrenia Bulletin*, 8(3), 470–484.
60. Zimmerman, M., Coryell, W., Pfohl, B., & Stangl, D. (1988). The reliability of the family history method for psychiatric diagnoses. *Archives of General Psychiatry*,

45(4), 320–322.
61. Lencz, T., Smith, C. W., Auther, A., Correll, C. U., & Cornblatt, B. (2004). Nonspecific and attenuated negative symptoms in patients at clinical high-risk for schizophrenia. *Schizophrenia Research*, 68(1), 37–48.
62. Meyer, S. E., Bearden, C. E., Lux, S. R., Gordon, J. L., Johnson, J. K., O'Brien, M. P., et al. (2005). The psychosis prodrome in adolescent patients viewed through the lens of DSM-IV. *Journal of Child & Adolescent Psychopharmacology*, 15(3), 434–451.
63. McGlashan, T. H., Zipursky, R. B., Perkins, D., Addington, J., Miller, T. J., Woods, S. W., et al. (2003). The PRIME North America randomized double-blind clinical trial of olanzapine versus placebo in patients at risk of being prodromally symptomatic for psychosis. I. Study rationale and design. *Schizophrenia Research*, 61(1), 7–18.
64. Woods, S. W., Breier, A., Zipursky, R. B., Perkins, D. O., Addington, J., Miller, T. J., et al. (2003). Randomized trial of olanzapine versus placebo in the symptomatic acute treatment of the schizophrenic prodrome. [erratum appears in *Biol Psychiatry*. 2003 Aug 15;54(4):497]. *Biological Psychiatry*, 54(4), 453–464.
65. Rosen, J. L., Miller, T. J., D'Andrea, J. T., McGlashan, T. H., & Woods, S. W. (2006). Comorbid diagnoses in patients meeting criteria for the schizophrenia prodrome. *Schizophrenia Research*, 85(1–3), 124–131.
66. First, M. B., Spitzer, R. L., Gibbon, M., & Williams, J. B. W. *Structured Clinical Interview for DSMIV Axis I Disorders—Patient Edition (SCID-I/P, Version 2.0)*. Psychiatric Institute, New York: Biometric Research Department.
67. Zanarini, M. C., Frankenburg, F. R., Chauncey, D. L., & Gunderson, J. G. (1987). The diagnostic Interview for Personality Disorders: Interrater and test-retest reliability. *Comprehensive Psychiatry*, 28(6), 467–480.
68. McGlashan, T.H. (2003). Commentary: Progress, issues, and implications of prodromal research: An inside view. *Schizophrenia Bulletin*, 29, 851–858.
69. Kaufman, J., Birmaher, B., Brent, D. Rao, U., Flynn, C., Moreci, P., et al. (1997). Schedule for Affective Disorders and Schizophrenia for School-Age Children-Present and Lifetime Version (K-SADS-PL): Initial reliability and validity data. *Journal of the American Academy of Child & Adolescent Psychiatry*, 36, 980–988.

付録 A

サイコーシス・リスクシンドロームの電話スクリーニング

No：＿＿＿＿＿＿＿＿
日時：＿＿＿＿＿＿＿＿＿＿＿＿＿＿＿＿ 　評価の対象として：適当　　適当でない
施行者：＿＿＿＿＿＿＿＿＿＿＿＿＿＿ 　評価日時：＿＿＿＿＿＿＿＿＿＿＿＿＿＿＿

PRIME クリニック電話スクリーニング

背景情報：

氏名：＿＿
年齢：＿＿＿＿＿＿　　生年月日：＿＿＿＿＿＿＿＿＿＿＿＿＿＿＿＿　　　男性　　　女性
電話番号：（自宅）＿＿＿＿＿＿＿＿＿＿＿＿＿＿＿＿（その他）＿＿＿＿＿＿＿＿＿＿＿＿
住所：＿＿＿＿＿＿＿＿＿＿＿＿＿＿＿＿＿＿＿＿＿＿＿＿＿＿＿＿＿＿＿＿＿＿＿＿＿＿＿
　　　＿＿＿＿＿＿＿＿＿＿＿＿＿＿＿＿＿＿＿＿＿＿＿＿＿＿＿＿＿＿＿＿＿＿＿＿＿＿＿

| これらの個人情報が恒久的に記録されることに口頭で同意する：　　はい　　　いいえ |

日常生活の場（例えば職場，学校など）：＿＿＿＿＿＿＿＿＿＿＿＿＿＿＿＿＿＿＿＿＿＿

紹介元情報：

氏名：＿＿＿＿＿＿＿＿＿＿＿＿＿＿＿　対象者との関係：＿＿＿＿＿＿＿＿＿＿＿＿＿＿＿
所属機関：＿＿＿＿＿＿＿＿＿＿＿＿＿＿＿＿＿＿＿＿＿＿＿＿＿＿＿＿＿＿＿＿＿＿＿＿＿
電話番号：（1）＿＿＿＿＿＿＿＿＿＿＿＿＿＿＿（2）＿＿＿＿＿＿＿＿＿＿＿＿＿＿＿＿
住所：＿＿＿＿＿＿＿＿＿＿＿＿＿＿＿＿＿＿＿＿＿＿＿＿＿＿＿＿＿＿＿＿＿＿＿＿＿＿＿
　　　＿＿＿＿＿＿＿＿＿＿＿＿＿＿＿＿＿＿＿＿＿＿＿＿＿＿＿＿＿＿＿＿＿＿＿＿＿＿＿

(紹介者が医療従事者である場合);地域の紹介者名簿への掲載について: 　可　　不可
紹介者の専門領域(疾患,対象年齢など):

PRIMEクリニックを知った経緯:＿＿＿＿＿＿＿＿＿＿＿＿＿＿＿＿＿＿＿

臨床情報:

1. **PRIMEクリニックへ電話を行った理由:**(臨床的な変化について情報を得る)

　症状の出現時期と持続期間を明確にする．該当する症状がない場合も,可能な範囲で情報を記録する．以下について質問を行う．
- 思考の変化(奇異なアイデア,誇大性,猜疑心,集中困難)
- 感覚の変化(聴覚/視覚/触覚/嗅覚の異常)
- 発話の変化(まとまりのないコミュニケーション,話の脱線)
- 知覚体験の変化(自己や他者の感覚,外界に対する感覚)
- 自律神経系の症状(睡眠困難,食欲の変化,活力の低下)
- 感情の変化(抑うつ気分,情緒不安,苛々感,情動の平板化)
- 精神疾患に関する家族歴
- 全般的な機能の明らかな変化

＿＿＿＿＿＿＿＿＿＿＿＿＿＿＿＿＿＿＿＿＿＿＿＿＿＿＿＿＿＿＿＿＿
＿＿＿＿＿＿＿＿＿＿＿＿＿＿＿＿＿＿＿＿＿＿＿＿＿＿＿＿＿＿＿＿＿
＿＿＿＿＿＿＿＿＿＿＿＿＿＿＿＿＿＿＿＿＿＿＿＿＿＿＿＿＿＿＿＿＿
＿＿＿＿＿＿＿＿＿＿＿＿＿＿＿＿＿＿＿＿＿＿＿＿＿＿＿＿＿＿＿＿＿
＿＿＿＿＿＿＿＿＿＿＿＿＿＿＿＿＿＿＿＿＿＿＿＿＿＿＿＿＿＿＿＿＿
＿＿＿＿＿＿＿＿＿＿＿＿＿＿＿＿＿＿＿＿＿＿＿＿＿＿＿＿＿＿＿＿＿
＿＿＿＿＿＿＿＿＿＿＿＿＿＿＿＿＿＿＿＿＿＿＿＿＿＿＿＿＿＿＿＿＿
＿＿＿＿＿＿＿＿＿＿＿＿＿＿＿＿＿＿＿＿＿＿＿＿＿＿＿＿＿＿＿＿＿

2. これらの症状や変化と薬物や違法ドラッグとの関係:　　あり　　なし
3. 症状を説明し得る中枢神経疾患(てんかんなど)の明らかな既往歴:
　　　　　　　　　　　　　　　　　　　　　　　　　　　あり　　なし

（ありの場合にはその内容について記録）＿＿＿＿＿＿＿＿
＿＿＿＿＿＿＿＿＿＿＿＿＿＿＿＿＿＿＿＿＿＿＿＿＿＿＿＿＿＿
＿＿＿＿＿＿＿＿＿＿＿＿＿＿＿＿＿＿＿＿＿＿＿＿＿＿＿＿＿＿

4. 知能低下（IQ 65 未満）があるか，それをもたらす疾患などの既往歴がある：　　あり　　なし
　　（ありの場合には診断，治療期間や治療内容についても記録）＿＿＿＿＿
＿＿＿＿＿＿＿＿＿＿＿＿＿＿＿＿＿＿＿＿＿＿＿＿＿＿＿＿＿＿
＿＿＿＿＿＿＿＿＿＿＿＿＿＿＿＿＿＿＿＿＿＿＿＿＿＿＿＿＿＿

5. 薬剤の服用歴：　　　　あり　　なし
　　先週 1 週間の抗精神病薬服用歴：　　あり　　なし
　　16 週間以上の抗精神病薬服用歴：　　あり　　なし
＿＿＿＿＿＿＿＿＿＿＿＿＿＿＿＿＿＿＿＿＿＿＿＿＿＿＿＿＿＿
＿＿＿＿＿＿＿＿＿＿＿＿＿＿＿＿＿＿＿＿＿＿＿＿＿＿＿＿＿＿

　処方されたすべての薬剤のリスト

薬剤名	現在 / 以前	用量	服用期間	処方理由

6. 精神疾患に関する家族歴：　　あり　　なし
（ありの場合はその内容について記録）＿＿＿＿＿＿＿＿＿＿＿＿＿
＿＿＿＿＿＿＿＿＿＿＿＿＿＿＿＿＿＿＿＿＿＿＿＿＿＿＿＿＿＿
＿＿＿＿＿＿＿＿＿＿＿＿＿＿＿＿＿＿＿＿＿＿＿＿＿＿＿＿＿＿

サマリーシート

1. 対象者の年齢は 12 歳以上から 35 歳以下である：　　　はい　　いいえ
2. 症状チェックリスト：

症状	あり	なし	症状の内容・出現時期・持続期間
感覚の変化			聴覚 / 視覚 / 触覚 / 嗅覚の異常
思考や発話の変化			奇異なアイデア，猜疑心，集中困難，会話の脱線，誇大性
機能の低下			仕事・学校での機能低下や社会的孤立
感情の変化			情動の平板化，抑うつ気分，不安感，情緒不安，いらいら感
自律神経症状			睡眠困難，食欲の変化，身体愁訴
その他の変化			

まとめ

1. 症状チェックリストの結果から，対象者には何らかの最近の変化を認める：　　　　　　　　　　　　　　　　　　　　　　　はい　　いいえ
2. 対象者には知的能力の低下（IQ 65 未満）が認められる：　はい　　いいえ
3. 症状を説明しうるような何らかの神経疾患の既往がある：はい　　いいえ
4. 以前に精神病性障害の診断 / 治療を受けたことがある：　はい　　いいえ

> 上記 1 に対する答えが「はい」で，残りの答えが「いいえ」であれば，評価の対象として適当であると判断する

付録 **B**

SIPS/SOPS 5.0

サイコーシス・リスクシンドロームに対する構造化面接
日本語版

PRIME Research Clinic
Yale School of Medicine
New Haven, Connecticut USA

Thomas H. McGlashan, M.D.
Barbara C. Walsh, Ph.D.
Scott W. Woods, M.D.

January 1, 2010
Version 5.0

Copyright © 2001 Thomas H.McGlashan, M.D.

目次

サイコーシス・リスクシンドロームに対する構造化面接 —— 228

サイコーシス・リスク症状の評価スケール（SOPS） —— 232

陽性症状 —— 238

- P1　不自然な内容の思考/妄想　238
- P2　猜疑心/被害念慮　245
- P3　誇大性　248
- P4　知覚の異常/幻覚　251
- P5　まとまりのないコミュニケーション　256

陰性症状 —— 260

- N1　社会的な関心の喪失　260
- N2　意欲減退　262
- N3　感情表出　264
- N4　情動と自己の認識　265
- N5　思考の貧困化　267
- N6　社会機能　270

解体症状 —— 273

- D1　奇異な行動と外見　273
- D2　奇異な思考　274
- D3　注意・集中の低下　276
- D4　衛生観念の低下　278

一般症状 ─────────────── 280

G1　睡眠困難　280
G2　気分不快　281
G3　運動障害　284
G4　ストレス耐性の低下　285

機能の全体的評定尺度　288
失調型パーソナリティ障害の診断基準　292
SIPSの要約　294
SIPSサイコーシス・リスクシンドローム基準の要約　296

サイコーシス・リスクシンドロームに対する構造化面接

SIPSの概説

この面接の目的は以下の通りである：
Ⅰ．過去あるいは現在の精神病状態を除外する
Ⅱ．サイコーシス・リスクシンドロームの3つの類型のうち1つ以上にあてはまるかを判断する
Ⅲ．サイコーシス・リスク症状の現在の重症度を評価する

Ⅰ．過去あるいは現在の精神病状態を除外する

過去の精神病状態は電話スクリーニングか被面接者の概観（p236）から得られる情報を用いて除外され，精神病状態の診断基準 Presence of Psychotic Symptoms criteria（POPS）で評価される．

現在の精神病状態は陽性症状の有無によって定義される．現在の精神病状態を除外するためには5項目からなる陽性症状（不自然な内容の思考／妄想，猜疑心，誇大性，知覚の異常／幻覚，まとまりのないコミュニケーション）について質問し，評価する必要がある．

精神病状態の診断基準

精神病状態は以下のように定義される：
以下の（A）および（B）の両方を満たすことが必要である．

(A) 以下の陽性症状が精神病的なレベルで存在する（SOPSで6点のレベルに相当する）：
 ・不自然な内容の思考，猜疑心／被害念慮，誇大性が妄想的確信に基づいている
 ・幻覚と呼ぶべき明らかな知覚の異常

・まとまりなく，およそ論理的でない発話
(B) (A)に示した各症状が十分な頻度および期間，あるいは緊急性を備えていること：
・(A)の症状のうち少なくとも1つが1か月間に渡って，最低でも平均週4回の割合で1日に1時間以上存在すること
あるいは
・その症状が深刻であるか危険とみなされる場合

陽性症状はサイコーシス・リスク症状評価スケール Scale of Psychosis-risk Symptoms(SOPS)のP1からP5の項目で評価される．P1からP5のスケールで1～5点であれば陽性症状は非精神病性の強度であることが示唆される．P1からP5のスケールのうち1つ以上で6点であれば陽性症状が「重度かつ精神病性」の強度であることを意味しており，したがって上記(A)に相当するとされる．

だが精神病状態が存在すると判断するには，(A)で示した症状の頻度と緊急性が十分に備わっている必要がある．もし陽性症状が上記(B)の基準をも満たしていれば，現在精神病状態にあると判断される．

II. サイコーシス・リスクシンドロームの3つの類型のうち1つ以上にあてはまるかを判断する

（診断基準の要約はp296を参照）

3つのリスクシンドロームには，各々相互に重複する場合があることに注意が必要である．1つのケースで同時に2つ以上のタイプのサイコーシス・リスクシンドロームを呈することがある．

過去あるいは現在の精神病状態の診断基準を満たさないケースに対しては，サイコーシス・リスクシンドロームの診断基準 Criteria of Psychosis-risk Syndromes(COPS)を用いて，3つのリスクシンドローム，すなわち短期間

の間歇的な精神病状態，微弱な陽性症状，遺伝的なリスクと機能低下を呈す群のうち1つかあるいはそれ以上に該当するかの評価が行われる．

サイコーシス・リスクシンドロームの診断基準(COPS)

A. 短期間の間歇的な精神病状態 Brief Intermittent Psychotic Syndrome (BIPS)

短期間の間歇的な精神病状態は，最近起きたきわめて短期間の明らかな陽性症状によって定義される．BIPSの基準を満たすためには，精神病レベル(SOPS 6点)の症状が過去3か月以内に始まり，かつ少なくとも1か月に1回の割合で1日に少なくとも数分間存在することが必要である．たとえ陽性症状が精神病的なレベルで存在しているとしても(SOPS 6点)，それらが十分な頻度や期間，緊急性に対するPOPS(B)の基準を満たさないならば，現在の精神病状態からは除外できる．

B. 微弱な陽性症状 Attenuated Positive Symptom Syndrome (APS)

APSは十分な強度と頻度を備えた最近の微弱な陽性症状の存在によって定義される．微弱な症状の基準を満たすためには，SOPSのP1からP5までのスケールで3，4，5点のレベルにあることが必要とされる．症状がこの範囲に置かれることは，その強度がリスク状態のレベルにあることを示している．

また，その症状は過去1年間の間に始まったか，あるいは1年前に比べ現在少なくともスケール上で1点以上の上昇があることが必要とされる．さらに，過去1か月の間に少なくとも平均週1回の割合で現在のレベルでの症状の出現を認めることが必要である．

C. 遺伝的なリスクと機能低下
   Genetic Risk and Deterioration Syndrome (GRDS)

GRDSは統合失調症圏の遺伝的リスクと最近の社会的機能の低下の併存によって定義される．一親等家族に精神病性障害(感情性精神病も含む)の家族歴がある場合，または本人がDSM-IVにおいて失調型パーソナリティ障害の診断を満たす場合に，遺伝的リスクが存在すると判断する．

機能低下の定義は，過去1か月の間のGAFスコアが最近1年間の最高レベルに比べ30%以上低下している場合に，操作的に適用する．

Ⅲ. サイコーシス・リスク症状の現在の重症度を評価する

　サイコーシス・リスクシンドロームの少なくとも1つ以上のタイプに該当したケースに対し，SOPS を用いて陰性症状，解体症状，一般症状を評価する．ここで追加される情報はサイコーシス・リスクシンドロームの診断に寄与するものではないが，現在のサイコーシス・リスク症状の多様性と重症度に関して記述的かつ定量的な評価を与えることになる．したがって研究者によっては，あらゆるケースに対しすべての SOPS を行うのが望ましいとする場合もある．

サイコーシス・リスク症状の評価スケール (SOPS)

SOPS の使用に際しての手引き：

　SOPS は最近の1か月間に（あるいは最近の評価以降に）生じたサイコーシス・リスク症状およびその他の症状を記述し，評価するものである．SOPS は**陽性症状（P）**，**陰性症状（N）**，**解体症状（D）**，**一般症状（G）**の4つの主要項目で構成されており，その最終的な評価結果は SIPS の末尾にあるサマリーシートに記録される．

質問

　SOPS の各項目には，一連の質問が，反応（はい，いいえ，わからない）を記録するための余白とともに列挙されている．**太字で書かれた質問はすべて実施すべきである**．太字で書かれていない質問に関しては必須ではないものの，肯定的な反応（はい）の際には，その内容をより明確かつ詳細にするために行うことが望ましい．

限定項目

　一連の質問に引き続いて，いくつかの限定項目が列挙されている．肯定的な反応（「はい」）が得られたすべての質問の後に，より詳細な情報を得るため以下の限定項目を記載する必要がある：

限定項目：「はい」と答えたすべての質問に対して，以下を記録すること

・それが生じ始めた時期．継続期間．生じる頻度．
・症状の程度：この経験はあなたにとってどのようなものですか（それを煩わしいと思いますか）？
・生活に対する干渉の程度：この経験に基づいて行動することがありますか？　そのせいで全く違う行動をとってしまったことがありますか？

・確信や意味づけの程度：この経験をあなたはどのように説明しますか？ それが単に頭の中だけで起きていると感じることはありますか？ これが現実だと考えることはありますか？

評価スケール

呈示された症状を評価する際には，2つの異なる重症度スケールが用いられる．1つは陽性症状に対するスケールであり，もう1つは陰性症状，解体症状，一般症状に対するスケールである．

各スケールにおけるアンカーポイントは，観察されるあらゆる症候に対して，その徴候の具体例や評価のためのガイドラインを提供するものである．ある特定のポイントを与える際に，1つの枠内の全ての基準を満たす必要はない．もし1つの基準を満たしながら，隣接する基準にも重複して該当するような場合には，より極端に近いレベル（0あるいは6に近い方）を優先する．評価の基準には本人の発言だけでなく，面接者による観察記録も含まれる．

両スケールを以下に記す．

陽性症状スケール：

陽性症状は0（認められない）から6（重度かつ精神病的）までのSOPSスケールで評価される．

陽性症状 SOPS

0	1	2	3	4	5	6
認められない	存在が疑われる	軽度	中等度	やや重度	重度だが精神病的ではない	重度かつ精神病的である

陰性／解体／一般症状スケール：

陰性／解体／一般症状スケールは0（認められない）から6（ごく重度）までのSOPSスケールで評価される．

陰性症状/解体症状/一般症状 SOPS

0	1	2	3	4	5	6
認められない	存在が疑われる	軽度	中等度	やや重度	重度	ごく重度

評価の根拠

　すべての重症度スケールの後には「評価の根拠」の項が続いている．評価を割り振った後に，そこに症状の内容と評点の理由を簡潔に記載する．

症状の出現および悪化の時期と出現の頻度

　「評価の根拠」の項の後には，4分割された評価ボックスが置かれている．
　3点以上の陽性症状に対し，「症状の出現時期」のボックスに，3〜6点のレベルの症状が最初に出現した日時を記録する．
　「症状の悪化時期」のボックスには，重症度が1点以上悪化したもっとも最近の日時を記録する．また「症状の出現の頻度」のボックスでは，COPSの基準に照合するように作られたチェックボックスのあてはまる個所にチェックを入れる．一方，陰性症状，解体症状，一般症状については，症状の発現に関するボックスのみが簡略化された形で記されている．
　「別の疾患の可能性」のボックスには，陽性症状が他のⅠ軸あるいはⅡ軸疾患によって説明が可能であるかを記載する．そのためのチェックには二通りの方法がある．
　第一に，時間的順序の検討を行う．もし陽性症状が別の診断の可能性を否定した後にも持続しているか，あるいは併存疾患の出現より前に生じているのであれば，「可能性が低い」にチェックを入れる．もし陽性症状に併行して別の診断が持続している場合は，第二のテストが適用される．
　第二のテストでは，陽性症状がリスクシンドロームにより特徴的といえるか，あるいは別の疾患としての特徴をより有しているかを判別する．もしその症状が他の疾患により特徴的であれば，その疾患が症状の根拠として優先

される．例えば，パニック発作中に生じる死の恐怖などはリスクシンドロームよりもパニック障害に特徴的と言えるし，うつ状態での自己評価の低下などもうつ病として説明する方が合理的である．明らかな躁状態における優越感情も躁病に帰着させるべきであり，また，境界型パーソナリティで見られる離人感情がストレスによって生じ自傷行為によって減じるのであれば，やはりパーソナリティ障害に基づいて説明すべきだろう．ただし，唯一の例外は失調型パーソナリティ障害である．悪化を認める陽性症状は常に，失調型パーソナリティ障害では説明することができない．

明確に結論づけられないようなケースでは，「可能性が低い」にチェックを入れることになるだろう．例えば，うつ状態にあるケースで「黒い影」の幻覚が一時的に出現し，それがはっきりしない被害念慮の出現を伴っていた場合，「黒」が抑うつ気分を反映している可能性はあるとしても，こうした幻覚はうつ病よりもリスクシンドロームにより特徴的であるため，それは「可能性が低い」ほうに評価される．

3点以上と評価された症状について			
症状の出現時期	症状の悪化時期	症状の出現頻度	別の疾患の可能性
陽性症状が少なくとも3点のレベルに最初に達した日時を記録する： □「物心ついて以来」 □___年___月___日	現在3〜6点にある陽性症状が少なくとも1点以上悪化した，もっとも最近の日時を記録する： ___年___月___日	以下あてはまるものをチェックする： □1日1時間以上を週に4回以上 □1日数分以上を月に1回以上 □週に1回以上 □どれでもない	症状は他のI軸あるいはII軸疾患で説明できる可能性がある： □可能性が高い □可能性が低い

被面接者の概観：

　この概観の目的は，今回の面接を受けるに至った動機や，最近の社会機能や教育歴，発達歴，職歴，生活歴に関する情報を得ることである．
　以下を含む：
- 電話でのスクリーニングからあるいは(可能であれば)スクリーニング前から得られる行動および症状
- 最近の変化を含めた職歴あるいは学歴(特殊学級への参加も含む)
- 発達・生育歴
- 生活歴と最近の変化
- 心的外傷の有無
- 薬物使用歴

それではさらにいくつか一般的な質問をさせていただきます．近況についてお聞かせください．

精神疾患に関する家族歴

1. あなたの一親等家族を以下に挙げてください〔例：両親，兄弟（姉妹），子〕．

本人との関係	年齢	氏名	精神疾患の既往歴(あり / なし)

2. 精神疾患の既往歴を持つ一親等家族について以下に記載する：

家族の氏名	病名	症状	罹病期間	治療歴

3. 何らかの精神病性障害（統合失調症，統合失調症様障害，短期精神病性障害，妄想性障害，特定不能の精神病性障害，失調感情障害，精神病性躁病，精神病性うつ病）の既往のある一親等家族が存在する：

　　　　　　　　　　　　　　　　はい＿＿＿＿＿　いいえ＿＿＿＿＿

陽性症状

P1 不自然な内容の思考 / 妄想

　以下の質問はセクションごとに分けられており，精神病的で妄想的な思考と，精神病的とはいえないまでも不自然な内容の思考の両者を判断する．質問によって得られた症状や体験は，質問の末尾にあるSOPS P1スケールに基づいて評価される．

困惑と妄想気分
質問：
1. 何か奇妙な感じや，説明できないような異様な感じを，今までに体験したことがありますか？

　　　　　　　　　　　　いいえ　わからない　はい（限定項目*を記録）
2. 自分が経験したことが，現実か現実でないのかわからなくなって混乱したことがありますか？

　　　　　　　　　　　　いいえ　わからない　はい（限定項目を記録）
3. 身近な人や物が，今までと違う感じに見えたことがありますか？
　それで混乱してしまうこともありますか？　非現実的に見えたり，生き物でないような感じや，別の世界の人，あるいは非人間的な悪魔のように感じたりしたことはありますか？

　　　　　　　　　　　　いいえ　わからない　はい（限定項目を記録）
4. 時間の感覚が変化するように感じますか？　時間が不自然に速くなる，あるいは遅くなるなどということがありますか？

　　　　　　　　　　　　いいえ　わからない　はい（限定項目を記録）
5. ある出来事に対して，まるでまったく同じ出来事を以前に経験したように感じることがありますか？

　　　　　　　　　　　　いいえ　わからない　はい（限定項目を記録）

> ＊限定項目：「はい」と答えたすべての質問に対して，以下を記録すること
> - それが生じ始めた時期．継続期間．生じる頻度．
> - 症状の程度：この経験はあなたにとってどのようなものですか(それを煩わしいと思いますか)？
> - 生活に対する干渉の程度：この経験に基づいて行動することがありますか？　そのせいで全く違う行動をとってしまったことがありますか？
> - 確信や意味づけの程度：この経験をあなたはどのように説明しますか？　それが単に頭の中だけで起きていると感じることはありますか？　これが現実だと考えることはありますか？

_____

_____

_____

_____

_____

一級症状

質問：

1. 自分の思っていることや考えていることが，自分のものではないような感じがしたことが今までにありますか？

　　　　　　　　　　いいえ　わからない　はい(限定項目を記録)

2. 何か別の考えが頭の中に勝手に入ってきたり，あるいは抜き取られるような感じがしたりすることはありますか？
また今までに自分の考えが他の人や何らかの力によって邪魔されているように感じたことはありますか？

　　　　　　　　　　いいえ　わからない　はい(限定項目を記録)

3. あたかも口に出して言ってしまったみたいに，自分の考えていることが他の人に聞こえていると感じたことはありますか？

　　　　　　　　　　いいえ　わからない　はい(限定項目を記録)

4. 周りの人に自分の考えが読み取られてしまっていると思うことはありますか？

　　　　　　　　　　いいえ　わからない　はい(限定項目を記録)

5. 逆に他の人の考えを読み取ることができると思ったことはありますか？
　　　　　　　　　　　　いいえ　わからない　はい(限定項目を記録)
6. ラジオやテレビが直接自分に話しかけていると感じることはありますか？
　　　　　　　　　　　　いいえ　わからない　はい(限定項目を記録)

＊限定項目：「はい」と答えたすべての質問に対して，以下を記録すること

・それが生じ始めた時期．継続期間．生じる頻度．
・症状の程度：この経験はあなたにとってどのようなものですか(それを煩わしいと思いますか)？
・生活に対する干渉の程度：この経験に基づいて行動することがありますか？　そのせいで全く違う行動をとってしまったことがありますか？
・確信や意味づけの程度：この経験をあなたはどのように説明しますか？　それが単に頭の中だけで起きていると感じることはありますか？　これが現実だと考えることはありますか？

誇大性

質問：

1. 例えば，宗教や哲学，政治理念のようなものについて，あなたがとても大事にしている信念や意見などをお持ちですか？
　　　　　　　　　　　　いいえ　わからない　はい(限定項目を記録)
2. よく空想にふけったり，気づくと架空の物語や夢想で頭が一杯になっていたりすることはありますか？　また空想か現実かわからなくなって混乱することはありますか？
　　　　　　　　　　　　いいえ　わからない　はい(限定項目を記録)
3. 迷信の意味はご存知ですか？　あなたは迷信深いですか？　これまで迷信に自分の行動を左右されたことはありますか？
　　　　　　　　　　　　いいえ　わからない　はい(限定項目を記録)

4. 自分の考えや信念が他の人と違っているとか，奇妙であると他の人から言われますか？

　　　　　　　　　　　　いいえ　わからない　はい（限定項目を記録）

もしあれば，その考えや信念についてお聞かせ下さい．

5. 将来が予見できると感じたことはありますか？

　　　　　　　　　　　　いいえ　わからない　はい（限定項目を記録）

> ＊限定項目：「はい」と答えたすべての質問に対して，以下を記録すること
>
> ・それが生じ始めた時期．継続期間．生じる頻度．
> ・症状の程度：この経験はあなたにとってどのようなものですか（それを煩わしいと思いますか）？
> ・生活に対する干渉の程度：この経験に基づいて行動することがありますか？　そのせいで全く違う行動をとってしまったことがありますか？
> ・確信や意味づけの程度：この経験をあなたはどのように説明しますか？　それが単に頭の中だけで起きていると感じることはありますか？　これが現実だと考えることはありますか？

_____
_____
_____
_____

他の不自然な思考／妄想

質問：

1. 心気症：自分の身体や健康に関して何か悪いところがあるのではと気になることはありますか？

　　　　　　　　　　　　いいえ　わからない　はい（限定項目を記録）

2. 虚無主義的な観念：自分が実際には存在していないように感じたことはありますか？　また世界が実際には存在していないかもしれないと今までに感じたことはありますか？

　　　　　　　　　　　　いいえ　わからない　はい（限定項目を記録）

3. 罪責感：今までに周りから良く思われようと必死に頭を悩ませたり，あるいは自分は何らかの形で罰せられるべきだと思い込んだりしたことがありますか？

いいえ　わからない　はい(限定項目を記録)

___

被害念慮以外の過剰な自意識
質問：
1. 周りで起きる物事が自分にとってだけ特別な意味を持っているように感じたことはありますか？

いいえ　わからない　はい(限定項目を記録)

2. 自分がしばしば人々の関心の中心にいると感じたことが今までにありましたか？　または周囲の人々から敵意や拒絶感を感じることはありますか？

いいえ　わからない　はい(限定項目を記録)

> ＊限定項目：「はい」と答えたすべての質問に対して，以下を記録すること
>
> ・それが生じ始めた時期．継続期間．生じる頻度．
> ・症状の程度：この経験はあなたにとってどのようなものですか(それを煩わしいと思いますか)？
> ・生活に対する干渉の程度：この経験に基づいて行動することがありますか？　そのせいで全く違う行動をとってしまったことがありますか？
> ・確信や意味づけの程度：この経験をあなたはどのように説明しますか？　それが単に頭の中だけで起きていると感じることはありますか？　これが現実だと考えることはありますか？

P1　解説：不自然な内容の思考 / 妄想

a. 困惑と妄想気分．何か奇妙なことが起こりつつあるという感覚や，現実と空想の区別が失われることで生じる当惑や混乱などの，精神面での錯覚．身近な人が奇妙な感じに見え，不気味な脅威を感じ，混乱を来す．日常的な事物が何か特殊な意味を持っているものとして感じられる．自己，他者，あるいは世界全体が変容したような感覚．時間感覚の変化．既視感．
b. 被害念慮以外の過剰な自意識．
c. 一級症状．思考吹入，思考干渉，思考奪取，思考伝播，テレパシー体験，被影響体験，ラジオやTVからメッセージが伝わるなどの精神事象．
d. 誇大的な信念．普通でない価値観(宗教，瞑想，哲学，実存的なテーマ)に没入する．行動に影響を及ぼし，サブカルチャー的な流行に一致しない魔術的思考(迷信深さ，千里眼，非現実的な宗教的信念)．
e. 身体イメージ，罪責感，虚無主義，嫉妬，宗教などに対する普通でない考え方．妄想はおそらく存在するものの，系統立ってはおらず執拗でもない．

　各スケールにおけるアンカーポイントは，観察されるあらゆる症候に対して，その徴候の具体例や評価のためのガイドラインを提供するものである．ある特定のポイントを付与する際に，1つの枠内のすべての基準を満たす必要はない．評価の基準には本人の発言だけでなく，面接者による観察記録も含まれる．

不自然な内容の思考／妄想の重症度スケール（以下のうち1つに丸を）

0	1	2	3	4	5	6
存在しない	存在が疑われる	軽度	中等度	やや重度	重度だが精神病的でない	重度かつ精神病的である
	当惑させるような「錯覚」の存在．何か違っているという漠然とした感じを持っている．	空想上の人生に過度に心を奪われている．普通でない価値観や信念が見られ，しばしば一般的なレベルを超えて迷信深くなるが，社会的に理解できないレベルではない．	意思とは無関係に生じ，容易に無視することのできない困惑させられる精神事象が，予期しない形で出現する．体験は何度も繰り返され，消え失せることがないため，何か意味があるように思われてくる．機能は概ね保たれている．	考えや体験，信念などが自分の意思と別に生じ，それが実際にあり得るかもしれないと感じている．ただ一方でそれを疑うこともまだ可能である．そうした考えによって集中が妨げられたり，煩わしく思ったりすることもあり，しばしば機能の低下が見られる．	体験はもはやありふれたものとなり，自分の考えた通りの形で出現することもある．それでも他人の意見や反証によって疑いを持つこともまだ可能である．日々の生活に相当のストレスを与え，機能低下は日常的に見られる．	少なくとも間歇的に存在する（疑念のない）妄想的確信．思考や感情，人間関係，行動などに持続的な影響を及ぼしている．

評価の根拠：

_____

_____

_____

3点以上と評価された症状について			
症状の出現時期	症状の悪化時期	症状の出現頻度	別の疾患の可能性
陽性症状が少なくとも3点のレベルに最初に達した日時を記録する： □「物心ついて以来」 □＿＿年＿＿月＿＿日	現在3～6点にある陽性症状が少なくとも1点以上悪化した，もっとも最近の日時を記録する： ＿＿年＿＿月＿＿日	以下あてはまるものをチェックする： □1日1時間以上を週に4回以上 □1日数分以上を月に1回以上 □週に1回以上 □どれでもない	症状は他のⅠ軸あるいはⅡ軸疾患で説明できる可能性がある： □可能性が高い □可能性が低い

P2 猜疑心 / 被害念慮

　以下の質問は関係妄想，偏執的な思考や猜疑心などの存在を同定する目的で行われる．質問によって得られた症状や体験は，質問の末尾にあるSOPS P2スケールで評価される．

猜疑心 / 被害念慮
質問：
1. 周りの人々から自分が悪く思われていると感じたことがありますか？
　　後になってそうした考えは間違っていたとか，根拠のないものだったなどと気づいたことはありますか？
　　　　　　　　　　　　　　　いいえ　わからない　はい（限定項目を記録）
2. 他人を信じることが出来なくなったとか，疑い深くなったと感じることはありますか？
　　　　　　　　　　　　　　　いいえ　わからない　はい（限定項目を記録）

3. 不安を打ち消すために，周りで何が起きているかいつも注意していなくてはならないと感じたことが今までにありますか？
　　　　　　　　　　　　　　　いいえ　わからない　はい（限定項目を記録）
4. 自分が仲間外れにされているように感じたり，周りから見張られていると感じたりしたことがありますか？
　　　　　　　　　　　　　　　いいえ　わからない　はい（限定項目を記録）
5. 周りの人々が自分を傷つけようとしていると感じたことはありますか？
　　それは誰か想像がつきますか？
　　　　　　　　　　　　　　　いいえ　わからない　はい（限定項目を記録）

> 限定項目:「はい」と答えたすべての質問に対して,以下を記録すること
>
> ・それが生じ始めた時期.継続期間.生じる頻度.
> ・症状の程度:この経験はあなたにとってどのようなものですか(それを煩わしいと思いますか)?
> ・生活に対する干渉の程度:この経験に基づいて行動することがありますか? そのせいで全く違う行動をとってしまったことがありますか?
> ・確信や意味づけの程度:この経験をあなたはどのように説明しますか? それが単に頭の中だけで起きていると感じることはありますか? これが現実だと考えることはありますか?

_____
_____
_____
_____
_____

P2　解説:猜疑心 / 被害念慮

a. 被害関係念慮.
b. 猜疑心や偏執的な考え.
c. 妄想的確信を反映するような警戒心やあからさまな不信感が面接時にも認められる.

　各スケールにおけるアンカーポイントは,観察されるあらゆる症候に対して,その徴候の具体例や評価のためのガイドラインを提供するものである.ある特定のポイントを付与する際に,1つの枠内のすべての基準を満たす必要はない.評価の基準には本人の発言だけでなく,面接者による観察記録も含まれる.

猜疑心 / 被害念慮の重症度スケール（以下のうち1つに丸を）

0	1	2	3	4	5	6
なし	存在が疑われる	軽度	中等度	やや重度	重度であるが精神病的ではない	重度かつ精神病的
	警戒心の存在．	安全かどうか不安を抱く．明らかな危険の要因がないにもかかわらず用心深い．	周囲に不信感を抱き，自分に敵意を持っているのではないかと不安になる．落ち着かず，つねに周囲に注意を払っている（ただしその対象は明白ではない）．人間不信がある．他人が悪意を持ったり悪口を言ったりしているという考えが繰り返し起こる（根拠がないこともしばしばある）．	自分に敵意を持っている対象をより明確に感じている．誰かに傷つけられるのではないかという不安がある一方，自らその可能性を否定することもできる．そうした考えにしばしば没入し，それを煩わしいと感じている．日常的な機能はしばしば低下を認める．質問に対しても，防衛的な反応を示す．	周囲の敵意から，いずれか何か身の危険が生じるのではないかと思い込んでいる．他人の意見や反証によって，その可能性を疑ったり客観的に現実を見直したりすることはまだ可能である．不安感が強く，終始落ち着かない．日常的な機能低下も明らかである．面接中も警戒を解かないため，得られる情報は限定されてしまう．	少なくとも間歇的に存在する（疑念のない）妄想的確信．恐怖感や回避行動，警戒心は誰の目からも明らかである．思考や感情，人間関係，行動などに持続的な影響を及ぼしている．

評価の根拠：

3点以上と評価された症状について			
症状の出現時期	症状の悪化時期	症状の出現頻度	別の疾患の可能性
陽性症状が少なくとも3点のレベルに最初に達した日時を記録する： □「物心ついて以来」 □___年___月___日	現在3～6点にある陽性症状が少なくとも1点以上悪化した，もっとも最近の日時を記録する： ___年___月___日	以下あてはまるものをチェックする： □1日1時間以上を週に4回以上 □1日数分以上を月に1回以上 □週に1回以上 □どれでもない	症状は他のⅠ軸あるいはⅡ軸疾患で説明できる可能性がある： □可能性が高い □可能性が低い

P3　誇大性

　以下の質問は精神病性／非精神病性の誇大観念，あるいは誇大的な自己評価などの存在を同定する目的で行われる．質問によって得られた症状や体験は，質問の末尾にあるSOPS P3スケールで評価される．

誇大性
質問：
1. 自分が特別な能力や才能を持っていると感じることがありますか？
　　特定の分野ではまるで自分が並外れた能力を持っているかのように感じることはありますか？　他の人とその自分の才能について話すことはありますか？
　　　　　　　　　　　　　いいえ　わからない　はい（限定項目を記録）
2. ひどい結果になるにもかかわらず，向こう見ずな振る舞いをしたことがありますか？　例えば後先を考えずに馬鹿騒ぎをし続けたようなことが今までにありますか？
　　　　　　　　　　　　　いいえ　わからない　はい（限定項目を記録）

3. 自分の立てた計画や目標が非現実的と他人から言われることはありますか？ それはどういったものですか？ それをどのようにして達成しようと考えているのですか？

いいえ　わからない　はい（限定項目を記録）

4. 自分がまるで有名人か特別な重要人物であるように思うことはありますか？

いいえ　わからない　はい（限定項目を記録）

5. 自分が神に特別な役割を与えられていると感じることはありますか？
　自分が他人を救うことできると感じることはありますか？

いいえ　わからない　はい（限定項目を記録）

限定項目：「はい」と答えたすべての質問に対して，以下を記録すること

・それが生じ始めた時期．継続期間．生じる頻度．
・症状の程度：この経験はあなたにとってどのようなものですか（それを煩わしいと思いますか）？
・生活に対する干渉の程度：この経験に基づいて行動することがありますか？ そのせいで全く違う行動をとってしまったことがありますか？
・確信や意味づけの程度：この経験をあなたはどのように説明しますか？ それが単に頭の中だけで起きていると感じることはありますか？ これが現実だと考えることはありますか？

P3　解説：誇大性

a. 過大な自己評価と他者への非現実的な優越感.
b. ある種の高揚感と自画自賛する発言.
c. 行動に影響を及ぼすような明らかな誇大妄想の出現.

　各スケールにおけるアンカーポイントは，観察されるあらゆる症候に対して，その徴候の具体例や評価のためのガイドラインを提供するものである．ある特定のポイントを付与する際に，1つの枠内のすべての基準を満たす必要はない．評価の基準には本人の発言だけでなく，面接者による観察記録も含まれる．

誇大性の重症度スケール（以下のうち1つに丸を）

0	1	2	3	4	5	6
なし	存在が疑われる	軽度	中等度	やや重度	重度であるが精神病的ではない	重度かつ精神病的
	自分は他人より優れているとひそかに考えている．	自分は才能に恵まれ，世の中についても良く分かっており，特別に選ばれた人間であるとひそかに感じている．	自分は並外れた才能やパワーを持った特別な存在であると考えており，しばしば誇大的な空想にふける．超然としたところはあるものの，日々の生活に戻れなくなるということはない．	特殊な能力や可能性，影響力を自分が備えているという確信．非現実的な計画を立てるなど，生活の遂行にも影響がみられるが，周囲の意見や制止に応じることもできる．	並外れた知能，魅力，パワー，名声が自分に備わっているという揺るぎない確信．周囲の説得によってようやくそれに疑問を持つことができる．機能の低下も認められる．	少なくとも間歇的に存在する（疑念のない）妄想的確信．思考や感情，人間関係，行動などに持続的な影響を及ぼしている．

評価の根拠：
_____
_____
_____
_____
_____

3点以上と評価された症状について			
症状の出現時期	症状の悪化時期	症状の出現頻度	別の疾患の可能性
陽性症状が少なくとも3点のレベルに最初に達した日時を記録する： □「物心ついて以来」 □___年___月___日	現在3〜6点にある陽性症状が少なくとも1点以上悪化した，もっとも最近の日時を記録する： ___年___月___日	以下あてはまるものをチェックする： □1日1時間以上を週に4回以上 □1日数分以上を月に1回以上 □週に1回以上 □どれでもない	症状は他のⅠ軸あるいはⅡ軸疾患で説明できる可能性がある： □可能性が高い □可能性が低い

P4 知覚の異常／幻覚

以下の質問は精神病性の幻覚と，非精神病性の知覚の異常の両者について，その存在を同定する目的で行われる．質問によって得られた症状や体験は，質問の最後にある SOPS P4 スケールで評価される．

知覚の異常，錯覚，幻覚
質問：
1. 自分の心が自分をだましていると感じることはありますか？

いいえ　わからない　はい（限定項目を記録）

限定項目：「はい」と答えたすべての質問に対して，以下を記録すること

- それが生じ始めた時期．継続期間．生じる頻度．
- 症状の程度：この経験はあなたにとってどのようなものですか（それを煩わしいと思いますか）？
- 生活に対する干渉の程度：この経験に基づいて行動することがありますか？　そのせいで全く違う行動をとってしまったことがありますか？
- 確信や意味づけの程度：この経験をあなたはどのように説明しますか？　それが単に頭の中だけで起きていると感じることはありますか？　これが現実だと考えることはありますか？

_____

_____

_____

聴覚の異常，錯覚，幻覚

質問:

1. 自分の耳にだまされていると感じることはありますか？
   いいえ　わからない　はい(限定項目を記録)
2. 音により敏感になっていると感じることはありますか？　そのとき音は大きくなりますか，または弱くなるように感じますか？
   いいえ　わからない　はい(限定項目を記録)
3. 耳の中でバタンと鳴ったり，カチンと音がしたり，シューッと音がしたり，バチンと鳴ったり，鐘の鳴るような音がしたりといった耳慣れない音がすることがありますか？
   いいえ　わからない　はい(限定項目を記録)
4. 何か音が聞こえるのに，実はそこには何もなかったことに後になって気づくといった経験がありますか？
   いいえ　わからない　はい(限定項目を記録)
5. 自分の考えていることが，まるで外から話しかけられるように聞こえてくることがありますか？
   いいえ　わからない　はい(限定項目を記録)
6. 他の人には聞こえているように見えない，あるいは聞くことができないような声が聞こえてしまうことはありますか？　その声は今私があなたに話しかけているのと同じくらいはっきりしたものですか？　それは頭の中の考えですか，それとも明らかに話しかけているような声ですか？
   いいえ　わからない　はい(限定項目を記録)

_____

_____

視覚の異常，錯覚，幻覚

質問：

1. 自分の目にだまされていると感じることがありますか？
   いいえ　わからない　はい（限定項目を記録）

2. 光に対してより敏感になっていると感じますか？　見ているものの色や明るさが今までと違って見えることはありますか？　あるいはそれ以外でも何か変化を感じますか？
   いいえ　わからない　はい（限定項目を記録）

3. 光のフラッシュや燃えている炎，おぼろげな人影といったものが一瞬でも見えることがありますか？
   いいえ　わからない　はい（限定項目を記録）

4. 動く人影や生き物が見えたと思ったら，次の瞬間には何もなかったといったようなことがありますか？
   いいえ　わからない　はい（限定項目を記録）

5. 他人が見ることが出来ない，あるいは見えているとは思えないようなものを見たことがありますか？
   いいえ　わからない　はい（限定項目を記録）

限定項目：「はい」と答えたすべての質問に対して，以下を記録すること

- それが生じ始めた時期．継続期間．生じる頻度．
- 症状の程度：この経験はあなたにとってどのようなものですか（それを煩わしいと思いますか）？
- 生活に対する干渉の程度：この経験に基づいて行動することがありますか？　そのせいで全く違う行動をとってしまったことがありますか？
- 確信や意味づけの程度：この経験をあなたはどのように説明しますか？　それが単に頭の中だけで起きていると感じることはありますか？　これが現実だと考えることはありますか？

身体感覚の異常，錯覚，幻覚

質問：

1. ひりひりする，引っ張られる，圧迫される，疼く，焼ける，冷たくなる，しびれる，振動する，電気が走る，痛むなどの普通でないような身体的な感覚を感じたことがありますか？

　　　　　　　　　　　　いいえ　わからない　はい（限定項目を記録）

嗅覚，味覚の異常，錯覚，幻覚

質問：

1. 他の人が気づかないような臭いや味を感じることはありますか？

　　　　　　　　　　　　いいえ　わからない　はい（限定項目を記録）

限定項目：「はい」と答えたすべての質問に対して，以下を記録すること

・それが生じ始めた時期．継続期間．生じる頻度．
・症状の程度：この経験はあなたにとってどのようなものですか（それを煩わしいと思いますか）？
・生活に対する干渉の程度：この経験に基づいて行動することがありますか？　そのせいで全く違う行動をとってしまったことがありますか？
・確信や意味づけの程度：この経験をあなたはどのように説明しますか？　それが単に頭の中だけで起きていると感じることはありますか？　これが現実だと考えることはありますか？

_____
_____
_____
_____
_____

P4　解説：知覚の異常 / 幻覚

a. 普通でない知覚体験．知覚の過敏あるいは鈍麻．鮮明な知覚体験，感覚の歪み，錯覚．
b. 病識を伴う（すなわちその異常性が自覚できる）偽幻覚あるいは幻覚体験．
c. 思考や行動にわずかに影響を及ぼす明らかな幻覚の出現．

　各スケールにおけるアンカーポイントは，観察されるあらゆる症候に対して，その徴候の具体例や評価のためのガイドラインを提供するものである．ある特定のポイントを付与する際に，1つの枠内のすべての基準を満たす必要はない．評価の基準には本人の発言だけでなく，面接者による観察記録も含まれる．

知覚の異常 / 幻覚の重症度スケール（以下のうち1つに丸を）

0	1	2	3	4	5	6
なし	存在が疑われる	軽度	中等度	やや重度	重度であるが精神病的ではない	重度かつ精神病的
	わずかではあるが，自覚できる程度の知覚過敏（感受性の亢進，鈍麻，感覚の歪みなど）．	あいまいな知覚体験や変化．それは自覚さはするものの何らかの意味があるとは思われない．	不鮮明なイメージ（人影，残像，物音など），錯覚，持続的な知覚のゆがみなどが繰り返し出現する．それらは非日常的な体験として，しばしば困惑をもたらす．	一時的に出現する鮮明な幻覚や錯覚．それは最終的には現実ではないと理解されるものではあるが，その奇怪な体験はしばしば集中を妨げ，混乱を招く．機能低下も認められるようになる．	幻覚は自身の外部で実在するように体験される．一方で周囲の意見によってその実在性を疑うこともまだ可能ではある．幻覚はもはや抗しがたい体験であり，少なからずストレスがもたらされる．機能低下が日常的に見られる．	幻覚は現実として感じられ，自分の考えとは区別される．それを現実かどうか疑うこともできなくなる．注意が奪われ，恐怖感がもたらされる．思考や感情，人間関係，行動などに持続的な影響を及ぼしている．

評価の根拠：
_____
_____
_____
_____

3点以上と評価された症状について			
症状の出現時期	症状の悪化時期	症状の出現頻度	別の疾患の可能性
陽性症状が少なくとも3点のレベルに最初に達した日時を記録する： □「物心ついて以来」 □___年___月___日	現在3～6点にある陽性症状が少なくとも1点以上悪化した，もっとも最近の日時を記録する： ___年___月___日	以下あてはまるものをチェックする： □1日1時間以上を週に4回以上 □1日数分以上を月に1回以上 □週に1回以上 □どれでもない	症状は他のⅠ軸あるいはⅡ軸疾患で説明できる可能性がある： □可能性が高い □可能性が低い

P5　まとまりのないコミュニケーション

　以下の質問は会話時にみられる明らかな思考障害や，他の思考に関する問題などを同定する目的で行われる．質問によって得られた症状や体験は，質問の末尾にある SOPS P5 スケールで評価される．

注：評価の基準には，面接時の発話における問題だけでなく，言語的コミュニケーションや論理の一貫性も含む．

コミュニケーションの障害
質問：
1. 言っていることが理解できないと他人からいわれたことはありますか？あるいは言っていることを理解してもらえていないと感じたことはありますか？

　　　　　　　　　　　　いいえ　わからない　はい(限定項目を記録)

2. 話すときに言いたいことが分からなくなったり，話題がそれてしまったりするなど，伝えたいことがうまく表現できないと感じることがありますか？

いいえ　わからない　はい(限定項目を記録)

3. 突然頭の中が真っ白になって，思考が急に途切れたり，話が続かなくなったりすることはありますか？

いいえ　わからない　はい(限定項目を記録)

限定項目：「はい」と答えたすべての質問に対して，以下を記録すること

・それが生じ始めた時期．継続期間．生じる頻度．
・症状の程度：この経験はあなたにとってどのようなものですか(それを煩わしいと思いますか)？
・生活に対する干渉の程度：この経験に基づいて行動することがありますか？　そのせいで全く違う行動をとってしまったことがありますか？
・確信や意味づけの程度：この経験をあなたはどのように説明しますか？　それが単に頭の中だけで起きていると感じることはありますか？　これが現実だと考えることはありますか？

＿＿＿＿＿＿＿＿＿＿＿＿＿＿＿＿＿＿＿＿＿＿＿＿＿＿＿＿＿＿＿＿＿＿
＿＿＿＿＿＿＿＿＿＿＿＿＿＿＿＿＿＿＿＿＿＿＿＿＿＿＿＿＿＿＿＿＿＿
＿＿＿＿＿＿＿＿＿＿＿＿＿＿＿＿＿＿＿＿＿＿＿＿＿＿＿＿＿＿＿＿＿＿
＿＿＿＿＿＿＿＿＿＿＿＿＿＿＿＿＿＿＿＿＿＿＿＿＿＿＿＿＿＿＿＿＿＿

P5　解説：まとまりのないコミュニケーション

a. 奇妙な話し方．曖昧で不明確であり，細部にこだわりすぎ，型にはまった感じを与える．
b. 話の内容が混乱し，ぼんやりとしており，その話しぶりも空回りを始めたかと思えば，逆に遅くなったりする．時に言い間違えたり，文脈にそぐわないことを話したり，話題がそれたりする．
c. 話は不必要にまわりくどく，脱線しがちで，論理性を欠いている．言いたいことをまとめるのにしばしば困難が見受けられる．
d. 連合弛緩や思考制止が認められ，話の内容を理解するのも困難で，およそ知的とは言い難い．

各スケールにおけるアンカーポイントは，観察されるあらゆる症候に対して，その徴候の具体例や評価のためのガイドラインを提供するものである．ある特定のポイントを付与する際に，1つの枠内のすべての基準を満たす必要はない．評価の基準には本人の発言だけでなく，面接者による観察記録も含まれる．

まとまりのないコミュニケーションの重症度スケール（以下のうち1つに丸を）

0	1	2	3	4	5	6
なし	存在が疑われる	軽度	中等度	やや重度	重度であるが精神病的ではない	重度かつ精神病的
	意味をなさない言葉やフレーズがしばしば出現する．	話しぶりが曖昧で漠然としており，ときに細部にこだわりすぎ，型にはまった感じを与える．	しばしば言い間違えたり，関係のない話を始めたりする．話題がそれても，自分で元に戻すことは可能である．	話はまわりくどいものの，結果的に結論にたどりつくことはできる．言いたいことをまとめるのにしばしば困難が見受けられ，突然会話が中断したりする．適切な質問や修正などによって，話題を戻すことは可能である．	話はすぐに脱線してしまい，結果的に結論にたどりつくことができない．連合弛緩や思考制止をしばしば認める．注意を引き戻すには頻繁に修正を促す必要がある．	ごくわずかでもストレスを感じたり，会話の内容が込み入ってきたりすると，話はまとまりを失って的外れなものとなり，中断が増え，理解が困難となる．面接中も促しによって修正することができない．

評価の根拠：
_____
_____
_____
_____
_____

3点以上と評価された症状について			
症状の出現時期	症状の悪化時期	症状の出現頻度	別の疾患の可能性
陽性症状が少なくとも3点のレベルに最初に達した日時を記録する： □「物心ついて以来」 □___年___月___日	現在3～6点にある陽性症状が少なくとも1点以上悪化した，もっとも最近の日時を記録する： ___年___月___日	以下あてはまるものをチェックする： □1日1時間以上を週に4回以上 □1日数分以上を月に1回以上 □週に1回以上 □どれでもない	症状は他のⅠ軸あるいはⅡ軸疾患で説明できる可能性がある： □可能性が高い □可能性が低い

陰性症状

N1　社会的な関心の喪失

質問：
1. 普段一人でいるのと誰かと一緒にいるのとではどちらを好みますか(もし一人でいるほうを好むのであれば，その理由を明記)？　社会的な無関心が見られるか，他の人と一緒にいると落ち着かないか，不安はあるか，などを問う．

   反応を記録

2. 普段暇な時間は何をして過ごしますか？　もし機会があればもっと社交的になりますか？

   反応を記録

3. 学校や仕事以外で友人と一緒に過ごすことはどのくらいありますか？
   最も親しい友人3人を挙げてください．彼らとは何をして過ごしますか？

   反応を記録

4. 誰かと会うときに，会話を切り出すのはあなたと相手ではどちらが多いですか？

   反応を記録

5. 家族と一緒に過ごすことはどのくらいありますか？　彼らとは何をして過ごしますか？

   反応を記録

すべての反応に対し以下を記録する：その内容，出現時期，持続期間，これまでに見られた変化

N1 解説：社会的な関心の喪失

a. 一親等家族以外に親友あるいは信頼できる人がいない．
b. 一人で過ごすことを好むが，必要に応じて社交的な場に参加することはある．自ら話しかけることはない．
c. ほとんどの社会的活動に対して消極的で，関心は乏しく，形式的である．目立たぬ所へ逃れようとする傾向がある．

　各スケールにおけるアンカーポイントは，観察されるあらゆる徴候に対して，その徴候の具体例や評価のためのガイドラインを提供するものである．ある特定のポイントを付与する際に，1つの枠内のすべての基準を満たす必要はない．評価の基準には本人の発言だけでなく，面接者による観察記録も含まれる．

社会的な関心の喪失の陰性症状スケール

0	1	2	3	4	5	6
なし	存在が疑われる	軽度	中等度	やや重度	重度であるが精神病性ではない	重度かつ精神病性
	社交面の不器用さがわずかに存在するが社会的活動は可能である．	他人と一緒にいると落ち着かない．社交にはあまり関心はないが，社会参加は可能である．	社交に関心がないため，人との付き合いは不本意な形でしかない．社会的活動には消極的である．	血縁者以外に親しい友人はほとんどいない．社会に対して無関心である．社会参加は最低限でしかない	人付き合いもほとんどなく，親友もいない．一人でいることを好み，ほとんどの時間を一人でいるか家族と過ごす．	友人はおらず，ほとんどの時間を一人で過ごす．

評価の根拠：

```
┌─────────────────────────────────────┐
│   症状の発現（レベル3以上の症状に対して）  │
│ 最近の症状がはじめて生じた日時を記録する：  │
│   □生涯にわたって，あるいは物心ついて以来  │
│   □明らかでない                         │
│   □出現の日時 _____（年）_____（月） │
└─────────────────────────────────────┘
```

N2　意欲減退

質問：
1. 何かをするときにやる気が起きず困ることはありますか？
　　　　　　　　　　　　いいえ　わからない　はい（反応を記録）
2. 普通の日常的な行為をするのに苦労することはありますか？　それは時にですか，それとも常にですか？
　行動には促しや刺激が必要ですか？　それは時にですか，それとも常にですか？
　　　　　　　　　　　　いいえ　わからない　はい（反応を記録）
3. 周りがやむを得ず自分をせきたてていると気づいたことはありますか？
　普段行っていることをしなくなってしまった経験はありますか？
　　　　　　　　　　　　いいえ　わからない　はい（反応を記録）

```
┌─────────────────────────────────────────────────────┐
│ すべての反応に対し以下を記録する：その内容，出現時期，持続期間，これまでに見られた変化 │
└─────────────────────────────────────────────────────┘
```

_____

_____

N2　解説：意欲減退

a. 目的のある活動であっても，行動を開始，継続したり，コントロールしたりすることが困難になっている．
b. 動機づけや活力の欠乏，生産性の低下．

各スケールにおけるアンカーポイントは，観察されるあらゆる症候に対して，その徴候の具体例や評価のためのガイドラインを提供するものである．ある特定のポイントを付与する際に，1つの枠内のすべての基準を満たす必要はない．評価の基準には本人の発言だけでなく，面接者による観察記録も含まれる．

意欲減退の陰性症状スケール

0	1	2	3	4	5	6
なし	存在が疑われる	軽度	中等度	やや重度	重度	ごく重度
	活動に集中することはできるものの，平均的なレベルには劣っている．	動機づけの低下や活力の欠乏．単純な作業にも労力が必要となり，一般の場合より時間がかかる．生産性のレベルは平均的か，正常下限にある．	目的のある活動にもモチベーションが持てず，行動の開始や維持に困難が認められる．課題にとりかかるにもやり終えるにも周囲の促しが必要となる．	目的のある活動に対するモチベーションは最低限でしかなく，周囲からの促しは常に必要となる．	モチベーションや活力は欠如しており，生産性は明らかに低い．ほとんどの目的のある活動を放棄している．周囲からの促しは常に必要だが，しばしば有効でない．	周囲からの促しにも反応しない．ほとんどすべての目的のある活動を放棄する．

評価の根拠：

_____

_____

_____

_____

_____

_____

症状の発現（レベル3以上の症状に対して）
最近の症状がはじめて生じた日時を記録する： □生涯にわたって，あるいは物心ついて以来 □明らかでない □出現の日時 _____（年） _____（月）

N3 感情表出

質問：
1. 以前より感情表現が少なくなった，他人との関わりが薄くなったなどと誰かから指摘されたことがありますか？

いいえ　わからない　はい（反応を記録）

すべての反応に対し以下を記録する：その内容，出現時期，持続期間，これまでに見られた変化

注）評価基準には主観的な感情表出の低下に加え，客観的に認められる感情の平板化も含む．

_____
_____
_____
_____

N3　解説：感情表出

a. 感情の起伏や抑揚の減少（単調な発話），話すときの身振りが少なくなる（鈍重な外見）などに特徴づけられる，平板化し限定的な，抑制された感情表出．
b. 自発性の欠如や会話の途絶．コミュニケーションの正常なやりとりが失われ，会話でもほとんど自発的に話すことがない．面接時の返答も単発的でそっけなく，面接者による追加や修正が必要となる．
c. ラポールの乏しさ．他者への共感や率直な自己開示などが欠けており，面接者に対する親近感や関心，興味も認められない．これは面接時に示される距離感や，言語的／非言語的な疎通の低下によって確かめられる．

　各スケールにおけるアンカーポイントは，観察されるあらゆる症候に対して，その徴候の具体例や評価のためのガイドラインを提供するものである．ある特定のポイントを付与する際に，1つの枠内のすべての基準を満たす必要はない．評価の基準には本人の発言だけでなく，面接者による観察記録も含まれる．

感情表出の陰性症状スケール

0	1	2	3	4	5	6
なし	存在が疑われる	軽度	中等度	やや重度	重度	ごく重度
	情動の反応はやや遅れて出現するか，反応自体が鈍い．	会話には抑揚がなく，ぎこちなさが感じられる．	感情表出はしばしば最小限にとどまるものの，会話の流れ自体は維持されている．	会話の流れを維持するのはもはや困難である．会話のほとんどが単調なやり取りに終始する．相互の感情移入も最小限で，視線を合わせるのを避ける傾向がある．	会話を始めたり続けたりするのに面接者の質問や促しを必要とする．感情は抑制され，身振りはほとんど見られない．	感情は平板化しており，発話は単調である．面接者に共感を向けることは出来ず，積極的に質問されなければ会話は成り立たない．

評価の根拠：
_____
_____

症状の発現（レベル3以上の症状に対して）

最近の症状がはじめて生じた日時を記録する：
☐生涯にわたって，あるいは物心ついて以来
☐明らかでない
☐出現の日時 ＿＿＿＿＿＿（年）＿＿＿＿＿＿（月）

N4　情動と自己の認識

質問：
1. 以前に比べ，自分の感情が全体的に弱くなったと感じますか？　感情がなくなったと感じたことがありますか？

　　　　　　　　　　　いいえ　わからない　はい（反応を記録）

2. 感情の変化や違いを区別するのが難しくなったと感じることはありますか？

　　　　　　　　　　　いいえ　わからない　はい（反応を記録）

3. 感情の起伏がなくなったと感じることはありますか？
　　　　　　　　　　　いいえ　わからない　はい（反応を記録）
4. 自意識が失われていくような感じや，自分が自分ではないような感じ，人生とのつながりが失われる感じをこれまでに持ったことがありますか？　それは自分の人生を外から見ているような感じですか？
　　　　　　　　　　　いいえ　わからない　はい（反応を記録）

> すべての反応に対し以下を記録する：その内容，出現時期，持続期間，これまでに見られた変化

_____
_____
_____
_____

N4　解説：情動と自己の認識

a. 情動体験や感情の変化を認めにくく，表面的で適切さに欠ける．
b. 他人と会話する際に距離感が生じ，感情の交流が見られない．
c. 感情は抑制され，幸福や悲しみを感じることは困難である．
d. 感情がなくなったという感覚：快楽消失，無関心，興味の喪失，倦怠感．
e. 根こそぎ入れ替わるような感覚，現実感の喪失，あるいは奇妙な感覚．
f. 自分が自分でないような，離人感覚．
g. 自己意識の喪失．

　各スケールにおけるアンカーポイントは，観察されるあらゆる症候に対して，その徴候の具体例や評価のためのガイドラインを提供するものである．ある特定のポイントを付与する際に，1つの枠内のすべての基準を満たす必要はない．評価の基準には本人の発言だけでなく，面接者による観察記録も含まれる．

情動と自己の認識の陰性症状スケール

0	1	2	3	4	5	6
なし	存在が疑われる	軽度	中等度	やや重度	重度	ごく重度
	他人に対して距離感を感じる．日常的に感情は抑制されている．	情動変化が乏しくなり，感情もはっきりと自覚されなくなる．	情動は平板化しており，その変化も容易に区別しにくくなっていると感じる．	無感覚や感覚の平板化が目立ち，時に不明瞭な不快感が出現する．幸福や悲しみといった明瞭な情動の起伏さえも自覚するのは困難である．	自意識が失われるように感じる．離人感，非現実感，奇妙な感覚が出現する．肉体や世界，時間の流れから解離したような感覚．ほとんどの時間を無感情で過ごす．	自分が根こそぎ入れ替わって，以前の自分とかけ離れたように感じる．感情は自覚されない．

評価の根拠：

_____
_____
_____
_____

症状の発現（レベル3以上の症状に対して）
最近の症状がはじめて生じた日時を記録する：
□生涯にわたって，あるいは物心ついて以来
□明らかでない
□出現の日時 _____（年） _____（月）

N5　思考の貧困化

質問：
1. 他人が何を言おうとしているのか，意味が分からないために理解するのが難しいということが時々ありますか？

　　　　　　　　　　　いいえ　わからない　はい（反応を記録）

2. 他人が使っている言葉で，理解できない言葉が最近増えていますか？

いいえ　わからない　はい（反応を記録）

> すべての反応に対し以下を記録する：その内容，出現時期，持続期間，これまでに見られた変化

_____
_____
_____
_____
_____
_____

抽象能力に関する質問：
1 類似性：以下の2つはどの点が似ていますか？
    a. ボールとオレンジ　_____
    b. りんごとバナナ　_____
    c. 絵と詩　_____
    d. 空気と水　_____
2 慣用句：「次の言い回しにはどういう意味がありますか？」
    a. 本は表紙で判断できない　_____
    b. とらぬ狸の皮算用　_____

N5　解説：思考の貧困化

a. 聞き慣れているフレーズの意味を正確に理解したり，会話の要点を把握したり，日常会話についていったりすることができない．
b. 話す内容が型にはまっており，流れがスムーズでなく，自発性や思考の柔軟性が失われている．単純な内容の思考が繰り返し出現する．態度や信念にはいくらか硬さが見られる．違う視点から考えたり，1つの考えから別の考えに移ったりすることが困難である．

c. 言葉や文章の構造が単純である．独立節や修飾語（形容詞や副詞）に欠ける．
d. 抽象的な思考に困難が見られる．考える際に抽象化された象徴的な手法を用いることができず，しばしば具体的な言い回しを利用する．物事を分類したり一般化したりするのが困難で，問題解決の際にも具体的で自分に関係のある範囲でしか考えを進めることができない．

　各スケールにおけるアンカーポイントは，観察されるあらゆる症候に対して，その徴候の具体例や評価のためのガイドラインを提供するものである．ある特定のポイントを付与する際に，1つの枠内のすべての基準を満たす必要はない．評価の基準には本人の発言だけでなく，面接者による観察記録も含まれる．

思考の貧困化の陰性症状スケール

0	1	2	3	4	5	6
なし	存在が疑われる	軽度	中等度	やや重度	重度	ごく重度
	いくらか会話にぎこちなさが見られる．	会話のニュアンスを捉えることがうまくできない．会話のやりとりがスムーズでない．	類似性や慣用句の意味はほぼ正しく理解することができるが，修飾語（形容詞や副詞）はほとんど用いない．抽象的な言い回しを避けることが多い．	合理的でシンプルな会話でも，しばしば要点を把握できない．同じ言い回しをしばしば繰り返す．修飾語をほとんど使わず，単純な言葉や文章を好んで用いる．類似性や慣用句の意味についてもしばしば正しく理解できていない．	単純な言い回しや質問の意図を理解したり，それに答えたりすることは出来るが，自ら考えや体験をはっきり口に出して表現することは難しい．話の内容は限定され，型にはまっており，ごく単純で短い文章の形でしか表現されない．類似性や慣用句の意味についてはほとんど理解することができない．	会話の内容がたとえ単純なものでも，話についていけないことがしばしばある．会話の内容や表現の形はほとんど短い単語か，はいかいいえの応答に限られている．

評価の根拠：
_____
_____
_____
_____

症状の発現（レベル3以上の症状に対して）

最近の症状がはじめて生じた日時を記録する：
□生涯にわたって，あるいは物心ついて以来
□明らかでない
□出現の日時 _____（年）_____（月）

N6　社会機能

質問：

1. 仕事に以前より多くの労力を費やしてしまうことがありますか？
  いいえ　わからない　はい（反応を記録）
2. 仕事を行うのが困難であると感じることがありますか？
  いいえ　わからない　はい（反応を記録）
3. 学校や仕事で成績が下がってきているといったことはありますか？
  成績の低下によってさらにテストを課されたり，あるいは何か注意を受けたりすることがありましたか？　進級に失敗したり，学校を辞めようと考えたりすることはありますか？　職場から解雇通告を出されたり，あるいはそうでなくても仕事を続けていくことを困難に感じたりすることはありますか？
  いいえ　わからない　はい（反応を記録）

すべての反応に対し以下を記録する：その内容，出現時期，持続期間，これまでに見られた変化

N6　解説：社会機能

a. 以前は難なくこなしていた社会的な役割（仕事や学校，家事など）を遂行するのに困難を感じる．
b. 仕事や学校で同僚や友人と生産的で互助的な関係を持つことが困難である．

　各スケールにおけるアンカーポイントは，観察されるあらゆる症候に対して，その徴候の具体例や評価のためのガイドラインを提供するものである．ある特定のポイントを付与する際に，1つの枠内のすべての基準を満たす必要はない．評価の基準には本人の発言だけでなく，面接者による観察記録も含まれる．

社会機能の陰性症状スケール

0	1	2	3	4	5	6
なし	存在が疑われる	軽度	中等度	やや重度	重度であるが精神病性ではない	重度かつ精神病性
	仕事，学校において普段と同じレベルの遂行能力を維持するためにより多くの労力や集中力を必要とする．	仕事や学校における機能の低下が他の人の目にも明らかとなる．	仕事上の課題を明らかにこなせなくなっていたり，学業平均値の明らかな低下が見られたりする．	1つあるいはそれ以上の科目で落第する．注意を受けたり，仕事上で観察下に置かれたりする．	停学や落第になりかけたり，そうでなくても要求を満たすのが著しく困難になったりする．仕事を休みがちで，周囲からも問題視される．他人と働くのは困難になる．	落第や停学，あるいは停職，解雇をされる．

評価の根拠：_____
_____
_____
_____

症状の発現（レベル3以上の症状に対して）
最近の症状がはじめて生じた日時を記録する：
☐生涯にわたって，あるいは物心ついて以来
☐明らかでない
☐出現の日時 _____ （年） ____ （月）

解体症状

D1 奇異な行動と外見

質問：
1. 普段どんな活動をするのが好きですか？

　　　　　　　　　　　　　　　　　　　　　　　　　（反応を記録）
2. 何か趣味や，特別に関心を持っていることや，コレクションなどはありますか？

　　　　　　　　　　　　いいえ　わからない　はい（反応を記録）
3. 自分の趣味や関心が一般的でないとか，変わっていると周りから思われていると思いますか？

　　　　　　　　　　　　いいえ　わからない　はい（反応を記録）

すべての反応に対し以下を記録する：その内容，出現時期，持続期間，これまでに見られた変化

注）評価の基準には，本人が述べる奇妙で普通でない風変わりな行動や外見に加え，客観的に認められる不自然で奇妙な外見も含む．

D1 解説：奇異な行動と外見

a. 行動や外見が奇妙，風変わりで独特であり，まとまりを欠き，奇矯である．
b. 自分の考えに没入し，頭の中で会話をしているかのようである．
c. 適切でない感情表現が見られる．

　各スケールにおけるアンカーポイントは，観察されるあらゆる症候に対して，その徴候の具体例や評価のためのガイドラインを提供するものである．ある特定のポイントを付与する際に，1つの枠内のすべての基準を満たす必要はない．評価の基準には本人の発言だけでなく，面接者による観察記録も含まれる．

奇異な行動と外見の解体症状スケール

0	1	2	3	4	5	6
なし	存在が疑われる	軽度	中等度	やや重度	重度	ごく重度
	普通でない外見や行動の存在が疑われる.	どちらかといえば普通でない奇異な行為や外見が存在する.	文化的に容認される範囲を超えるような,奇異で普通でない行動や外見,趣味,興味や関心の存在.ある種の不適切な行為がしばしば認められる.	ほとんどいかなる場合でも非常識とみなされるような行為や外見.内界の刺激に捉われて注意が定まらない.どこか浮世離れしたところがあり,しばしば周囲に不快感をもたらす.	きわめて常識的でない奇妙な行動や外見.時に明らかに自分の考えに没頭しているように見えることがある.場にそぐわない反応を示したり,不適切な感情を表出したりする.しばしば仲間からも白い目で見られる.	著しく奇妙な外見や行動(ゴミを集める,公の面前で独語を発するなど).発話と実際の感情が全く乖離している.

評価の根拠:＿＿

症状の発現(レベル3以上の症状に対して)
最近の症状がはじめて生じた日時を記録する:
□生涯にわたって,あるいは物心ついて以来
□明らかでない
□出現の日時 ＿＿＿＿＿(年)＿＿＿＿＿(月)

D2　奇異な思考

質問:

1. 考えが普通でないとか,考え方が奇妙あるいは論理的でないなどと言われたことが今までにありますか?

いいえ　わからない　はい(反応を記録)

すべての反応に対し以下を記録する：その内容，出現時期，持続期間，これまでに見られた変化

注)評価の基準には，本人が述べる普通でない奇妙な思考に加え，客観的に認められる普通でない奇異な思考も含む．

_____

_____

_____

D2　解説：奇異な思考

a. 偏った，非論理的で明らかに不合理な，奇妙かつ幻想的で，奇異な考えによって特徴づけられる思考．

　各スケールにおけるアンカーポイントは，観察されるあらゆる症候に対して，その徴候の具体例や評価のためのガイドラインを提供するものである．ある特定のポイントを付与する際に，1つの枠内のすべての基準を満たす必要はない．評価の基準には本人の発言だけでなく，面接者による観察記録も含まれる．

奇異な思考の解体症状スケール

0	1	2	3	4	5	6
なし	存在が疑われる	軽度	中等度	やや重度	重度	ごく重度
	まれに「風変わりな」考えが生じるが，容易に振り払うこともできる．	しばしば普通でない考えや，非論理的な偏った思考が生じる．	普通でない考えや，非論理的な偏った思考が見られるが，それらは下位文化的規範の範囲内にある信念や思想体系の1つとみなされる．	普通でない考えや非論理的な思考が，宗教や哲学において通常慣習的とされるラインから逸脱している．	理解するには困難であるような奇妙な考えが見られる．	思考は空想的で，明らかに不合理でまとまりもなく，およそ理解不能である．

評価の根拠：
_____
_____
_____
_____

症状の発現（レベル3以上の症状に対して）
最近の症状がはじめて生じた日時を記録する：
□生涯にわたって，あるいは物心ついて以来
□明らかでない
□出現の日時 _____（年）_____（月）

D3　注意・集中の低下

質問：

1. 目の前の課題に集中したり専念したりすることが難しくなったということはありますか？　それは読むことあるいは聞くことに関してですか？　また以前に比べて悪くなっているということはありますか？

　　　　　　　　　　　　いいえ　わからない　はい（反応を記録）

2. すぐに気が散ってしまうということは多いですか？　また，物音や他人の話にすぐに気をとられてしまうことがありますか？　それは徐々に増えていますか？　また，物事を思い出すのに時間がかかることがありますか？

　　　　　　　　　　　　いいえ　わからない　はい（反応を記録）

すべての反応に対し以下を記録する：その内容，出現時期，持続期間，これまでに見られた変化

注）評価の基準には，本人が述べる集中力や注意の困難だけでなく，面接者から客観的に認められる所見も含む．
_____
_____
_____

D3 解説：注意・集中の低下

a. 内的・外的双方の刺激によって注意が拡散し，集中が困難になるなどの，持続的注意の低下．
b. 新たな刺激に注意を向けたり，それを維持したりするのが困難である．
c. 会話における記憶保持などの短期記憶に問題が認められる．

　各スケールにおけるアンカーポイントは，観察されるあらゆる症候に対して，その徴候の具体例や評価のためのガイドラインを提供するものである．ある特定のポイントを付与する際に，1つの枠内のすべての基準を満たす必要はない．評価の基準には本人の発言だけでなく，面接者による観察記録も含まれる．

注意・集中の低下の解体症状スケール

0	1	2	3	4	5	6
なし	存在が疑われる	軽度	中等度	やや重度	重度	ごく重度
	ストレスがかかると集中力が低下する．	日々の課題や会話に対する注意がしばしば低下する．	集中や注意の保持に問題があり，話についていくことが困難となる．	しばしば注意散漫となって，会話の筋道を見失うことがある．	外からのサポートがなければ注意を維持したり，集中力を保ったりすることができない．	外から促しても注意を維持することができない．

評価の根拠：

症状の発現（レベル3以上の症状に対して）

最近の症状がはじめて生じた日時を記録する：
　□生涯にわたって，あるいは物心ついて以来
　□明らかでない
　□出現の日時　　　　　（年）　　　　（月）

D4　衛生観念の低下

質問：
1. 清潔を保ったり，きちんとした服装などに関心が向かなくなることはありますか？

　　　　　　　　　　　　　　　いいえ　わからない　はい（反応を記録）
2. 入浴はどのくらいの頻度でしますか？

　　　　　　　　　　　　　　　　　　　　　　　　　　　（反応を記録）
3. 最後に新しい服を買いに出掛けたのはいつですか？

　　　　　　　　　　　　　　　　　　　　　　　　　　　（反応を記録）

> すべての反応に対し以下を記録する：その内容，出現時期，持続期間，これまでに見られた変化

_____
_____
_____

D4　解説：衛生観念の低下

a. 身の周りの清潔さや身だしなみに関心が持てなくなる．自分に対して無関心になっている．

　各スケールにおけるアンカーポイントは，観察されるあらゆる症候に対して，その徴候の具体例や評価のためのガイドラインを提供するものである．ある特定のポイントを付与する際に，1つの枠内のすべての基準を満たす必要はない．評価の基準には本人の発言だけでなく，面接者による観察記録も含まれる．

衛生観念の低下の解体症状スケール

0	1	2	3	4	5	6
なし	存在が疑われる	軽度	中等度	やや重度	重度	ごく重度
	清潔の保持に対する関心は低いが，外見に対する関心はまだ残っている．	清潔の保持や外見への関心は低いが，慣習上あるいは文化的に容認される範囲にはある．	服装や社会的な決まり事のような常識や文化的習慣に関心がない．	衛生面に対する社会的あるいは文化的な基準を無視している．	入浴は不規則となり，服装はだらしなく，服も洗濯せず同じものを着ている．時に体臭が目立つ．	身だしなみには全く気にかけていないように見える．入浴もせず悪臭を放っている．社会的な決まり事に無関心で，周囲から注意を受けても修正されない．

評価の根拠：

症状の発現（レベル3以上の症状に対して）

最近の症状がはじめて生じた日時を記録する：
- ☐ 生涯にわたって，あるいは物心ついて以来
- ☐ 明らかでない
- ☐ 出現の日時 _____ （年） _____ （月）

一般症状

G1　睡眠困難

質問：
1. 最近はどのくらい睡眠をとっていますか？　睡眠に関して何か困っていることはありますか（入眠困難，中途覚醒，1日の睡眠時間の不足，睡眠が浅い，早朝覚醒，昼夜逆転など）？

（反応を記録）

2. 日中の間疲れを感じることはありますか？　睡眠不足で日中を乗り切ることができないということはありますか？　朝起きるのはつらいですか？

いいえ　わからない　はい（反応を記録）

すべての反応に対し以下を記録する：その内容，出現時期，持続期間，これまでに見られた変化

注）評価の基準には不眠だけでなく過眠も含む．

G1　解説：睡眠困難

a. 入眠困難
b. 早朝覚醒と再入眠困難
c. 日中の易疲労感と眠気
d. 昼夜逆転
e. 過度の睡眠

　各スケールにおけるアンカーポイントは，観察されるあらゆる症候に対して，その徴候の具体例や評価のためのガイドラインを提供するものである．ある特定のポイントを付与する際に，1つの枠内のすべての基準を満たす必

要はない．評価の基準には本人の発言だけでなく，面接者による観察記録も含まれる．

睡眠障害（一般症状スケール）

0	1	2	3	4	5	6
なし	存在が疑われる	軽度	中等度	やや重度	重度	ごく重度
	不安定な睡眠．	入眠あるいは再入眠にやや困難を認める．	入眠困難と早朝覚醒のせいで日中易疲労感が残る．平均的なレベルよりも睡眠時間が長い．	睡眠のパターンはほぼ崩壊し，他の社会的機能にまで影響を及ぼす（例えば学校や仕事に遅れるようになるなど）．約束の時間に起きるのが難しくなる．昼寝に多くの時間を割くようになる．	ほとんど毎日入眠困難か早朝覚醒を認める．昼夜逆転も見られる．決められた時間に起きて出かけることはほぼ全くできない．	48時間以上に渡り睡眠がとれていない．

評価の根拠：_____

症状の発現（レベル3以上の症状に対して）
最近の症状がはじめて生じた日時を記録する：
□生涯にわたって，あるいは物心ついて以来
□明らかでない
□出現の日時 _____（年）_____（月）

G2　気分不快

質問：
1. 最近の気分はどういったものですか？

（反応を記録）

2. 今までに自分が不幸せだと感じるようなことはありましたか？

いいえ　わからない　はい（反応を記録）

3. 今までに抑うつ的になったことがありますか？　気がつくと涙を流しているといったようなことはありますか？　悲しみや絶望を感じたり，嫌な気分になったり自分を無価値と考えたりしますか？　気分によって食欲が影響されることはありますか？　睡眠や仕事の能力についてはどうですか？

いいえ　わからない　はい（反応を記録）

4. 自分自身を傷つけたり，自分の人生を終わりにしてしまおうといった考えが浮かんでくることはありますか？　今までに自殺を試みたことがありますか？

いいえ　わからない　はい（反応を記録）

5. 他の誰かを傷つけようという考えが生じたことはありますか？

いいえ　わからない　はい（反応を記録）

6. 気がつくと長い時間いらいらし続けているようなことはありますか？　しばしば怒りを感じるようなことはありますか？　他の誰かや何かを攻撃するといったことはありますか？

いいえ　わからない　はい（反応を記録）

7. 最近いつもより神経質になったり不安になったりしましたか？　リラックスできないというようなことはありますか？

いいえ　わからない　はい（反応を記録）

すべての反応に対し以下を記録する：その内容，出現時期，持続期間，これまでに見られた変化

G2　解説：気分不快

　　　　　　　　　　　　　　　　以下も：

a. 娯楽的活動に対する興味の減退　　a. 不安，パニック，種々の恐怖
b. 睡眠の障害　　　　　　　　　　　b. いらいら感，嫌悪感，怒り
c. 食欲の低下あるいは亢進　　　　　c. 落ち着きのなさ，焦燥感，緊張
d. 気力低下の自覚　　　　　　　　　d. 不安定な感情

e. 集中力の減退
f. 希死念慮
g. 無価値な感覚や罪悪感

　各スケールにおけるアンカーポイントは，観察されるあらゆる症候に対して，その徴候の具体例や評価のためのガイドラインを提供するものである．ある特定のポイントを付与する際に，1つの枠内のすべての基準を満たす必要はない．評価の基準には本人の発言だけでなく，面接者による観察記録も含まれる．

気分不快（一般症状スケール）

0	1	2	3	4	5	6
なし	存在が疑われる	軽度	中等度	やや重度	重度	ごく重度
	気分の落ち込みやいらいら感を自覚しやすい．	抑うつやいらいら，不安の混ざり合った，不快で陰鬱な悲しい気分が，しばしば思いがけず不定期に襲ってくる．	「ふさぎこむ」感じや，種々の不安，不機嫌などが「居座る」状態．	悲哀感やいらいら感，抑うつ気分に繰り返し襲われる．	抑うつやいらいら，不安の混ざり合った不快な気分が持続している．物質乱用や眠り続けるなどの回避的行動が出現する．	抑うつやいらいら，不安の混ざり合った不快な気分を強く感じ，時に自傷や自殺といった破滅的行動に至る．

評価の根拠：
_____

症状の発現（レベル3以上の症状に対して）
最近の症状がはじめて生じた日時を記録する：
□生涯にわたって，あるいは物心ついて以来
□明らかでない
□出現の日時 _____ （年） _____ （月）

G3 運動障害

質問：
1. 動きがぎこちなく，協調を欠いてしまうように感じることはありますか？

　　　　　　　　　　　いいえ　わからない　はい（反応を記録）

すべての反応に対し以下を記録する：その内容，出現時期，持続期間，これまでに見られた変化

_____
_____
_____
_____

G3　解説：運動障害

a. 自覚される，あるいは観察されるぎこちなさや協調運動の低下によって，かつて問題なく遂行された行動が遂行困難となること．
b. 神経質な習慣的行動や，型にはまった特徴的な行動，姿勢，あるいは他の人の動きを真似る（反響動作）などの新たな動きの出現．
c. 動作の停止（カタトニー）．
d. 自動的な運動の欠如．
e. 何かにとりつかれたような儀式的運動．
f. 頭，顔，四肢のジスキネジア様の運動．

　各スケールにおけるアンカーポイントは，観察されるあらゆる症候に対して，その徴候の具体例や評価のためのガイドラインを提供するものである．ある特定のポイントを付与する際に，1つの枠内のすべての基準を満たす必要はない．評価の基準には本人の発言だけでなく，面接者による観察記録も含まれる．

運動障害(一般症状スケール)

0	1	2	3	4	5	6
なし	存在が疑われる	軽度	中等度	やや重度	重度	ごく重度
	動きに不器用さが見られる.	動作にぎこちなさが自覚,あるいは観察される.	協調運動に欠ける.細かい運動に困難を伴う.	動きは型にはまったようで,しばしば不適切である.	神経質な習慣的動作や,チック,顔をしかめるなどの動き,何かにとりつかれたような儀式的運動が出現する.	自然な運動の欠如.動作停止,他人を真似た動き,ジスキネジアなどが出現する.

評価の根拠:
_____
_____

```
┌─────────────────────────────────────────┐
│  症状の発現(レベル3以上の症状に対して)  │
│ 最近の症状がはじめて生じた日時を記録する:│
│   □生涯にわたって,あるいは物心ついて以来│
│   □明らかでない                          │
│   □出現の日時 _____ (年) ____ (月)     │
└─────────────────────────────────────────┘
```

G4 ストレス耐性の低下

質問:
1. 普段と変わらない一日の終わりに,他の人より疲れやストレスを感じることはありますか?

　　　　　　　　　　　いいえ　わからない　はい(反応を記録)
2. 日中たまたま予期せぬことが起きたときに,それに振り回されてしまうことはありますか?

　　　　　　　　　　　いいえ　わからない　はい(反応を記録)

3. 日常的な物事にも，挑むような気持ちが必要であったり，それにのみ込まれてしまったりすることがありますか？　日常的な活動を避けてしまっていますか？

いいえ　わからない　はい（反応を記録）

4. ストレスを強く感じて，頭が回らなくなり，普段の日常生活をこなす気力やモチベーションも失われてしまったように感じますか？

いいえ　わからない　はい（反応を記録）

すべての反応に対し以下を記録する：その内容，出現時期，持続期間，これまでに見られた変化

_____

_____

_____

G4　解説：ストレス耐性の低下

a. 以前は難なく対処できていたストレスのかかる状況に対して，回避したりあるいは消耗を余儀なくされたりする．
b. 日常的なストレス要因に対する，明らかな不安症状あるいは回避的行動．
c. かつては難なく処理できた経験に徐々に動揺させられ，それに慣れるのが難しくなる．

　各スケールにおけるアンカーポイントは，観察されるあらゆる症候に対して，その徴候の具体例や評価のためのガイドラインを提供するものである．ある特定のポイントを付与する際に，1つの枠内のすべての基準を満たす必要はない．評価の基準には本人の発言だけでなく，面接者による観察記録も含まれる．

ストレス耐性の低下（一般症状スケール）

0	1	2	3	4	5	6
なし	存在が疑われる	軽度	中等度	やや重度	重度であるが精神病性ではない	重度かつ精神病性
	普段と変わらない日でも疲労やストレスを感じる．	日々のストレスで予想以上の不安症状が生じる．	普段と変わらない日での予想外の出来事で消耗してしまう．	日々の経験に「挑むような」気持ちが徐々に必要となる．	日中に生じるストレスのかかる状況を回避したり，あるいはそれにのみこまれたりする．	日々のストレスに対して，混乱，パニック，無関心，ひきこもりが出現する．

評価の根拠：
_____
_____
_____

症状の発現（レベル3以上の症状に対して）

最近の症状がはじめて生じた日時を記録する：
- ☐ 生涯にわたって，あるいは物心ついて以来
- ☐ 明らかでない
- ☐ 出現の日時 _____ （年） _____ （月）

機能の全体的評定尺度

GAF-M：評定を行う際には，精神疾患の連続性を仮定して，心理的，社会的，また職業上の機能を考慮する必要がある．ここでは身体的（あるいは環境的）要因による機能の低下を含めない．

症状を認めない：100〜91

- 広範囲の活動ですぐれた機能を保っている．
- 生活上の問題に煩わされることもない．
- 多くの長所を持ち，周囲からも頼られている．

生活上すべての面において，きわめて良好な機能を保っている場合： 95〜100
全体としてはきわめて良好だが，ある一面においてごく軽度のストレスを感じている場合： 91〜94

症状はほとんどないか，ごくわずかに認める：90〜81

- 症状はごく軽度認められるか，ほとんどない（例えば試験前の不安など）．
- 生活上すべての面において良好な機能を保ち，それに満足している．
- 広範囲の活動に関心を持ち，実際に取り組んでいる．
- 社会的な関係も良好である．
- 日常生活で問題や心配事があっても，ごくわずかに過ぎない（例えば家族としばしば口論になるなど）．

症状や日常生活における問題が認められない場合： 88〜90
症状か日常生活における問題のいずれかがごくわずかに認められる場合： 84〜87
症状と日常生活における問題の両方がごくわずかに認められる場合： 81〜83

いくつかの一時的な症状を認める：80〜71

- 軽度の症状が認められるものの，その出現は一時的なものであり，心理的なストレス反応と考えられる範囲にある（例えば家族と口論した後に，物事に集中できなくなってしまうなど）．
- 社会的な機能や，仕事や学校での成績が，わずかに低下している（例えば一時的に仕事や学校で周囲から遅れをとるなど）．

軽度の症状か軽度の社会機能の低下のいずれかが認められる場合： 78〜80
軽度の社会機能低下が人間関係，仕事，学校などの1つ以上の分野で認められる場合： 74〜77
軽度の症状と軽度の機能低下の両方が認められる場合： 71〜73

いくつかの軽度な症状を持続的に認める：70〜61

- 軽度の症状が認められ，それは単なる心理的なストレス反応だけとは考えにくい（例えば軽度の抑うつ，不眠など）．

- 対人関係，仕事，学校などにおける困難が持続的に認められる(例えばたまに無断欠席をする，家庭内で金を盗む，仕事や学校で遅れが目立つようになるなど).
- 一方で，いくらかの有意義な対人関係は保たれている.

軽度の持続的な症状か軽度の社会生活上の困難のいずれかが認められる場合： 68〜70
人間関係，仕事，学校などの１つ以上の分野で，軽度の困難が持続的に認められる場合： 64〜67
軽度の持続的な症状と軽度の社会生活上の困難の両方が認められる場合： 61〜63

中等度の症状を認める： 60〜51

- 中等度レベルの症状が認められる(例えば繰り返し生じる抑うつ気分，不眠，軽度の強迫観念や，しばしば生じる不安発作，感情の平板化や的外れな会話，拒食や過食，抑うつを伴わない過度な体重減少など).
- 対人関係，仕事，学校における機能の低下が中等度認められる(親しい友人がほとんどいない，同僚と衝突を繰り返すなど).

中等度の症状か中等度の社会生活上の困難のいずれかが認められる場合： 58〜60
人間関係，仕事，学校などの１つ以上の分野で，中等度の困難が認められる場合： 54〜57
中等度の症状と中等度の社会生活上の困難の両方が認められる場合： 51〜53

いくつかの重度の症状を認めるか，明らかな機能低下が見られる： 50〜31

- 仕事や学校，(主婦であれば)家事などで深刻な機能の低下が認められる(例えば仕事や学校を続けられない，退学あるいは退職に追い込まれる，または家族の世話ができないなど).
- しばしば違法行為を犯したり(万引きを繰り返す，逮捕されるなど)，破壊的な行動が見られる.
- 友人との人間関係が深刻に損なわれている(友人はごくわずかか全くおらず，あるいは他人を避ける).
- 家族との人間関係が深刻に損なわれている(家族とは頻繁に衝突する，あるいは家族を無視する，家に帰らないなど).
- 判断能力の深刻な低下が見られる(決断力の欠如や混乱，失見当識などもこれに含まれる).
- 思考力の著しい低下を認める(執拗な思考の反復，自己イメージのゆがみ，妄執的な思考などが含まれる).
- 感情のコントロール機能の著しい低下が見られる(常時抑うつ気分や無力感，絶望感を認める，焦燥感が強い，躁状態など).
- 不安症状(パニック発作や極度の不安感など)によって深刻な機能低下が見られる.
- 種々の幻覚，妄想，重度の強迫行為などの症状を他に認める.
- 積極的な行動化はないものの，希死念慮が認められる.

上記10項目のうち，
1つの項目で問題が認められる場合： 48〜50
2つの項目で問題が認められる場合： 44〜47
3つの項目で問題が認められる場合： 41〜43
4つの項目で問題が認められる場合： 38〜40
5つの項目で問題が認められる場合： 34〜37
6つの項目で問題が認められる場合： 31〜33

ほぼすべての領域で機能不全を認める： 30〜21

- 自殺の考えにとらわれているか，実際に自殺の準備をしている．
- あるいは妄想や幻覚によって行動がかなり左右される．
- あるいはコミュニケーション能力が深刻に損なわれている（しばしば的外れで不適切な応答がある，重度の抑うつにより自発性が見られなくなるなど）．
- 仕事や学校，（主婦であれば）家事などで深刻な機能の低下が認められる（例えば，仕事や学校を続けられない，退学あるいは退職に追い込まれる，または家族の世話ができないなど）．
- しばしば違法行為を犯したり（万引きを繰り返す，逮捕されるなど），破壊的な行動が見られる．
- 友人との人間関係が深刻に損なわれている（友人はごくわずかか全くおらず，あるいは他人を避ける）．
- 家族との人間関係が深刻に損なわれている（家族とは頻繁に衝突する，あるいは家族を無視する，家に帰らないなど）．
- 判断能力の深刻な低下が見られる（決断力の欠如や混乱，失見当識などもこれに含まれる）．
- 思考力の著しい低下を認める（執拗な思考の反復，自己イメージのゆがみ，妄執的な思考などが含まれる）．
- 感情のコントロール機能の著しい低下が見られる（常時抑うつ気分や無力感，絶望感を認める，焦燥感が強い，躁状態など）．
- 不安症状（パニック発作や極度の不安感など）によって深刻な機能低下が見られる．
- 種々の幻覚，妄想，重度の強迫行為などの症状を他に認める．
- 積極的な行動化はないものの，希死念慮が認められる．

上記の項目のうち，
最初の3つの項目中，1つでも該当する場合： 21
あるいは7つの項目で問題が認められる場合： 28〜30
8から9つの項目で問題が認められる場合： 24〜27
10項目すべてで問題が認められる場合： 20〜23

自傷他害の危険が認められる： 20〜11

- 明らかな自殺企図を伴わない自傷行為（周囲に人がいる中での過量服薬や手首自傷など）を認める．
- 深刻な暴力行為や自己損傷行動を認める．
- 重度の躁的興奮，あるいは強い焦燥，衝動性を呈している．
- しばしば最低限の清潔保持ができない（緩下剤を用いて便失禁する，便で衣服を汚すなど）．
- 精神科病棟に緊急で入院する．
- 医学上の問題による身体的な危険が高い（自己誘発性嘔吐や下剤・利尿剤・ダイエット薬品などの乱用を伴う重度の拒食症あるいは大食症など．ただし深刻な心疾患や腎機能障害，電解質異常，意識障害は伴わない）．

以上6項目のうち，
1つか2つの項目で問題が認められる場合： 18〜20
3つか4つの項目で問題が認められる場合： 14〜17
5つか6つの項目で問題が認められる場合： 11〜13

深刻な自傷他害の危険が認められる： 10〜1
・明らかな自殺企図を伴う自傷行為（周囲に人がいない中での刺傷，自分に向けた発砲，縊首，過量服薬など）を認める． ・深刻な暴力行為や自己損傷行動を頻繁に認める． ・極度の躁的興奮，焦燥，衝動性を呈している（大声でわめきながらマットレスを裂き散らすなど）． ・つねに最低限の清潔保持ができない． ・精神科病棟に緊急で入院する． ・医学上の問題による身体的な危険が深刻かつ緊急性が高い（深刻な心疾患や腎機能障害を伴う重度の拒食症あるいは大食症，毎食時の自己誘発性嘔吐，コントロール不良の糖尿病を合併したうつ病など）． 以上6項目のうち， 1つか2つの項目で問題が認められる場合： 8〜10 3つか4つの項目で問題が認められる場合： 4〜7 5つか6つの項目で問題が認められる場合： 1〜3

(Hall, R : Global assessment of functioning: A modified scale. Psychosomatics 36, 267-275, 1995)

現在のスコア＿＿＿＿＿＿　　　　最近1年間での最高レベル

失調型パーソナリティ障害の診断基準

　遺伝的なリスクおよび機能低下を示すリスクシンドローム——遺伝的なリスクには，DSM-IV の失調型パーソナリティ障害の診断基準に該当するか，または一親等家族に精神病性障害の家族歴を持つことが必要である．

DSM-IV の失調型パーソナリティ障害：
　親密な関係では急に気楽でいられなくなること，そうした関係を形成する能力が足りないこと，および認知的または知覚的歪曲と行動の奇妙さのあることによって特徴づけられる，社会的・対人関係的欠陥の広範な様式．発症は少なくとも思春期か成人早期に認めうる．18歳以下の場合には，少なくともその特徴が1年以上にわたって存在することが必要となる．
現在の失調型パーソナリティ障害は，以下のうち5つ（またはそれ以上）によって示される：

DSM-IV―失調型パーソナリティ障害の診断基準― 面接での反応に基づいて評価を行う	はい	いいえ
a. 関係念慮（関係妄想は含まない）		
b. 行動に影響し，下位文化的規範に合わない奇異な信念，または魔術的思考（例：迷信深いこと，千里眼，テレパシー，または第6感を感じること；小児および青年では，奇異な空想または思い込み）		
c. 普通でない知覚体験，身体的錯覚も含む		
d. 奇異な考え方と話し方（例：あいまい，まわりくどい，抽象的，細部にこだわりすぎ，紋切り型）		
e. 疑い深さ，または妄想様の思考		
f. 不適切な，または限定された感情		
g. 奇異な，奇妙な，または特異な行動または外見		
h. 一親等家族以外には，親しい友人または信頼できる人がいない		
i. 過剰な社会不安があり，それは慣れによって軽減せず，また自己卑下的な判断よりも妄想的恐怖を伴う		
DSM-IV における失調型パーソナリティ障害の診断基準を満たしますか？		

SIPS の要約

陽性症状スケール

0	1	2	3	4	5	6
認められない	存在が疑われる	軽度	中等度	やや重度	重度だが精神病的ではない	重度かつ精神病的である

陽性症状

P1	不自然な内容の思考 / 妄想(p.238)	0	1	2	3	4	5	6
P2	猜疑心 / 被害念慮(p.245)	0	1	2	3	4	5	6
P3	誇大性(p.248)	0	1	2	3	4	5	6
P4	知覚の異常 / 幻覚(p.251)	0	1	2	3	4	5	6
P5	まとまりのないコミュニケーション(p.256)	0	1	2	3	4	5	6

陰性 / 解体 / 一般症状スケール

0	1	2	3	4	5	6
認められない	存在が疑われる	軽度	中等度	やや重度	重度	ごく重度

陰性症状

N1	社会的な関心の喪失(p.260)	0	1	2	3	4	5	6
N2	意欲減退(p.262)	0	1	2	3	4	5	6
N3	感情表出(p.264)	0	1	2	3	4	5	6
N4	情動と自己の認識(p.265)	0	1	2	3	4	5	6
N5	思考の貧困化(p.267)	0	1	2	3	4	5	6
N6	社会機能(p.270)	0	1	2	3	4	5	6

解体症状

D1	奇異な行動と外見(p.273)	0	1	2	3	4	5	6
D2	奇異な思考(p.274)	0	1	2	3	4	5	6
D3	注意・集中の低下(p.276)	0	1	2	3	4	5	6
D4	衛生観念の低下(p.278)	0	1	2	3	4	5	6

一般症状

G1	睡眠困難(p.280)	0	1	2	3	4	5	6
G2	気分不快(p.281)	0	1	2	3	4	5	6
G3	運動障害(p.284)	0	1	2	3	4	5	6
G4	ストレス耐性の低下(p.285)	0	1	2	3	4	5	6

GAF

現在 _____   最近1年での最高レベル _____

失調型パーソナリティ障害の
診断基準(p.292)   該当する   該当しない

精神疾患に関する家族歴(p.237)   該当する   該当しない

SIPS サイコーシス・リスクシンドローム基準の要約

Ⅰ．現在の精神病状態の除外（POPS）

精神病症状

  A. SOPS P1 から P5 スケールのうちどれか 1 つでも 6 点がありましたか？　　はい　いいえ

  B. 上記 A が該当した場合，その症状は深刻あるいは危険なものですか？　　はい　いいえ

  C. 上記 A が該当した場合，その症状は 1 か月に渡って少なくとも平均週 4 日の割合で 1 日に 1 時間以上認めますか？　　はい　いいえ

上記 A，B，C すべてに該当すれば，現在の精神病状態に相当する．

最初に基準に到達した日時（年月日）を記録：＿＿＿＿＿＿＿＿＿＿

Ⅱ．サイコーシス・リスクシンドロームの検討（COPS3.0）

A．短期間の間歇的な精神病状態

  1. SOPS P1 から P5 スケールのうちどれか 1 つでも 6 点がありましたか．　　はい　いいえ

  2. 上記 1 が該当した場合，その症状は過去 3 か月間に精神病的なレベルに達するものでしたか．　　はい　いいえ

  3. 上記 1 および 2 が該当した場合，その症状は現在 1 か月に 1 回の割合で少なくとも数分の割合で存在するものですか．　　はい　いいえ

上記 1，2，3 すべて該当した場合，短期間の間歇的な精神病状態に相当する．

最初に基準を満たした日時（年月日）を記録：＿＿＿＿＿＿＿＿＿＿

B. 微弱な陽性症状

1. SOPS P1 から P5 スケールのうちどれか1つでも3～5点がありましたか.   はい　いいえ
2. 上記1が該当した場合, それらの症状のうち1つでも1年以内に始まったかあるいは1年前に比べて1点以上上昇したものがありますか.   はい　いいえ
3. 上記1および2が該当した場合, その症状は過去1か月間で少なくとも平均週1回の割合で存在するものですか.   はい　いいえ

上記1, 2, 3すべて該当した場合, 微弱な陽性症状の基準を満たす.
最初に基準を満たした日時(年月日)を記録：＿＿＿＿＿＿＿＿＿＿

C. 遺伝的なリスクおよび機能の低下

1. 失調型パーソナリティ障害の診断基準を満たしますか.   はい　いいえ
2. 精神病性障害を持つ一親等家族が存在しますか.   はい　いいえ
3. 最近1か月間のGAFの値が1年前に比べ少なくとも30％以上低下していますか.   はい　いいえ

上記1および3, または2および3, あるいは1～3までの全てを満たす場合に, 遺伝的なリスクおよび機能の低下が存在すると診断される.
最初に基準を満たした日時(年月日)を記録：＿＿＿＿＿＿＿＿＿＿

以下該当するものに○をつけてください.

精神病状態　　　　　　　　　　　　　　＿＿＿＿＿
短期間の間歇的な精神病状態　　　　　　＿＿＿＿＿
微弱な陽性症状　　　　　　　　　　　　＿＿＿＿＿
遺伝的なリスクと機能の低下　　　　　　＿＿＿＿＿
他の精神疾患　　DSMにおけるⅠ軸疾患＿＿＿＿＿　Ⅱ軸疾患＿＿＿＿＿

付録 C

インフォームド・コンセント

研究プロジェクトに参加される方へ※

イェール大学医学部

※未成年の場合は親か保護者

プロジェクトの内容と参加の意義

研究の名称：精神病の回避と予防：前駆状態に対するオランザピンを用いた臨床試験

　この研究は早期に治療を行うことによって，精神疾患の発症リスクをコントロールできるかを確認するために行われるものです．精神病とは，他の人が見たり聞いたりできないものが自分にだけ見えたり聞こえたり，現実にはあり得ないような信念を強く抱いたり，また自分自身に関心が持てなくなったり，うまくコミュニケーションがとれなくなったりするような精神の病気の1つです．このような普通でない感覚，理由なく感じる他人を疑う気持ち，

また話がまとまらず相手にうまく伝わらなくなることや，感情が失われたみたいに何も感じなくなったり，現実感がなくなったり，意欲が持てなかったり，自分が孤独であるように感じたりすることは，多かれ少なかれ誰にでもある体験かもしれません．時にはそうした体験は自然に，あるいは治療によって消えてしまうものかもしれません．しかし時にはそれはいつまでも消えることなく，場合によっては精神病のような深刻な形にまで悪化してしまうかもしれないのです．こうした体験がなぜ時に悪化したり，消失したり，持続したりするのかは，現時点ではまだ正確には分かっておりません．このような経過を詳しく理解していくことも，この研究の重要な目的の1つです．

精神病の体験は，カウンセリングやいわゆる抗精神病薬を用いることによって，効率的に治療することが可能です．こうした薬剤を用いた治療は，まだ軽度レベルの精神病体験に対しても同様に効果があることが，最近の予備的な研究によって分かってきました．そこで私たちは，オランザピンという抗精神病薬を用いて，それがプラセボ(糖衣錠)に比べて症状をより緩和させ，精神病に悪化・移行するのを防ぐことができるかどうか，この研究で確かめてみようと考えているのです．

あなた(あるいはお子様)がこの研究への参加を提案されたのは，これまで悩まされ苦しまれてきた問題が，こうした軽度レベルの精神病体験であったためです．ただそれについて確かなことは分からないということもご承知ください．今起きていることは，もしかすると一時的なもので精神病とは関係のないことかもしれません．私たちがこうして研究への参加を呼びかけているのは，経過をより注意深くフォローすることによって，そのメカニズムを理解することができるようになると考えるからです．

この研究の目標は，皆さんが精神状態を回復され人生をより良い方向に向かわせられることですが，場合によっては―特にプラセボを投与された場合には―状態が悪化する可能性も否定できません．これは研究参加に際して，不利な点の1つであるといえます．またオランザピンを服用した場合でも，その副作用によって不快な思いをされることがあるかもしれません．診察は医師によって定期的に行われますので，このような状況に直面した際にはすみやかにお知らせください．その時点でカウンセリングや投薬などによる，より適切な治療が行われることになります．

この研究に参加されることで生じる不利な点は，他にもいくつか考えられます．オランザピンは今日までに，臨床試験では約6,900人の方に服用され，350万人以上の方の治療に用いられています．
(次にオランザピンで認められたすべての副作用の詳細を示す)

　またこの研究への参加によって，自分の問題とは無関係な，必要のない治療を受けることになる可能性も考えられます．さらに，実際に起こらないかもしれないより深刻な事態の可能性について，不必要に頭を悩ませることになってしまうかもしれません．しかし経過をより注意深く追いながら，もし事態が良好であればそれを維持し，もし事態が悪化していればそこに適切な援助を検討することで，結果として不安感をコントロールすることが可能になると私たちは考えています．

　一方，この研究に参加することによって，いくつかの利点を得ることができます．1つには，定期的に家族あるいは個人を対象とするカウンセリングを受けることができ，何らかの問題が生じた際にそれについて話し合うことが可能です．また研究上で行われる身体検査や臨床検査などから，ご自身の健康状態について正確な情報を得ることができます．さらに，このような注意深く緻密な臨床的観察を迅速な対応のもとに受けることができるのも，この研究に参加される利点の1つです．この研究では，問題をすみやかに見つけ出し，それに対する適切な治療を早期に開始できるような，綿密なモニタリングシステムを提供しています．たとえ何らかの問題が生じたとしても，定期的なモニタリングによって，すみやかに発見され，対処されることになるでしょう．

訳者あとがき

　アイヴィーリーグの名門イェール大学は，ニューヨークのセントラルステーションから電車に乗って北東に走ること2時間，ニューヘイヴンという小さな町にある．ニューヨークとは一転して静かな佇まいのこの港町は古くから政治学のメッカとしても知られ，ブッシュ親子やクリントン夫妻といったいわば米国の「父性」を象徴する政治家を輩出してきた．保守的な東海岸の中でも特にその傾向が強いといわれており，決して広くないキャンパスに赤レンガの建物がひしめき合うさまは，たしかにお世辞にも開放的とはいえない．だが私が最初にそこを訪れた2003年は，同時多発テロによって傷ついた父性を米国が何とか取り戻そうとしている最中であり，本来であれば威圧的とさえいえるレンガの群れにも，どこか物寂しさが漂っていた．

　そんな中，タンディ・ミラー博士は溢れんばかりのエネルギーと笑顔で，初めての訪問にいささか戸惑い気味の私を快く出迎えてくれた．私は彼女が主に作成したSIPSをようやく翻訳し終えたばかりであり，ランチをしながらいくつかの疑問点について確認することになっていた．彼女が出かける準備をしている間廊下の椅子に座って待っていると，白髪の老紳士が近づいてきて私に握手を求めてきた．彼は自ら名前を名乗り，それを聞いた私はまず自分の耳を疑わなくてはならなかった．それがマクグラシャン教授との初めての出会いだった．

　その後も我々はメールを通じて，あるいは学会場で直接顔を合わせることによって，SIPSをめぐる話題のみならず相互の研究や論文作成などについても緊密に議論を交わすようになった．折しも精神病への早期介入は飛躍的に注目を集める分野となっており，イェール大学はつねにその中心にあった．彼らは多忙な中でも真摯に議論に向き合い，我々の些末な疑問にも真剣に耳を傾け，適切なアドバイスを与え続けた．その熱意は研究面にとどまらず，むしろ臨床面で予防をいかに実現していくかに多くが注がれていた．特にミラー博士は臨床上，構造化面接であるSIPSの前に簡便なスクリーニングを行う必要性を強く感じ，SIPS中の質問を基に作成された『PRIME-Screen

もいちはやく開発した．我々は後にその日本語改訂版を作成，その高い妥当性を確認し，PRIME-Screen 日本語版は現在多くの臨床現場で活用されるに至っている＊．

だがある時点を境にミラー博士とのやりとりはぷっつりと途絶した．スイスで行われた学会でマクグラシャン教授が悲痛な表情でその理由を説明したとき，私は再度自分の耳を疑わなくてはならなかった．私はそれまで何も知らなかったのだ．ミラー博士が乳がんと闘っていたことも，それが予防に余生を賭ける決意を生んだということも，そしてこの世を去る直前まで，病床から我々を励ますメールを送り続けていたということも．

マクグラシャン教授らは失意の中にありながら，それでもミラー博士の遺志を実現すべく，歩みを緩めることはなかった．本書中にもあるように，300 例近いサイコーシス・リスク状態の大規模フォローアップ調査を行い，SIPS による診断が一定の妥当性を有していることを示した．また初めて二重盲検比較試験を行うことによって，リスクシンドロームに対する薬物療法の効果を厳密に検証した．こうした熱意に満ちた取り組みは多くの高い評価を生み，原著の刊行に先立って発表された DSM-5 の草稿案には，当初表題と同じ名称の診断カテゴリー，「サイコーシス・リスクシンドローム」が登場し話題をさらった．本書はこのサイコーシス・リスクシンドロームに関する，初めての実践的なガイドブックである．

読者の中には，この「サイコーシス」という呼称にやや耳慣れない響きを感じる方も多いかもしれない．日本語訳としては従来「精神病」が一般的であるが，この精神病という用語は本来神経症（ニューロシス）との区別を明確にするための呼称であり，ともすると深刻な印象を与えかねない．サイコーシスは（同義ではないにしても）統合失調症（スキゾフレニア）という呼称が持つある種の深刻さを避ける意味で用いられることが多く，本書でも特にそうした

＊：PRIME-Screen 日本語版の詳細については，以下を参照のこと．
小林啓之，水野雅文：早期精神病（PRIME Screen，SIPS/SOPS，CAARMS）．臨床精神医学第 39 巻増刊号『精神科臨床評価検査法マニュアル改訂版』，183-190，2010

文脈では,「精神病」ではなくカタカナ表記の「サイコーシス」を採用している.したがって厳密な意味での「精神病」が指し示す概念と「サイコーシス」が意味する状態像にはしばしば多少のずれが生じている可能性があるが,ここでは精神病理学的な整合性よりも用語としての汎用性を優先した.

　「リスクシンドローム」の訳語についても同様に,専門用語の持つ堅苦しさや重々しさを軽減する目的で,原語のままのカタカナ表記に留めた.原語における「リスクシンドローム」はすでに糖尿病や心疾患の「発症予備群」の意味でも用いられており,「メタボリックシンドローム」と同様に,広く一般にリスクを伝える呼称としての響きを備えている.そこには単にリスクを伝えるという意味ばかりでなく,「備えあれば憂いなし」というような,前向きな将来への期待も少なからず含まれている.したがってこの「サイコーシス・リスクシンドローム」という呼称にも,「リスク」イコール危険ではなく,あくまで後の安全や安心のために必要な備えであるというポジティブな意味が,むしろ込められているといってよいだろう〔しかしながら後になってDSM-5の草稿案では「リスク」が省かれ,Attenuated Psychosis Syndrome（微弱な精神病症候群）という形に名称が置き換えられた.リスクという前方視的なベクトルよりも現時点での状態像を意識している,とでもいえるだろうか〕.

　この「サイコーシス・リスクシンドローム」を果たしてDSMのカテゴリーに含めるべきかには,懸念を示す向きも少なくない.その議論の背景には,過剰診断やラベリングの問題とともに,偽陽性群の発生と不必要な薬物療法を招く可能性が指摘されている.だが本書中にもあるように,リスクシンドロームを呈する若者の多くはケアへの希求も伴っており,適切なケアのために適切なリスク評価をいかに行うかを議論する必然性をまずは認識すべきではないだろうか.確認しておかなくてはならないのは,サイコーシス・リスクシンドロームの対象は基本的に援助希求者であって,ケアを求めていない対象への介入を想定しているわけではないということだ.一般に,リスク状態において複数回の援助希求行動が認められることはすでに多くの文献が明らかにしており,そこに援助への期待がある以上,「不要なケア」などというものは存在しない.サイコーシス・リスクシンドロームの定義が目的とするのは,そうした援助希求対象に対する適切なリスク評価であり,後に生じか

ねない新たなラベリングを事前に回避することでもある.

　一方,「サイコーシス・リスクシンドローム」が診断カテゴリーとして成立することによって,それが勝手に独り歩きしてしまう可能性も否定はできない.本来は種々雑多な状態像もいったん「病名」として扱われるようになってしまえば,短時間の診察で診断が下され,抗精神病薬を含む薬剤が安易に処方されてしまう可能性がある.本書にあるような精緻なリスク評価が行われれば,不要な薬物療法に向かう前により慎重かつ丁寧な対応が採られるはずであるが,多忙な日常臨床でそれを常時実践していくには困難な面もあるかもしれない.だが安易な薬物療法などの慎重さを欠いた不用意な介入は,副作用やスティグマなど二次的に発生する問題によって,特に予防的な場面では二つの点でより深刻となる可能性がある.一つには積極的な介入が本来必要ない偽陽性のケースに中枢神経系に作用する薬剤が用いられるリスクであり,もう一点は介入が必要なケースに十分なケアが行われる前に,ケアの機会そのものが失われてしまう可能性である.事実マグラシャン教授らの研究によれば,サイコーシス・リスクシンドロームと診断された群において,抗精神病薬を用いた治療では半数以上が様々な理由から中途で服用を中止している.サイコーシス・リスクシンドロームに対するケアは多くの場合初回の介入であり,導入がスムーズに行われなければ早期介入の機会が失われ,事態がより深刻になるまで介入の再開が遅れてしまう可能性もある.こうした観点から,今後サイコーシス・リスクシンドロームに対するより厳密な介入効果研究やケアのガイドラインの設定などが,まずは喫緊の課題であるといえよう.

　一方,そもそも診断を「マニュアル化」することに対する批判も根強く存在する.本書に含まれるSIPSもいわゆる操作的な診断手法を採用しており,この形式には抵抗感を覚える方も少なくないだろう.たしかに一見すると症状に関するイエス・ノー式の質問と製品規格表の如き仕分け評価ボックスが羅列されていて,これには正直辟易される方も多いはずだ.だが実際にそれを臨床場面で使用してみれば,一定の信頼性を保ちながらこれだけの網羅的な項目を評価するために,様々な工夫がなされていることに気づかれるだろう.言語化の難しい微妙な自己体験の変化は理解しやすい質問の形に置き換

えられ，評価の困難な陰性症状も生活面や対人関係の変化などの客観的に明瞭化しやすい形で扱われている．本書の中にも，質問を進めるうちに「どうして私のことがそんなに分かるのか」と涙するケースが登場するが，SIPSの質問はまさにそうした体験を言語化するための有効な手段でもある．さらに評点を下す際には，質問によって得られた症状の有無でスコア化されるのではなく，客観的な観察から得られた情報をも総合して評価する形をとっており，単なるマニュアルなどではないことが十分うかがえる．SIPSのすべての質問を終えたとき，ケースに対する十分な洞察と理解だけでなく，確固とした治療関係がすでに築かれていることに，評価者は深い感慨を覚えることになるだろう．

　こうした精緻な臨床的観察に拠って立っていることを思えば，本書『サイコーシス・リスクシンドローム』の精神病理学的あるいは診断学的な価値は，いうまでもなくきわめて高いものがある．精神病を発症する以前の，あいまいで捉え難い不安に満ちた期間について，これほどまでに平易な言葉を用いて明確に説明するのは決して容易なことではない．それはミラー博士やマクグラシャン教授らが，日夜いかに詳細に臨床的観察を行ってきたかを裏付けるものだといえよう．彼らがこれまで続けてきた努力は，ともすると難解な用語で深遠さをほのめかす精神病理学の傾向とは一線を画すものであり，その姿勢から学ぶべきことは多い．

　中でも本書で特に出色といえるのは，数多くのケーススタディである．そこに描かれているのは単にリスク症状を持つだけでなく，不安と苦悩に満ちた一人の若者である．それが直に生々しく伝えられることによって，読者は本当に手を差し伸べるべき相手が誰なのかを理解することができよう．全てを通して読む時間のない方には，症例部分だけでも目を通していただければ幸いである．

　他方，今後リスクシンドロームの研究面ではどのような展開が期待されるだろうか．すでにわが国でもこれまで多くのリスク研究が進められてきたが，本書の登場によって診断面での信頼性はより高まることが期待される．本書によって精神病のリスク状態に対する症候学的な考察が深まれば，今後脳画

像や神経生物学，あるいは遺伝子を用いた研究などへのさらなる寄与を通じて，「精神病とは何か」という究極的な問題を解明していくことが可能となるだろう．また当然ながら，リスク状態からの発症を予防する取り組みもこれまで以上に盛んになることが予想される．本書は内容も平易であり，医師だけでなく心理士や保健師，看護師，養護教諭，スクールカウンセラーなど予防に携わるあらゆるスタッフが臨床の傍ら参照することが可能である．わが国では診断や治療における医師の裁量が大きく，悩める若者が適切なケアを受ける機会はしばしば十分でなかった．本書によって多くの職種が共通の認識を持ち，リスク状態で悩みを抱える若者に適切な形で支援の手が差し伸べられれば，訳者としてそれにまさる喜びはない．

末筆ながら水野雅文先生には，ご多用の中監訳作業とともにいつもながら大変貴重なアドバイスをいただき，深く感謝申し上げたい．先生には私の指導医として SIPS をご紹介いただいて以来，わが国での精神病の早期診断・早期介入に関する先駆的な取り組みに，今日まで共に参加させていただいた．また医学書院の松本哲氏には遅々として進まぬ翻訳作業に辛抱強くお待ちいただいたうえ，このように本書を手に取りやすく，読みやすい形に整えていただけたことに厚く御礼を申し上げる．

特に校正作業中の3月11日に，東日本を広く襲った震災によって一時中断しながら，こうして出版を迎えられることには感謝の思いが堪えない．マクグラシャン教授からも我々を応援する温かいメッセージとともに，力強い序文をいただいた．日頃の感謝も込めつつ，この場を借りて御礼申し上げたい．また私事ではあるが，現在福島県の避難所を回って被災者のケアに携わっており，そこで本書にも登場するような若者をしばしば目にする機会があった．今後も被災された方々への心のケアとともに，自宅や家族を失ったまだ若い人々に対しても長期的なケアが必要となるだろう．今回の震災で亡くなられた多くの方々へのご冥福をお祈りするとともに，本書がそうした若者への一助となることを強く願う．

2011年4月

小林啓之

索引

欧文

A

Attenuated Positive Symptom Syndrome(APS) 18, 31, 201-203, 230
——, 症例 32, 95, 99, 102, 119, 123, 126, 176, 182, 186, 189, 192, 194

B

Brief Intermittent Psychotic Syndrome(BIPS) 18, 31, 203, 230
——, 症例 33, 105, 197
Brief Psychiatric Rating Scale(BPRS) 15
Brief Psychotic Disorder 38

C

Cannon-Spoor Premorbid Adjustment Scale 43
Clinical Global Impression-Severity of Illness Scale 43
Comprehensive Assessment of At Risk Mental States(CAARMS) 18
Comprehensive Assessment of Symptoms and History(CASH) 15
Criteria of Psychosis-risk Syndromes (COPS) 18, 31, 230

D・F

dementia praecox 4

Diagnostic Interview for Personality Disorders(DIPD-IV) 49, 135
DSM-IV 210
—— における精神病性障害 37
—— の失調型パーソナリティ障害 292
—— のための構造化臨床面接患者版 49
duration of untreated psychosis (DUP) 10
Falloon の報告, 精神病発症に関する 10

G・I

GAF 43
Genetic Risk and Deterioration Syndrome(GRDS) 18, 31, 34, 202, 230
——, 症例 111, 188
I 軸疾患への移行 210

K

Kraepelin 4
KSADS 91, 135

M・N

Mania and Depression Rating Scale 43
Modified Family History Research Diagnostic Criteria 43
NAPLS のリスクシンドローム研究 150

P・Q

PANSS　43
Positive and Negative Syndrome Scale(PANSS)　15, 43
positive predictive value(PPV)　13
Presence of Psychotic Symptoms (POPS)　16
PRIME クリニック　**205**
prodrome　3
Psychosis　31
Psychosis-Risk Syndrome　3, 12, 45, 64, 211
Psychotic Disorder Not Otherwise Specified(NOS)　37
Quality of Life Scale　43

S・T

Scale of Prodromal Symptoms (SOPS)　15
Scale of Psychosis-risk Symptoms (SOPS)　15, 42, **72**, 232
――による評価　64
Schizophreniform Disorder　38
SCID　64, 135
SIPS/SOPS
――の代替・補充スケール　18
――の目的　30
SIPS/SOPS 5.0　225
SOPS　42, **72**
Structured Clinical Interview for DSM-Ⅳ-Patient Edition(SCID-I/P)　49
Structured Interview for Psychosis-Risk Syndromes(SIPS)　15, 228, 294
――における症候分類と因子　**25**
――による診断　**29**
――の開発　**12**
――の完了　63
――のサイコーシス・リスク症例の特徴　**42**
――の信頼性と妥当性　**20**
――の使い方　55
TIPS study　10

U・Y

Unusual Thought Content(UTC)　60
Young Mania Rating Scale　43

索引

和文

あ
アスペルガー障害　137
アットリスク状態に対する包括的アセスメント　18

い
インテーク評価(面接)　207
　——，症例　57
インフォームド・コンセント　298
意欲減退　262
意欲減退を示す群　18, 31, 34, 202, 230
　——，症例　111, 188
一般症状
　——，SOPS の　17, 27, 233, 280
　——，リスクシンドロームの　**39**
　—— の評価　89
陰性症状
　——，SOPS の　17, 26, 233, 260
　——，リスクシンドロームの　**39**
　—— の評価　84

う
うつ病　235
運動障害　284

え
衛生観念の低下　89, 278
疫学的考察，サイコーシス・リスクシンドロームの　49

か
家族歴研究のための修正基準　43
解体症状
　——，SOPS の　17, 233, 273
　——，リスクシンドロームの　**39**
　—— の評価　87

寛解，症例　169
感情表出　264
　—— の低下　85
簡易精神症状評価スケール　15
鑑別のためのアセスメント　64
鑑別診断，サイコーシス・リスクシンドロームの　**135**

き
気分不快　89, 281
奇異な行動と外見　87, 273
奇異な思考　88, 274
基底症状　12
機能の全体的評定尺度　288
偽陽性との区別　212
偽陽性群　210
境界性パーソナリティ障害との鑑別診断　137
強迫性障害(OCD)　136
　——，症例　144
嗅覚の異常　254

く・け
クオリティ・オブ・ライフ評価尺度　43
現症と病歴に関する包括的アセスメント　15

こ
コミュニケーションの障害　256
誇大性　79, 248
広汎性発達障害　138
困惑と妄想気分　238

さ
サイコーシス・リスク　36
　—— の評価　14
サイコーシス・リスク症状の評価　**72**
サイコーシス・リスク症状(の)評価スケール(SOPS)　15, 42, **72**, 232

サイコーシス・リスクシンドローム
　　　　　　　　　3, 12, 45, 64, 211
　── に対する構造化面接(SIPS)
　　　　　　　　　　15, 228, 294
　── に対する臨床　**205**
　── の鑑別診断　**135**
　── の経過　**150**
　── の診断　**29**
　── の診断基準(COPS)　18, 31, 230
　── の典型例　32
　── の評価，SIPS/SOPS による
　　　　　　　　　　　　　　51
　── へのモニタリング　70
サイコーシス・リスクシンドローム基準，SIPS　296
最終評価，SIPS による面接の　65
猜疑心／被害念慮　61, 77, 245

し

自意識，過剰な　196
自己と情動の認識　86
思考の貧困化　86
視覚の異常　253
失調型パーソナリティ障害
　　　　　　　36, 65, 202, 235
　──，症例　114, 130, 184
　── との鑑別診断　137
　── の診断基準　134, 292
　── への移行，症例　164
社会機能　270
社会的(な)関心の喪失　84, 260
社会的な機能　87
社会不安障害　136
初回面接　**55, 67**
症状因子，リスクシンドロームの　26
情動と自己の認識　265
情報提供，リスク状態と治療選択　**67**
心的外傷後ストレス障害(PTSD)
　　　　　　　　　　　　　136
身体感覚の異常　254

神経性大食症，症例　147
神経発達プロセス　206
診断基準，サイコーシス・リスクシンドロームの　29
人格障害のための診断面接　49

す

ストレス耐性の低下　285
睡眠困難　280

せ

精神疾患
　── の家族歴　57, 237
　── の予防と偏見　211
精神病　35
　── に移行しなかった群　150
　── に対する脆弱性　12
　── の閾値　16
　── の三次予防　214
　── の診断　**29**
　── の診断基準　31
　── の定義，DSM-IV の　15
　── の発症サイン　14
　── の発症予測性　13
　── のリスクシンドローム　25
　── への移行　209, 211, 213
　── への移行，症例
　　　　　　151, 155, 159, 161
精神病症状　16
精神病状態　31
精神病状態の診断基準　228
精神病進行のプロセス　6
精神病性障害，DSM-IV　37
精神病性障害の残遺期，症例　108
精神病発症時の対応　174
精神病非移行群　210
精神病未治療期間　10
脆弱性，精神病に対する　12
摂食障害　137
前駆(状態)　3, 35

前駆症状評価スケール　15

そ

双極性障害（非精神病性）への移行，症例　167
双極性障害，症例　141
早期発見・早期介入　5
　── のエビデンス　9
　── のリスクとベネフィット　211
早発性痴呆　4
躁病　235
　── との鑑別診断　136

た

大うつ病性障害　204
　──，症例　138
大うつ病との鑑別診断　136
短期間歇的な精神病症状群
　　　　　　　　　18, 31, 203, 230
　──，症例　33, 105, 197
短期精神病性障害　38

ち・て

治療プロトコール，標準的な　208
知覚の異常／幻覚　62, 81, 251
注意・集中の低下　88, 276
注意欠陥多動性障害（ADHD）　137
聴覚の異常　252
電話（による）スクリーニング　53, 221

と

統合失調症　3
　── の早期段階　5
　── の発症予測　13
　── の併発疾患　48
　── の予防　8
統合失調症スペクトラム　36
統合失調症様障害　38

に・の

日常的なストレスに対する耐性の低下　90
脳の偏倚傾向の予兆　205

は

パーソナリティ障害　235
ハイリスクシンドローム　13
パニック障害　136, 235
発症予備状態　212

ひ

被害念慮以外の過剰な自意識　242
非リスク対照群　202, 204
　──，症例　93, 118, 179, 199
微弱な陽性症状群　18, 31, 201-203, 230
　──，症例　32, 95, 99, 102, 119, 123,
　　　　　　126, 176, 182, 186, 189, 192, 194
病前機能評価スケール　43

ふ

不安障害との鑑別診断　136
不自然な内容の思考／妄想
　　　　　　　　　　　60, 74, 238
　──，他の　241
物質関連障害との鑑別診断　137

へ

ベースライン時のアセスメント　91
ベースライン評価のエクササイズ　176
偏見，精神疾患にまつわる　211
他の不自然な思考／妄想　241

ま・み

まとまりのないコミュニケーション
　　　　　　　　　　　63, 83, 256
味覚の異常　254
未成年者の面接　55

む・も

無気力 85
モニタリングプログラム 213
モンゴメリー・アズバーグ病評価
　尺度 43

や

薬物療法，PRIMEクリニックにおけ
　る 209
ヤング躁病評価尺度 43

よ

予防
　──，精神疾患の 211
　──，統合失調症の 8
予防的意義に関するエビデンス，早期
　発見・早期介入の 9
陽性症状
　──，SOPSの 17, 233, 238
　── のアセスメント 60
　── の評価 **72**, 74
陽性症状以外の評価 63
陽性症状・陰性症状評価尺度 15, 43

り

リスク，早期発見・早期介入の 211
リスクシンドローム 37, **39**
　──，初発サイコーシスに対する **3**
リスクシンドローム・クリニック
　　　　　　　　　　　53, 174
リスク状態 3
　── への移行，症例 172
リスク陽性ケース 206
臨床上の特徴，サイコーシス・リスク
　シンドロームの 29
臨床全般印象尺度-重症度スケール
　　　　　　　　　　　　　　43